고전의 유혹

3

고전의 유혹

3

박찬국 외 지음

아카넷

고전의 맛

고전(古典)이란 오랜 세월을 걸쳐 수많은 사람이 같은 감동으로 읽는 책으로서, 시간적 공간적 제한을 뛰어넘는 보편적 가치를 담고 있기에 그런 책이 되었을 터이다. 그러나 고전은 한 번에 죽 읽히는 책이 아니다. 그래서 어떤 사람은 고전이란 단번에 죽 훑어 읽고 덮어두는 책이 아니라 수시로 다시 꺼내 읽게 되는 책이라고 규정하기도 한다. 고전이 대개 재미 위주로 쉽게 쓰인 것이기보다는 깊은 사념(思念)의 결실을 담고 있어서, 그것을 이해하기 위해서는 저자와 함께 사색의 길을 걸으면서 긴 시간 대화를 나누어야 하기 때문일 것이다. 그래서 고전은 앉은 자리에서 전권을 독파할 수 없는 것은 아니겠지만, 시차를 두고 지속적으로 한 대목씩 읽어 내려가면서 음미하는 편이 더 좋을 수도 있다.

이해력이 어느 정도에 이른 나이의 사람이라면 고전 읽기는 꼭

하는 것이 바람직하다. 물론 젊은 시절에 고전 읽기가 쉽지는 않다. 저자와 대등한 상대자로서 대화를 나누기에는 아직 체험과 숙려가 깊지 못하기 때문이다. 그럼에도 삶에 대한 욕구가 왕성하고 미지의 세계에 대한 흥미가 강렬한, 이상적 가치 추구에 지칠 줄 모르는 젊은 시절의 독서는 누구에게나 그 효과가 자못 심대하고 장구하다. 독서를 통해 우리는 과거를 조감함으로써 현재의 내 위치를 알고 미래에 실현할 나의 삶의 전형(典型)을 만나며, 우리를 둘러싸고 있는 상황의 의미를 캐고, 비교를 통해서만 비로소 포착될 수 있는 대상들과 마주치고, 다양한 가치관을 접하며, 사리분별(事理分別)력을 키우고 심미적 감성을 함양할 수 있다.

젊은 시절에 제대로 이해하지 못한 채 읽은 고전은 십중팔구 잘 기억나지 않는다. 그러나 그것은 독자의 의식 체계 어디엔가 숨어 있다가 언제라도 나타날 수 있다. 한참 더 나이가 들어 다시 그 서책을 읽게 되면, 어느 때부터 시작됐는지도 뚜렷하지 않은 자기 행동양식의 계기를 마련해준 대목들을 뜻밖에 만나는 수가 있다. 고전에는 신비한 힘이 있어서 우리가 비록 그 세세한 내용은 잊어버려도 우리 마음속 깊은 곳에 일생을 두고 자라는 씨앗을 뿌려놓는 경우가 많은 것이다. 다른 한편 나이가 충분히 들고 넓은 체험을 쌓은 후에 하는 고전 독서는 참 즐거움을 동반한다. 저자와 같은 눈높이에서 대화하면서 세상의 이치를 토론하고, 자신의 삶을 관조하는 깊은 맛을 문득문득 맛볼 수 있는 것이야말로 고전 읽기의 유혹이지 않을 수 없다. 이성(理性)과 이성의 대화, 감성(感性)과 감성의 교합(交合) — 이것보다 사람[人]과 사람을 함께하게 하는 것이 더 있겠는가! 노년의 독서는

'우리'를 나누는 자리이다.

여기 묶어 소개하는 고전들은 모두 원래 외국어로 쓰인 고전을 한국어로 번역한 것들이다. 고전 번역은 외국어로 되어 있는 인류 문화자산을 한국어로 옮겨 한국문화의 요소로 편입시키는 일이다. "고전은 원서로 읽어야 제맛을 얻을 수 있다." "번역은 반역이다." — 흔히 이런 말들을 한다. 물론 언어에는 차이가 있으니 아무리 잘 된 번역이라 하더라도 그 과정에서 의미 변화가 생기는 것은 불가피하다. 통상 중국인은 한문 서적을 한문으로 읽고, 고대 로마인은 라틴어 서적을 라틴어로 읽었고, 독일인은 독일어 서적을 독일어로 읽는다. 그러나 한국인은 칸트의 독일어 원서를 손에 들고 읽는다 해도 그것을 보통은 한국어로 읽는다. 칸트의 한국어 번역 책만을 한국어로 읽는 것이 아니다. 원서를 읽더라도 머릿속에서 한국어로 풀이해서 읽는다면 실상은 한국어로 읽는 것이다. 그렇기에 어떤 문헌을 원어 그대로 읽는다 해도 자연언어의 낱말들은 거의 모두 다의적이기 때문에 저자의 생각이나 느낌이 독자에게 그대로 전달되는 것을 기대하기 어려울 것인데, 하물며 언어가 바뀜에서 오는 독해의 어려움은 피할 수 없는 일이다.

그러나 글은 번역되면서 어떤 의미 영역을 잃는 대신에 새로운 의미 영역을 얻음으로써 새로워지고, 번역된 언어문화의 성분이 된다. 가령 칸트의 독일어 저술 『순수이성비판』과 베르그손의 프랑스어 저술 『창조적 진화』는 한국어로 번역됨으로써 한국사상의 성분이 되는 것이다. 그것은 한문 책 『논어』나 『금강경』이 한국어로 번역됨으로써 한국사상의 성분이 되는 것과 마찬가지이다. 외국어 문헌의 한국어 번역과 독서도 '옛것을 바탕으로 새것을 만들어내는 일[法古創新]'의 한 방식이다. "나의 언어의 한계들은 나의 세계의 한계들을 의미한다." 비트겐슈타인의 이 말을 뒤집어 말하면, 수많은 외국어 고전을 한국어로 옮겨 읽는 것은 다름 아닌 한국인의 세계로의 확장, 한국적 사고의 새로운 창출을 의미한다. 그래서 본디 한국어 고전에서뿐만 아니라 번역된 외국어 고전에서도 짙은 향취를 얻을 수 있다. 새로운 말의 터득은 새로운 시야를 열어주니, 여러 나라 말로 쓰이고 한국어로 수용된 고전과 함께 새로운 세계를 거닐어보자.

아카넷에서 이번에 펴내는 '고전의 유혹' 시리즈는 독자들의 꾸준한 관심을 받고 있는 대우고전총서의 서양 고전을 선별하여 그 해제를 묶은 책이다. 각 해제의 형식은 조금씩 다르지만 사상가들의 생애를 비롯해 원전의 사상적 배경과 흐름, 주요 내용의 요약과 해설뿐만 아니라 현재적 의의 등이 담겨 있어 학계의 연구자와 서양 고전을 공부하고자 하는 일반 독자들에게 큰 도움이 될 수 있으리라 생각한다.

2015년 4월

정경재(靜敬齋)에서

백종현

차례

대우고전총서

009

소유란 무엇인가

피에르 조제프 프루동

이용재

1. 프루동과 그의 시대

부르주아의 소유권에 대한 통렬한 공박을 담고 있는 프루동의 『소유란 무엇인가?』(이하 『소유』로 줄임)는 프랑스에서 부르주아적 자유주의와 개인주의가 정치적으로나 사회적으로나 영광의 절정을 향해 치닫고 있던 7월왕정(1830~1848)의 한복판에서 나타났다. 1830년 7월, 샤를 10세의 반동정책에 맞서 자유와 정의를 외쳤던 '영광의 3일'은 부르봉 복고왕정을 역사의 뒤편으로 몰아내는 데 성공했다. 부르주아지는 선거권의 확대, 상원의 세습제 폐지, 삼색기의 채택,

언론검열 폐지 등 혁명 직후에 신속하게 단행된 일련의 자유주의적 개혁을 통해 공화제 수립에 대한 인민의 요구를 가라앉히는 한편, 루이 필립을 권좌에 앉힘으로써 '부르주아 왕정'의 시대를 열었다.

7월왕정을 지배한 것은 대(大)부르주아지였다. 즉 금융가, 산업가, 재정가, 증권업자, 대상인 등 당시에 흔히 '가진 자(propriétaire)'로 통칭되는 부류가 정치권력을 독점하고 산업계를 지배했다. 이들 대부르주아지는 우선 제한선거제를 통해 그들의 지배권을 공고히 했다. 1830년의 '헌장(Charte)'은 혁명 직후의 자유주의적 열망에 부응해서 선거권자나 피선거권자가 되는 데 필요한 재산 기준을 완화하여 유권자의 수를 두 배로 늘렸다. 그러나 개혁은 허울뿐이었다. 유권자수는 겨우 20만 명 정도로 늘었을 뿐이고, 노동자계급은 물론 중·소 부르주아지도 선거권에서 배제되었다. 대부르주아의 지배는 경제면에서도 나타났다. 7월왕정은 재정적자 개선과 산업진흥을 위해 처음부터 유동자산을 쉽게 동원할 수 있는 파리의 대부르주아들에게 의존했는데, 특히 증권업과 금융업은 이들의 중요한 투기대상이자 축재의 원천이었다. 이들은 권력과 밀착하여 국채의 시세 조작을 일삼거나 철도나 건설 등 공기업을 독점함으로써 다수 소자본가들의 파산을 가져왔다. 결국 7월왕정은 토크빌(A. Tocqueville)이 지적한 대로 프랑스 국민의 재산을 착취하는 일개 주식회사에 지나지 않았으며, 루이 필립은 증권업계의 왕이요, 이 주식회사의 총수인 셈이었다.

'질서'와 '재산'을 최고의 가치로 여기는 7월왕정의 부르주아 자유주의는 사회개혁이나 노동조건의 개선과는 애당초 거리가 멀었다.

노동자들이 가난한 것은 방탕하고 나태한 생활습관 탓이며 부르주아처럼 열심히 일하고 검약할 줄 모르기 때문이라는 것이 당시 지배 엘리트들의 틀에 박힌 생각이었다. 원하는 만큼 일하고 돈을 벌 수 있는 '자유'가 누구에게나 보장되어 있는 만큼, 노동자들의 처지를 개선하기 위해 국가가 경제에 개입하는 것은 비현실적인 박애주의의 환상일 뿐이라는 것이다. 부르주아 자유주의의 대변인이자 7월왕정의 수호신이었던 수상 기조(F. Guizot)는 선거권 확대를 요구하는 노동자들의 외침에 대해, "일해서 부자가 되라. 그러면 유권자가 될 것이다"라고 응수했다. '영광의 3일'로 잠시 싹튼 자유의 열정은 곧 재산과 질서의 숭배로 대체되었고, 가진 자와 못 가진 자 사이의 불신의 골은 더욱 깊어졌다.

물론 부르주아 질서의 공고화에 대한 문제 제기가 없었던 것은 아니다. 산업화에 따른 폐단이 곳곳에 나타나고 '사회문제(question sociale)'에 대한 관심이 대두하면서 이미 복고왕정 시대부터 생시몽(Saint-Simon)은 『산업자의 교리문답』(1823)에서, 푸리에(Ch. Fourier)는 『산업과 협동의 신세계』(1829)에서 기존 사회를 대체할 새로운 정의사회에 대한 웅장한 전망을 내놓았다. 그러나 프루동이 볼 때 이들 초기 사회주의자는 현 사회의 존재조건이라 할 소유의 문제는 말할 것도 없고 기존 부르주아 제도들을 전혀 건드리지 않는 자기기만적인 미봉책에 불과했다.

프루동이 『소유』를 쓴 1840년은 부패와 투기로 얼룩진 부르주아 지배에 대한 저항이 움트기 시작하는 시기이기도 했다. 한 해 전부터 지속된 경제불황의 여파 속에서 파리의 노동자들은 일자리 확보와 임금 인상을 요구하며 1840년 9월에 대규모 총파업에 돌입했다. 박애주의 개혁가인 루이 빌레르메(L. Villermé)가 쓴 『노동자들의 육체적·도덕적 상태에 대한 보고서』(1840)는 당시 노동자들의 참상과 이를 방치하는 지배층의 도덕적 해이와 무관심을 적나라하게 고발했다. 여기에 루이 블랑(L. Blanc)은 『노동의 조직』(1840)에서, 에티엔 카베(E. Cabet)는 『이카리아 기행』에서 부르주아 지배에 대한 과감한 도전장을 던지면서 매우 선동적이고 혁명적인 처방을 내놓았다. 『노동의 조직』과 『이카리아 기행』은 『소유』와 마찬가지로 그 나름대로 소유의 문제를 브르주아 사회를 진단하는 관건으로 삼고 있다. 그러나 블랑도 카베도 프루동만큼 소유의 문제를 부르주아들이 대경실색할 정도로 그 논리적 극단으로 밀고 나가지는 못했다. 프루동이 부르주아 소유권에 대한 가장 투철한 반대자가 될 수 있었던 것은 아마도 "노동자계급으로 태어나고 자라서 지금 그리고 앞으로도 심정적으로든 습관적으로든, 그리고 이익과 희망을 함께 나누면서 노동자계급에 속할"[01] 자신의 남다른 인생 역정에서 비롯한 것인지도 모른다.

2. 프루동의 생애와 사상

피에르 조제프 프루동은 1809년 1월 15일 프랑스 동남부 프랑

01 "Candidature à la pension Suard", in P. Ansart, Proudhon, *textes et débats* (Le Livre de Poche, 1984), 33쪽.

슈-콩데(Franche-Condé) 지방의 중심지인 브장송(Besançon)에서 태어났다. 스위스에서 프랑스로 뻗은 쥐라 산맥의 끝자락에 자리잡은 브장송은 아직은 산업화의 촉수가 미치지 않은, 순박한 농민들과 수공업자들이 모여 사는 전원적이고 목가적인 시골풍의 도시였다. 이미 "다섯 살 때부터 양치기였던"[02] 프루동은 중등학교에 입학한 12살 때까지 집안의 일손을 돕기 위해 더러는 밭일을 하고 더러는 가축을 돌보며 들판에서 하루를 보내곤 했다. "나는 쥐라 산맥의 맑은 석회암반에서 나왔다. 내 환한 낯빛에는 내 출신이 드러난다".[03] 프루동은 만년이 되어서도, 가축을 몰며 들판을 뛰놀던 어린 시절을 향수어린 눈으로 돌이켜보곤 했다. 농민이 제 땅을 갈고 수공업자가 제 몫의 일을 하며 권력의 압제에 시달리지 않고 마음껏 자유를 누리는 목가적인 이상향을 꿈꾼 프루동의 아나키즘 사상은 실로 그의 마음속 깊이 간직된 어린 시절에 대한 향수와 무관하지 않을 것이다.

그러나 프루동의 사상에 가장 깊은 자국을 남긴 것은 그가 성장하면서 줄곧 겪어야 했던 그 자신과 가족 그리고 그의 이웃들의 고단한 삶과 그에 따른 고통의 기억이었다. "나는 가난하고, 가난한 자의 아들이다. 나는 가난한 이들과 일생을 보냈으며 십중팔구는 가난하게 죽을 것이다".[04] "나는 부모님들의 임종을 한번도 지키지 못했다. 나는 일해야 했고 먹고 살아야 했다".[05] "폭풍우에 시달리는 가련

02 *De la Justice dans la Révolution et dans l'Eglise*(Marcel Rivière, 1923), t.II, 404쪽.

03 *Mémoire sur ma vie, textes ordonnés* par B. Voyenne(La Découverte, 1983), 8쪽.

04 *De la Justice dans la Révolution et dans l'Eglise*, t.II, 3쪽.

05 *Mémoire sur ma vie*, 15쪽.

한 새처럼, 나는 아직도 내 한 몸 깃들일 푸른 가지를 찾아 헤매고 있다".[06] 프루동이 만년에 쓴 회상록에는 가난으로 입은 마음의 상흔이 오롯이 서려 있다. 생생한 체험에 바탕을 둔 착취당하고 가난한 이들에 대한 연민의 정은 실로 프루동이 자신의 사상을 단련하는 묘판이 되었다. "내가 옹호하는 대의는 가난한 자의 대의이다. 가난한 자는 누구든 나와 한가족이다".[07] "가장 수가 많고 가장 가난한 계급의 물질적·도덕적·지적 조건을 개선할 수단을 연구하는 것이 나의 의도이다".[08]

학자금을 마련할 길이 없어 중등학교를 중도에 그만두어야 했던 프루동은 집안의 생계를 돕기 위해 출판사에 취직했다. 출판사의 식자공을 거쳐 교정원으로 보낸 거의 8년의 세월은 혈기왕성한 20대 젊은이의 삶에 대한 태도와 세계관의 형성에 결정적인 영향을 미쳤다. 프루동은 저임금, 과로, 질병, 장래에 대한 불안, 실직에 대한 두려움, 일자리를 찾아 도시를 전전하는 생활 등 노동자로서의 고달픈 삶을 두루 맛보았다.

그러나 다른 한편 프루동은 이때의 체험을 통해서 학교의 공식 교육에서 얻을 수 없는 진정한 해방감을 맛보았으며, 자신의 직업을 '나의 자유의 상징이자 도구'[09]로 받아들여 학문에 대한 열정으로 승화시켰다. 신학 서적을 조판하면서 그는 직접 성경 원전을 해독하기

06 *De la Justice dans la Révolution et dans l'Eglise*, t.II, 247쪽.

07 *La Guerre et la Paix*(Marcel Rivièire, 1927), 338-339쪽.

08 Qu'est-ce que la propriété? (Flammarion, 1966), 39쪽.

09 *De la Justice dans la Révolution et dans l'Eglise*, t.II, 21쪽.

위해 서슴없이 히브리어를 배우기도 했고, 앞으로 그의 지적 반려자가 될 젊은 개신교 신학자 귀스타브 팔로(Gustave Fallot)가 쓴 『성인열전』을 교정보면서 여백에 비판적 주석을 달기도 했다. 프루동은 동향 출신인 노(老) 사회주의자 푸리에가 쓴 『산업적 협동적 신세계』를 교정보면서 "6주 동안 이 기괴한 천재에게 사로잡히기"[10]도 했으나 팔로와의 토론을 통해 푸리에의 구상이 지닌 비현실성에서 곧 빠져나올 수 있었다. 프루동이 『소유』에서 전개한 생시몽과 푸리에류의 사회주의 이론에 대한 가열한 비판은 이때 이미 그 기본 골격이 형성된 듯이 보인다.

1837년 초에 프루동은 친구들과 함께 파산한 출판사를 인수해서 '랑베르 출판사(Lembert et Cie)'를 차리고 여기서 그의 첫 저서인 『일반문법 시론』을 익명으로 출판했다. 그러나 시련은 그칠 줄 몰랐다. 평생의 지적 동반자로 여긴 팔로가 1836년에 갑자기 죽은 데 이어서, 재정 적자에 허덕이던 출판사가 문을 닫자마자 친구 랑베르마저 목숨을 끊었다. 프루동은 심한 정신적 충격에 빠졌다.

새로운 길을 찾고자 했던 프루동은 브장송 아카데미가 동향 출신의 가난한 고학생들에게 지급하는 쉬아르(Suard) 장학금 1,500프랑을 신청하고, 이를 위해 29살의 늦은 나이에 대학입학 자격시험을 치른다. 늦깎이 대학생이 된 프루동은 파리에 가서 여러 유명 교수들의 강의를 들었으나 이내 실망하여 이런 강의는 '쓰잘 데 없는 국가

10 "Lettre du 5 décembre 1829 à Gustave Fallot", in E. Dolléans, *Proudhon*(Gallimard, 1948), 45쪽.

적 사치'[11]라고 여기고는 여느 장학금 수혜자들과는 달리 학위 취득을 포기하고 도서관을 드나들며 독학의 길로 접어 들었다. "나는 학자가 된다거나 세계적인 문필가가 되려고 여기에 있는 것이 아니다. 나는 전혀 다른 계획을 가지고 있다"[12]라고 그는 1838년 말에 친구에게 쓰고 있다. 프루동이 품은 '다른 계획'이 무엇인지는 명확하지 않으나, 이 무렵부터 그의 관심은 신학적·철학적 사변에서 서서히 벗어나 현실과 밀착된 정치제도나 사회 질서의 문제로 향하고 있었던 것으로 보인다. 그가 빠져든 것은 무엇보다도 사회문제에 대한 해결책을 찾아볼 수 있게 해주는 학문으로서의 정치경제학(économie politique), 또는 사회경제학(économie sociale)이었다.

1939년 초, 브장송 아카데미는 장학 사업의 일환으로 「공공위생, 도덕, 가족관계 및 도시 문제와 관련한 일요 예배의 유용성에 대하여」라는 긴 제목의 논문을 현상 공모했다. 프루동은 "종교적·철학적 믿음과 부합하는 완벽한 체계를 창안해 냈다"[13]는 자부심을 가지고 응모하였으나, 구상과 문체가 탁월하다는 심사위원들의 비교적 호의적인 평가에도 불구하고 9명의 응모자 중에서 동메달에 그쳤다. 금메달은 프루동의 옛 친구이자 얼마 뒤 브장송 대학에 법학 교수로 취임할 자크 티소(J. Tissot)에게 돌아갔다. "재산, 평등, 사회조직 등 신중하고 현명하게 다루어야 할 미묘한 사안들을 건드릴 때 틈이 더

11 "Lettre du 17 décembre 1838 à Pérennès", in J. Lajugie, *P. J. Proudhon*(Dalloz, 1953), 7쪽.

12 "Lettre du 17 décembre 1838 à Maurice", in E. Dolléans, *Proudhon*, 58쪽.

13 Mémoire sur ma vie, 42쪽.

욱 커진다"[14]는 아카데미의 공식 평가로 미루어 볼 때, 프루동의 논문이 최고 점수를 받지 못한 것은 아마도 그의 급진적인 정치경제학적 사고가 아카데미 회원들의 우려를 샀기 때문인 듯하다. 사실 프루동은 『일요 예배의 유용성에 대하여』에서 "생존권은 모두에게 속한다. 노동은 생존을 위한 조건이자 수단이다. 생계를 강탈하는 것, 노동을 강탈하는 일은 범죄이다"[15]라고 쓰고 있다. 소유의 문제가 이제 그의 사상의 한복판에 자리잡기 시작한 것이다.

프루동은 이에 굴하지 않고 소유에 대한 연구를 계속 밀고 나갔다. "나는 우선 나 자신을 실현하기 위해 연구한다. 나는 학계의 영예에는 관심이 없다".[16] 그는 브장송 아카데미의 도서관에서 '정치경제학' 카탈로그에 분류되어 있는 책들을 모조리 섭렵해 나갔다. 자신의 『연구 수첩(*Cahiers*)』에서 밝히고 있듯이, 프루동은 1839년 11월에서 1840년 2월 사이에 무려 25권에 달하는 책을 독파하고 각 페이지마다 논평을 달았다. 그리고 그는 "나의 짧은 연구 기간 동안 긁어모은 누더기들로부터 나만의 과학을 창안하고자"[17] 하는 대담한 포부를 가지고 책을 써내려 갔다. 건강을 해치는 무리한 연구 끝에, 그는 1840년 초에 브장송 아카데미에 두툼한 연구논문을 보고서 형식으로 제출했다. 이것이 바로 후대에 프루동의 이름에 늘 따라다니게 될 악명 높은 저서 『소유』이다.

14 E. Dolléans, *Proudhon*, 61쪽.

15 *De l'utilité de la célébration du dimanche*(Marcel Rivière, 1925), 56쪽.

16 *Confessions d'un révolutionnaire*(Editions Tops, 1997), 128쪽.

17 *De la création de l'ordre dans l'humanité*(Marcel Rivière, 1926), 128쪽.

"소유란 곧 도둑질이다"라는 도발적인 언사로 시작하는 『소유』는 곧 큰 물의를 빚었다. 그 동안 프루동의 연구를 후견해 온 브장송 아카데미로서는 '반사회적 교설들로 가득 찬'[18] 이 책을 당혹감을 넘어서 충격으로 받아들였다. 아카데미는 서둘러 긴급 심의회를 열고 아카데미의 동의 없이 출판된 책에 대해 아무런 책임이 없음을 밝히는 한편, 아카데미에 바친 헌사를 삭제해 줄 것을 저자에게 엄중히 요구했다. 그러나 역으로 아카데미의 신경질적인 반응은 오히려 일반 대중이나 일부 식자층에 프루동의 이름을 널리 알리는 효과를 낸 듯하다. 『소유』는 학술 서적으로서는 자못 대단한 성공을 거두었다(초판은 500부를 넘지 못했으나 다음해 7월에 나온 재판은 3,000부를 찍었다). 세인의 관심에 답하기라도 하듯 프루동은 연이어 소유에 관한 연구들을 내놓았다. 소유에 관한 그의 두 번째 논문인 『블랑키 씨에게 보내는 서한』(1841)은 경제학자 블랑키(A. Blanqui)의 비판에 답하는 글이며, 세 번째 논문인 『콩시데랑 씨에게 보내는 서한』(1842)은 푸리에주의자 측의 비판에 맞서 그 대표자인 빅토르 콩시데랑(V. Considérant)을 상대로 반론을 펼친 글이다.

그러나 프루동이 예상한 대로 세 번째 글은 곧 관할 당국에 의해 압류되었고, 프루동은 "소유를 공격하고, 정부와 시민들에 대한 증오심을 자극했으며, 종교를 모독했다"[19]는 죄목으로 검찰에 기소되어 법정에 서야만 했다. 하지만 프루동의 법정 변론은 오히려 청중의 박

18 *Qu'est-ce que la propriété?*, 44쪽.

19 "Lettre du 23 mai 1842 à M. Ackermann", in P. Ansart, *Proudhon, textes et débats*, 18쪽.

수갈채를 받았으며, 판사는 미묘한 학문적인 문제라는 이유로 무죄를 선고했다. 프루동이 무사히 풀려난 데에는 저명한 경제학자인 블랑키의 역할이 컸던 것으로 보인다. 블랑키는 프루동의 첫번째 및 두번째 논문에서 가혹한 비판의 대상이 되기도 했고 비록 소유의 문제에 관해 그와 상당 부분 견해를 달리했지만, 프루동의 진지한 연구자세에 대해서만큼은 검사의 논고에 맞서 그를 적극 옹호하고 나섰던 것이다.[20]

1843년 초 빚에 시달린 프루동은 적자투성이 출판사를 청산하고 새로운 생활을 찾아 리옹으로 가서 고티에(Gauthier) 형제가 운영하는 소규모 유조선 회사에 취직했다. 이후 5년 동안 계속된 선원 겸 사무원 생활에 프루동은 꽤 만족한 듯하다. 그는 자신이 바라던 대로 글쟁이가 아닌 다른 일로 그럭저럭 생계를 꾸릴 수 있었으며 선주의 아량에 힘입어 파리를 오가며 교제를 넓히고 저술을 계속할 수 있었다. 그는 이 무렵에 『인류에게서의 질서의 창조』(1843)를 썼고 특히 1844년 말에는 파리에 머물면서 바쿠닌(M. Bakunin), 칼 그뤈(K. Grün) 그리고 칼 마르크스 등 저명한 사회주의자들과 교류하며 의견을 나누었다. 이때부터 프루동은 사회주의 이론가로서 명성을 날리

20 블랑키는 프루동에 대해 다음과 같이 평했다. "이 책의 초판에서 저자는 '소유는 도둑질이다'라는 놀라운 답변을 내놓았다. 프루동 씨는 재능이 탁월한 사람이다. 소유의 남용에 충격을 받은 그는 소유를 폐지하는 것 외에 달리 더 명백한 답을 찾지 않았다. 그러나 이러한 오류를 유감스럽게 생각하면서도 그의 책 안에서 훌륭한 논문에 걸맞은 장중한 대담성과 힘찬 논리를 인정하지 않을 수 없다." A. J. Blanqui, *Histoire de l'économie politique en Europe depuis les anciens jusqu'à nos jours*(Guillaumin, 1845), t.II, 405쪽.

기 시작했으며 프랑스 노동운동의 거물급 지도자로 지위를 다져나갔다. 한마디로 유명인사가 된 것이다.

특히 마르크스와의 만남과 결별은 사회주의의 역사에 영원히 남을 한 장면을 연출했다. 당시로서는 무명에 가까운 청년 마르크스는 나이나 경륜으로 보아 선배뻘인 프루동과의 교제를 반겼으며, "때로는 밤늦도록 이어진 긴 토론에서 나는 그에게 헤겔주의를 설파했다"라고 주변에 자랑하기도 했다. 마르크스는 『신성 가족』(1845)에서 프루동의 『소유』에 대해 "국민 경제학에 대해 혁명을 일으키고 국민 경제학을 진정한 과학으로 만든 진보이며… 시이에스(Abbé Sieyès)의 저술 『제3신분이란 무엇인가?』가 현대 정치학에서 가지는 의의와 동일한 의의를 현대 국민 경제학에서 가지고 있다"[21]라고 극찬을 아끼지 않았다. 그러나 사상적 기반과 정치적 행보가 뚜렷이 제 모습을 드러내게 되면서 둘 사이의 관계는 곧 소원해졌다. 1845년에 파리에서 추방당한 마르크스는 동향 사회주의자 칼 그륀의 영향력 확대에 대항하는 방편으로 프루동에게 자신이 계획하고 있는 국제 사회주의 조직의 프랑스측 연락책을 맡아줄 것을 제의했으나, 사회주의자들 사이의 거듭된 이념 분쟁에 휘말리기를 꺼린 프루동은 이를 정중히 사양했다.

결별의 계기가 된 것은 이듬해 프루동이 쓴 『경제적 모순의 체계 또는 빈곤의 철학』이었다. 여기서 프루동은 마르크스류의 유물론에

21 K. Marx & F. Engels, *The Holy Family or Critique of Critical Criticism*(Progress Publishers), 40-41쪽.

대한 거부감을 뚜렷이 표명했다. "인간은 곧 물질, 단지 물질 이외에 아무것도 아니며… 지성은 물질적 인지 능력이다"라고 말하는 것은 프루동이 볼 때 "인간이란 정신의 원리와 물질의 원리의 총화이며 영혼이자 곧 육체"라는 사실을 망각하는 것이었다.[22] 이듬해 마르크스는 『철학의 빈곤』에서 곧 신랄한 반격을 가했다. "프랑스에서 프루동 씨는 훌륭한 독일 철학자로 통하기 때문에 별볼일 없는 경제학자가 될 권리가 있다. 반면에 독일에서 프루동 씨는 가장 유력한 프랑스 경제학자로 통하기 때문에 별볼일 없는 철학자가 될 권리가 있다".[23] "그는 과학의 인간으로서 부르주아와 프롤레타리아의 위에 날고자 한다. 그러나 그는 자본과 노동 사이에서, 정치경제학과 공산주의 사이에서 끊임없이 왔다갔다 하는 프티 부르주아일 뿐이다".[24]"프랑스 프티 브르주아의 과학적 대변인", 마르크스가 씌운 이 비난은 오늘날까지 프루동에게 붙어 다니는 숙명의 표찰이 되었다. 이렇게 마르크스와 프루동 사이의 논쟁과 대립은 19세기 후반기에 들어 마르크스주의와 아나키즘이라는 사회주의 운동의 두 흐름을 여는 전초전이기도 했다.

1848년의 '2월혁명'은 질서와 재산을 버팀목으로 삼던 7월왕정을 타도하고 변화와 개혁을 향한 기대로 충만했던 제2공화정(1848-1851)을 거쳐 권위와 독재를 부른 제2제정(1852-1870)에 이르는 격동

22 *Système des contradictions économiques*(Marcel Rivière, 1923), t.I, 46-47쪽.

23 K. Marx, *Misère de la philosophie`: réponse à la Philosophie de la Misère de M. Proudhon*(Editions sociales, 1968), 5쪽.

24 K. Marx, *Misère de la philosophie*, 181쪽.

의 시대를 열었다. 2월혁명은 또한 인민의 대변인이자 사회주의 투사로 부상한 프루동의 생애와 사상에서 커다란 전환점이기도 했다. 프루동은 갑작스럽게 터진 혁명에 대해 그리 당혹감을 느끼지 않았으며 오히려 사회문제를 해결할 절호의 기회로 보았다. 사실 그는 『경제적 모순의 체계』에서 부르주아지와 프롤레타리아트 사이의 대립에 기초한 현 사회 경제구조의 모순을 날카롭게 분석했으며, 조만간 불거져 나올 엄청난 파국을 이미 나름대로 내다보고 있었던 것이다. 그는 2월혁명으로 활짝 열린 현실 정치의 장에 적극적으로 가담하면서도 다른 한편으로 혁명의 진로에 대해 적잖은 불안감을 내비치기도 했다. 2월혁명은 중·소 부르주아지와 노동자계급의 연합에 의해 성취되었다. 그러나 두 계급 사이의 동맹은 오래가지 않았다. 실업문제를 포함한 여러 사회문제에 대한 노동자들의 급진적인 요구를 부르주아지가 수용할 수 없었기 때문이다. 공화정 체제가 자리잡아감에 따라 중·소 부르주아지는 서서히 노동자계급에게 등을 돌리고 심지어 그들이 몰아낸 대부르주아지와의 결탁도 서슴지 않은 반면, 노동자계급은 자체의 힘으로는 혁명을 밀고 나갈 실질적인 능력을 갖추지 못한 상태였다. 프루동이 볼 때 2월혁명은 개인적 야욕에 덧칠된 분파적 이해나 정파 간의 대립이 난무할 뿐 어떤 공통의 통치이념도 마련하지 못하는 '이념 없는 혁명(une révolution sans idée)'[25]으로 변질되어 가고 있었다.

혁명 직후 각종 팸플릿이나 《인민의 대변인》 지에 실은 격문들

25 "Carnets du 24 février 1848", in E. Dolléans, Proudhon, 119쪽.

을 통해 노동자들의 투쟁을 적극 지지해 온 프루동은 그 해 6월에 실시된 파리 시의 보궐선거에서 제헌의회 의원으로 당선되었다. 6월 말, 노동자계급에 대한 정부의 연이은 탄압정책에 분노한 파리의 노동자들은 이번에는 부르주아 정부에 맞서 무기를 들고 궐기했으나, 이른바 이 '6월봉기'는 4,000여 명의 시위대가 학살당하는 엄청난 비극으로 끝을 맺었다. 이에 격분한 프루동은 7월 31일 부르주아 출신들로 가득 찬 의회에서 사회혁명에 대한 두려움과 자신에 대한 적개심을 품고 있는 대다수 의원들의 항의를 무릅쓰고 "2월혁명의 방향과 목적은 소유권의 근절과 부르주아 계급의 폐기로 나아가야 하며 이를 거부하거나 주저하는 소유자들은 그 결과에 책임을 져야 할 것"[26]이라고 부르짖었다.

요컨대 그가 요구한 것은 단순한 정권의 변화가 아니었다. 정치적인 해결책은 2월혁명이 제기한 어떤 사회문제도 풀지 못할 것이므로 2월혁명이 나아가야 할 길은 정치혁명이 아니라 부르주아의 지배를 근절시킬 사회혁명이라는 것이다. 진정한 사회혁명의 방안 중 하나로 그가 추진한 것이 바로 '인민은행(Banque du peuple)' 계획이다. 그는 1849년 초에 자본가의 횡포에 시달리는 노동자들에게 생산에 필요한 원자재와 도구들을 구입하는 데 필요한 자본을 아주 싼 이자나 무상으로 융자해 주는 신용은행을 설립했다. 은행의 기금은 2월혁명 이후 널리 조직된 노동자 결사체들(associations ouvrières)의 참

26 "Le Moniteur, séance du 31 juillet 1848", in P. Ansart, *Proudhon, textes et débats*, 23쪽.

여로 확보될 것이었다. 한편, 프루동은 《인민》지에 공화국 대통령 루이 나폴레옹의 전제 정치를 격렬히 비방하는 세 편의 논문을 실은 것을 빌미로 경찰에 체포되어 3년 형을 언도받았다. 이로써 프루동의 인민은행은 신용 업무를 개시해 보지도 못한 채 청산되고 말았다.

생트-펠라지 감옥과 둘랑 수형소를 오가며 보낸 3년 동안의 수형 생활은 프루동에게 정치 일선에서 물러나 미래 사회에 대한 자신의 청사진을 가다듬을 성찰과 사색의 기회가 되었다. 정치범인 그에게는 글을 쓰고 출판할 뿐만 아니라 친지를 접견하거나 얼마간 외출할 수 있는 권리가 허용되었다. "과학과 사상에 의해서 혁명 과업에 임하도록 어떤 미지의 힘이, 요정(妖精)이 나를 일부러 생트-펠라지로 이끈 듯하다"[27]라고 그는 친구에게 쓰고 있다. 프루동은 감옥 안에서 『어느 혁명가의 고백』(1849), 『19세기 혁명의 일반 이념』(1851), 『진보의 철학』(1853)을 썼다. 이들 책에서 그는 노동자계급에게 주어진 혁명적 사명을 고취하는 한편, 그가 꿈꾸는 사회주의 사회의 모델을 그려내기도 했다. 그것은 "작업장이 정부를 대체할 것이다"라는 명제로 구체화될 권위와 통치를 벗어난 자율적인 사회, 오늘날 흔히 자주관리 사회주의(socialisme autogestionnaire)라고 불리는 것의 맹아적인 모습이었다. 한편, 수형 생활 초기, 불혹의 나이에 프루동은 얼마 전부터 알고 지낸 14살 연하의 젊은 여공 유프라지 피에가르(Euphrasie Piégard)와 결혼했다. 그는 신부를 설득한 끝에 교회에서 혼인서약을 하지 않기로 합의했다. 교회 제도는 그에게 불신의 대상

27 "Lettre du 17 décembre 1851 à M. Micaud", in *Mémoire sur ma vie*, 98쪽.

이었으며 그는 이미 기독교적인 가치관에서 멀리 벗어나 있었다. 그의 결혼은 그가 회고하듯이, "교회에서 맺어지지 않았음에도 불구하고, 아니 교회에서 맺어지지 않았다는 바로 그 사실 때문에 내 인생에서 가장 자유롭고 … 가장 순수하며 감히 말하건대 가장 떳떳한 행위"[28]였다. 만년에 접어든 그의 반려가 되어 역경을 함께한 피에가르와의 사이에서 그는 네 딸을 얻었다.

1852년 6월, 프루동은 출옥했다. 그러나 이미 굳건해진 루이 나폴레옹의 제2제정 체제 아래서 그는 더 이상 이전과 같은 정치적 투쟁을 계속할 수 없었으며 달라진 사회 분위기에서 그의 사상을 다듬어 나가야만 했다. 이때부터 프루동은 스스로도 느끼고 있었듯이 그의 지적·정치적 삶의 세 번째(마지막) 국면이라 할 새로운 시기에 접어들었다. "1839년부터 1852년까지는 말하자면 비판의 시기였다. … 나는 새로운 연구 자료들을 모으고 있으며 곧 말하자면 내가 적극적 시기 또는 건설의 시기라 부를 새로운 시기에 접어들고자 한다. 이 시기는 첫번째 시기만큼 13년 내지 15년 정도 계속될 것이다. … 그렇지만, 나는 여전히 힘겨운 투쟁을 각오해야만 한다. 그렇다! 우리는 투쟁으로 산다. 그러나 나는 가끔 내 펜을 짓누르는 역경이 나를 집어삼키려 한다는 것을 느낀다".[29]

지난한 앞날을 예상한 것인가. 그는 만년에 실로 많은 역경에 시달렸다. 1854년에 콜레라에 걸린 뒤로 끊임없이 병마와 싸워야 했고

28 *De la Justice dans la Révolution et dans l'Eglise*, t.II, 127쪽.

29 "Lettre du 25 décembre 1855 à M. Micaud", in P. Ansart, *Proudhon, textes et débats*, 26쪽.

두 딸을 잃었다. 또한 늘 빚에 시달렸으며 그런데도 자기보다 더 가난한 동생을 도와야 했다. 거기다 루이 나폴레옹과 타협했다는 일각의 비방에 시달리는 한편, 계속된 사법 당국의 소추와 탄압 속에 정치적 재기의 꿈을 접어야 했다. 1858년에 프루동은 『혁명과 교회에서의 정의』를 출판했다. 사회문제에 대한 혁명의 대응과 카톨릭 교회의 대응을 조목조목 비교하며 교회를 비난한 이 방대한 책은 며칠 사이에 6,000부가 팔리는 성공을 거두었으나 곧 사법 당국에 의해 몰수되었으며, 법정에 기소된 프루동은 다시 3년 형과 4,000프랑의 벌금이라는 중형을 언도받았다. 그는 이번에는 가족과 함께 벨기에로의 망명을 택했다.

브뤼셀에 머문 4년 간 프루동은 지금껏 제대로 다루지 않았던 새로운 문제, 즉 국제정치와 국가 조직의 문제에 대한 연구에 착수했다. 『전쟁과 평화』(1861)에서 그는 유럽에서 서서히 고조되기 시작하는 민족주의적 열기와 국민국가에 대한 열망이 결국 패권정치를 낳고 사회경제적 개혁과 계급의 사회적 해방을 가로막는 장애물이 될 것이라고 경고했다. 『연방제의 원리』(1863)에서는 국가권력의 집중은 국가 간의 평화와 시민들의 자유를 위협할 것으로 진단하고 중앙집권적 국가기구를 연방제적 통치체제로 대체해야 한다고 주장했다. 시민들 사이의 상호부조와 국가기구의 연방제화에 기반을 둔 통치와 권위가 사라진 자율적인 사회의 건설이라는 그의 아나키즘 사상이 바야흐로 그 온전한 모습을 드러낸 것이다.

1862년 말, 프루동은 프랑스에 돌아왔으나 바닥난 건강은 더 이상 그에게 공적 생활을 허용해 주지 않았다. "오 죽음이여! 감미롭고 행복한 죽음이여. 사랑과 믿음 속에서 당신을 찬미하지 않았던가? 영원한 진리 속에서 당신을 응시하지 않았던가? 당신이 오늘 오신다 해도 나는 맞을 채비가 되어 있소".[30] 그는 이미 몇 년 전부터 자신의 모진 인생 여정을 마감할 마음의 준비를 하고 있었던 듯하다. 프루동은 죽음이 임박했음을 느끼면서도 한편으로는 자신의 오랜 관심사인 자본주의 사회에서의 소유의 문제로 되돌아갔으며, 다른 한편으로는 다가올 총선에서 독자 후보를 내려는 노동 지도자들의 자문에 응해 프랑스 노동운동의 추이에 대한 자신의 생각을 정리했다. 그의 마지막 연구는『소유의 이론』과『노동자계급의 정치적 역량』이라는 제목으로 그가 죽은 이듬해인 1865년에 출판되었다.

3.『소유란 무엇인가?』

"소유, 그것은 도둑질이다!"[31] 이 악명 높은 선언은 이미 당대부터 프루동에게 증오와 찬사를 한꺼번에 안겨준 장안의 유행어였던 동시에 그의 사상에 대한 숱한 오해와 불신을 낳은 논쟁거리였다. 그러나 프루동은 자신의 표찰처럼 되어 버린 이 명제를 평생의 자산으로 여긴 듯하다. "이 땅에서 내가 가진 재산은 이 명제뿐이다. 그러나

30 *De la Justice dans la Révolution et dans l'Eglise*, t.II, 237쪽.

31 *Qu'est-ce que la propriété?*, p. 57. 이하의 인용문들 중『소유』에 나오는 것들은 모두 출처 표기를 생략한다.

그것은 로스차일드 가문의 수백만 금보다 내게 더 값진 것이다".[32] 소유의 문제야말로 복잡하고 모순으로 가득 찬 프루동의 사상을 가늠해 볼 수 있는 관건이다. 그는 1848년 2월혁명 직후 격동하는 프랑스 사회를 보면서 "우리의 모든 사회문제는 소유 속에 응축되어 있다"[33]라고 진단했다. 그가 보기에는 현 사회의 경제, 정치, 행정의 조직뿐만 아니라 가족제도, 종교, 철학 등이 바로 소유를 어떻게 조직하느냐 하는 문제에 달려 있었다. 『소유』로 시작한 그의 오랜 지적 편력은 사회 비판과 정치 참여로 단련되고 윤색된 시련과 모색의 시기를 거쳐 『소유의 이론』이라는 미완의 유작으로 막을 내렸다. 소유론은 프루동이 평생을 두고 매달린 인간 사회의 핵심사안이었던 것이다.

『소유』는 부르주아 소유제도에 대한 통렬한 고발장이다. 조건과 재산의 평등이라는 인간 사회의 대의에 어긋나는 현 사회의 소유제도가 어떤 근거에 의해 정당화되고 있는가? 프루동은 소유제의 존재 근거를 법적, 심리적, 경제적 논거로 나누어 조목조목 검토하면서 그 어떤 이유에 의해서도 소유가 정당화될 수 없다고 논증하고 있다.

소유의 법리적 근거로 법학자들이 즐겨 내세우는 것은 자연권, 선점, 민법, 시효취득의 네 가지이다. 소유는 흔히 '인권선언'에 명시된 바와 같이 자유, 평등, 안전과 더불어 인간의 천부적인 자연권이라고 주장된다. 그러나 프루동에 따르면 소유는 자유, 평등, 안전 등과는 달리 "실질적으로 소수에게만 존재하며, 거래와 변용의 대상이

32 *Système des contradictions économiques*, t.II, p. 254.

33 *Le Représentant du Peuple*, 09 mai 1848.

되는 것"으로서 결코 소멸할 수 없는 자연권으로 간주될 수 없다. 오히려 "소유는 사회의 외부에 있는 권리이며 소유와 사회는 불가항력적으로 서로를 거부한다". "사회가 사라져야 하거나 아니면 사회가 소유를 말살해야 하거나 둘 중의 하나이다". 선점 즉 '최초 점유자'의 권리와 시효취득 즉 '일정 기간 점유 후 자동적으로 소유자가 될'권리는 법학자들이 가장 즐겨 내세우는 소유의 근거이다. 태초에 땅은 누구의 소유도 아니었으며 사람들이 정착하여 먹고 살기에 필요한 만큼 땅을 경작했다. 일정 기간 동안 땅을 차지한다는 것은 경작과 문명을 위한 필요조건이었다. 그러나 인간이 탐욕에 물들어 스스로 경작할 수 있는 범위를 넘어서 더 많은 땅을 차지하게 되자 빈곤과 불평등이 생겼다. 프루동에 따르면, 만일 먼저 차지해서 일정 기간 보유한다는 사실이 곧 배타적 소유권을 낳는다면, 현재의 모든 부재지주들은 이제 자신의 영지에 대한 권리를 포기하고 소작인들에게 땅을 넘겨야 할 것이다. 더구나 인간은 생존을 위해서 땅을 차지한 만큼, 만일 생존권이 평등하다면, 선점권도 누구에게나 평등해야만 한다. 누구에게나 평등한 선점권이 주어진다면 이미 배타적인 소유권은 존재할 수가 없다. 그리고 시간 지속 그 자체는 무엇 하나 창출하지도 변형시키지도 못한다. "시간 지속은 용익권자를 소유자로 바꿀 수 없다". 그러므로 선점도 시효취득도 결코 소유의 근거가 될 수 없으며, 설령 그렇다면 그것은 '힘의 종교(religion de la force)'[34]일 뿐이다. 한편 민법이 소유권을 창출한다는 법률가들의 논거는 프루동에

34 *Système des contradictions économiques*, t.II, 239쪽.

따르면 하나의 '추상'이요 '허구'일 뿐이다. 입법자들은 각자에게 노동의 결실을 보장하고 평등을 이룩한다는 명분으로 소유에 관한 법을 만들었다. 그런데 일단 소유권의 법제화는 곧 '그 재산을 양도하고 매각하고 증여하고 상실할 권리'를 수반했으며, 이에 따라 '원래의 목적이던 평등 자체의 파괴'를 가져올 뿐이다. 따라서 소유권을 법제화한다고 해서 곧 소유권 자체가 인정되는 것은 아니다.

혹자는 "소유권은 의지의 발현에서 나오며 보편적 동의에 의해 재가된다"라고 주장한다. 그러나 프루동은 이러한 인간 상호간의 동의라는 심리적 논거가 소유를 정당화할 수는 없다고 반박한다. 암묵적이든 공식적이든 보편적 동의가 이루어진다는 것은 평등을 전제로 한다. 그런데 사람들은 보편적 동의 즉 평등에 의해서 소유권을 정당화한 후에, 소유권에 의해서 불평등을 정당화하지 않을 수 없게 된다. 따라서 "소유가 평등을 조건으로 한다면, 이 평등이 존재할 수 없을 때 계약은 파기되고 모든 소유는 강탈에 불과할 것이다". 결국 계약이나 동의라는 심리적 동인은 결코 소유권의 토대가 될 수 없다.

한편 경제학자들은 소유의 근거를 주로 노동에서 찾는다. 그러나 프루동은 소유의 노동 기반설에 대해 대담하게 반기를 들면서 당대의 경제학자나 사회주의자들에게 비판의 화살을 돌린다. 물론 프루동은 아담 스미스, 리카도 등 경제학자들과 마찬가지로 노동만이 부의 원천이라는 점을 인정하고 있으며 생시몽, 푸리에 등 사회주의자들의 뒤를 좇아 노동 없이 얻는 소득이 빈곤과 사회악의 근원이라고 비판한다. 그러나 프루동은 노동하지 않는 자에게는 어떤 몫도 돌아가서는 안 된다는 데 동의하면서도, 그와 동시에 노동하는 자가 결코 자기 노동의 산물에 대한 배타적인 권리를 가져서는 안 된다고 주장한다. 평범한 노동자든 걸출한 천재든 개인적 노동의 결실은 사실 따지고 보면 해당 사회가 도달한 지식과 기술의 일반적인 수준에 힘입은 것이고 사회 성원 모두의 기여에 의한 것이다. 호메로스의 서사시나 뉴턴의 물리학 등 남다른 재능의 소산도 근면한 많은 이들의 축적된 노고 덕에 이루어지기 마련이다. "물질적이든 정신적이든 모든 자본은 집합적 소산이며 따라서 공동 재산을 이루는 것이다". 따라서 생산자는 누구든 사회 구성원 모두에 대한 영원한 채무자일 뿐이며 "자신이 만든 생산물의 아주 작은 부분에 대해서만 권리를 가진다"는 것이다.

나아가 생산자가 자신의 노동의 산물에 대한 권리를 인정받는다고 하더라도 그 사실 자체가 소유권을 정당화해 주지는 못한다. 왜냐하면 생산은 질료(matière)가 없이는 이루어질 수 없는 바, 인간의 노동은 단지 자연이 준 질료의 형태와 성질을 바꿀 뿐이기 때문이다. 인간은 질료를 창출하는 것이 아니라 점유하고 사용할 뿐이다. 즉 생산물에 대한 소유는 배타적일 수 있지만 생산수단에 대한 권리는 누구에게나 열려 있다. 만일 누구든 노동하는 자는 소유자가 된다면 마찬가지로 노동하지 않는 자는 소유권을 잃어야 할 것이다. 따라서 땅은 그것을 경작하는 자에게만 주어져야 하며 그 누구도 자신과 가족의 힘으로 경작할 수 있는 넓이 이상의 땅을 소유할 권리가 없다는 것이 프루동의 주장이다.

이렇게 소유권의 근거로 동원되는 논거들을 조목조목 비판한 후, 프루동은 '제4장'에서 어떤 식으로도 정당화되기 힘든 소유제도가 현 사회에 군림하면서 심어놓은 갖가지 폐단과 악습으로 눈을 돌린다. 소유의 본질은 '노동하지 않고 생산하는 능력'에 있는 바, 프루동은 이를 '불로수득권(不勞收得權, droit d'aubaine)'이라 부른다. 소유자의 불로수득은 '소작료', '임대료', '지대', '이자', '이익' 등 여러 가지 이름으로 나타나지만 스스로 노동하지 않으면서 타인의 노동의 결실을 취한다는 점에서 근본적으로 동일하다. 불로수득권 덕에 소유자는 "거두기는 하나 밭을 갈지 않고, 수확은 챙기나 경작하지 않으며, 소비는 하나 생산을 하지는 않고, 향유하지만 아무 일도 하지 않는" 것이다. 프루동은 이러한 불로수득으로서의 소유가 사회의 파탄을 가져올 뿐, "실질적으로 불가능하다"는 사실을 열 가지 명제를 나열하면서 입증하려 한다. 소유의 불가능성을 입증하고자 제시한 이 열 개의 명제들 중 어떤 것은 엄밀한 경제이론에 토대를 둔 반면 어떤 것은 선전 효과를 노린 풍자와 독설로 가득 차 있다. 더구나 '수치와 등식화와 산술에 의해서' 소유의 불가능성을 입증하고자 한 프루동의 논리전개 방식은 때로는 분석적 명료성과 일관성을 잃고 독자들에게 혼란을 불러일으키기도 한다. 여기서는 열 가지 명제의 내용을 소유가 가져올 경제적 폐단과 정치적 결과라는 관점에서 살펴보는 것으로 그치도록 하자.

부동산, 즉 토지의 소유는 불가능하다. 왜냐하면 그것은 "무(無)에 대해서 무엇인가를 요구하기 때문이다". 대다수 경제학자들의 주장과는 달리 토지든 노동이든 자본이든 그 자체로는 생산적일 수 없으며, 이 모든 생산요소들이 하나로 합체될 때에만 비로소 생산이 가능하다. 따라서 프루동에 의하면, 지주가 토지 자체의 생산력이나 생산도구로서의 기능을 빌미로 소작인에게 사용료를 요구한다는 것은 '가상의 생산물에 대한 대가를 지불케 하는 것'이며 지주는 공짜로 무엇인가를 얻는 셈이다. 토지는 경작자가 들인 직접적인 노동의 결실 이상을 낳지 않으며 생산물은 직접 생산자와 그 가족의 생계만을 보장할 뿐이다. 그러므로 현행 소유제 아래서 지주에게 소작료가 돌아간다면, 소작인은 자신의 소비를 생계비 이하로 줄이거나 영원히 변제할 수 없는 빚더미에 앉게 되어 결국 생산은 마비될 것이다.

한편, 공업 및 상업상의 소유는 경쟁과 실업을 초래하고 결국 경제 위기를 가져온다. 노동자들은 거대 산업사회의 구성원으로서 전체 생산 중 일부를 서로 떠맡고 있다. 그런데 적은 시간 안에 많이 생산하고자 하는 것이 산업의 본질이다. 노동자든 제조업자든 살아남기 위해서는 기를 쓰고 많이 생산해서 시장을 독점해야만 하며 경쟁자를 몰아내야 한다. 경쟁이란 "모든 산업들이 서로 상대방을 이기고자 벌이는 동시다발적인 분투"를 말한다. 생산자들은 차례로 시장에서 도태되어 실직하게 된다. 결국 "사람들이 일을 하면 할수록 그만큼 휴업을 준비하는 셈이다". "노동자는 일하면서 자신의 무덤을 파고 있다". 결국 소유제에서 "사회는 자기 자신을 먹어 치운다".

여기서 프루동은 비록 맹아적인 형태이기는 하지만 경제 주기와 공황의 이론을 선보인다. 프루동에 따르면, 사회 전체의 생산과 소비 사이에 균형이 이루어지려면 개개 생산자는 자신이 생산한 가치를 정확히 되살 수 있을 만큼의 봉급을 받아야만 한다. "생산자가 살기 위해서는 그의 임금이 그의 생산물을 되살 수 있어야만 한다"는 명제는 그의 후기 저서들에서도 줄곧 되풀이되는 하나의 기본 테제이다. 예컨대 그는 『인류에게서의 질서의 창조』에서 "임금은 생산물과 동등해야 한다"[35]라고 주장한다. 현재 프랑스의 모든 산업 분야에서 2,000만 명의 노동자가 연간 200억 프랑만큼을 생산하는데, 소유권 때문에 그리고 무수한 불로수득 때문에 생산물이 소유자와 고용주들에 의해 250억으로 평가된다고 가정해 보자. 이것은 "살기 위해서 바로 이 생산물들을 되사지 않을 수 없는 노동자들이 4만큼 생산한 것을 5를 주고 되사야만 한다"는 것을 의미하며 "닷새 중에 하루를 굶어야만 한다"는 것을 의미한다. 그런데 노동자가 자신의 임금으로 자신의 생산물을 되살 수 없다면, 생산물은 "가장 돈 많은 소비자에게, 달리 말해서 사회의 일부 집단에게" 돌아갈 것이다. 여기서 사회 전체의 생산과 소비 사이에 필연적인 불균형이 초래되며, 이는 주기적인 생산 과잉과 경제 위기를 부른다는 것이다. 따라서 프루동은 상업 및 산업의 공황의 첫번째 원인은 자본의 이자, 즉 자본가의 불로수득이라고 주장한다. 소유의 탐욕은 농업보다는 공업에서 더 큰 화근을 부른다. "소작농은 조금씩 먹혀 들어가는 데 반해서, 제조업자는 단숨에 먹혀 버리기 때문이다".

나아가 프루동의 비판은 소유제의 정치적 결과로 향한다. 우선 소유는 평등의 원리에 위배되는 것이다. "왜냐하면 소유가 권리의 불평등이 아니라고 하면, 그것은 재산의 평등일 것이며 따라서 존재할 수 없으니 말이다". 소유는 권리의 평등, 나아가 프랑스 헌법이 보장한 정치적·시민적 평등의 원리와 어긋난다. 소유는 또한 무력에 의

35 *De la création de l'ordre dans l'humanité*, 386쪽.

한 압제를 낳는다. 한 국가는 마치 시민 모두가 주주인 거대한 주식 회사와 같은 것이다. 그런데 소유제도 아래서 주주들이 출자한 몫은 서로 엄청나게 불균등하며, 어떤 이는 단 한 표밖에 갖지 못하는 반면 어떤 이는 수백 표를 가진다. 결국 소주주들은 거대 주주들에 의해 좌우되기 마련이다. 지주는 소작료를 올리고, 자본가는 이자를 올리며, 고용주는 저임금과 가혹한 노동조건을 강요한다. 소작인과 영세업자와 노동자는 압제를 감내하거나 굶어 죽거나 둘 중의 하나이다. "거대 주주들은 마음만 먹으면 소주주들을 노예로 삼고, 그들의 아내를 빼앗고, 그들의 아들들을 거세시키고, 그들의 딸을 매춘부로 만들고, 늙은이들을 상어 밥으로 삼을 수 있을 것이다". 결국 소유는 특권과 전제를 낳는 '힘에 의한 지배'일 뿐이다.

이와 같은 소유제 비판은 프루동이 1848년에 쓴 『사회문제의 해결, 교환은행』에서 절정에 이른다. 프루동은 물론 소유제도가 고대 로마의 가부장 경제나 중세의 봉건 경제 등 인류사의 특정 시기에서는 상당한 역사적 기여를 했다는 점을 인정한다. 그러나 그가 보기에 소유제도는 분업과 교환이 발달한 현대 사회의 정치제도나 경제생활과는 더 이상 양립할 수 없는 것이었다. 2월혁명의 여파 속에서 출현한 여러 사회주의자와 급진파 정객들의 논의를 훌쩍 뛰어넘어서 프루동은 과감하게 소유제의 철폐를 주장한다. "소유는 더 이상 아무것도 아니다. 그것은 옛 그림자이다.… 소유는 현실에서 가지고 있던 모든 것을 다 소진했다.… 소유는 이제 과거의 영역 속에 있다".[36] 그

36 *Solution du problème social, banque d'échange*(Marcel Rivière, 1927), 149쪽.

렇다면 이제 시대에 뒤처진 소유제를 무엇으로 대체해야 하는가?

그러나 우리의 예상과는 달리, 『소유』에서 소유에 대한 가혹한 비판에 뒤이어 나타나는 것은 공산주의 또는 집산주의 체제에 대한 설익은 옹호가 아니다. 사실 프루동은 소유의 정반대편에 있는 제도, 즉 그가 '공유제(communauté)'라 부른 것에 대해서도 전혀 공감하지 않았다. 그는 플라톤의 공화국에서 파라과이의 예수회에 이르기까지의 '소극적' 공유제든 생시몽이나 카베의 유토피아 사상과 같이 산업화와 더불어 나타나는 '적극적' 공유제든 모두 소유와 마찬가지로 부당하고 소유보다 더 인류의 천성에 거스르는 것으로 생각했다. 특히 그가 주목한 것은 소유에 대한 반대 명제로 최근에 공산주의자들이 고안한 공유제 이론이 실은 '소유의 편견' 아래서 구상되고 있다는 사실이다. "공동체 자체가 소유자로, 그것도 재산만이 아니라 인격과 의지의 소유자로 나타나는" 이러한 공유제에서는 "인간의 생명, 재능, 모든 능력들이 다 국가의 소유물이 되고 국가가 그것을 일반 이익에 맞도록 원하는 대로 사용할 권리를 갖게 될" 것이며, 나아가 "인간이 자신의 자아, 자발성, 천분, 애정 등을 집어던지고 공동생활의 위엄과 완고함 앞에서 미천하게 자신을 낮추게" 될 것이다. 따라서 공유제는 '불평등'이고, '억압과 예종'이며, '의식과 자율성과 평등에 대한 침해'라는 것이다.

그러면 소유도 공유제도 아닌 제3의 길은 가능한가? 프루동은 『소유』를 끝맺으면서 헤겔의 변증법적 표현을 빌려, 사회발전의 테제(정)인 공유제와 안티테제(반)인 소유를 발전적으로 지양해서 신테제(합)를 찾는 일을 앞으로의 과제로 남겨놓고 있다. 그는 "공유제와 소유의 종합이라 할 수 있는 이 제3의 사회형태는 바로 자유이다"라는 막연한 표현 한 줄을 덧붙여 놓았을 뿐이다. 브장송 아카데미에 제출하는 연구 보고서 형식으로 씌인 『소유』는 애초의 구상을 넘어서는 새로운 논지를 담아내기에는 이미 지면이 허용하지 않았거니와 프루동의 지적 편력 역시 소유에 대한 일차적인 비판을 넘어 적극적인 대안을 모색하는 단계에 접어들기 위해서는 또 다른 성찰과 연마의 시기가 필요했던 것이다.

4. 『소유』 이후: 소유의 파괴자에서 소유의 옹호자로?

프루동의 소유론은 1848년 혁명의 격동과 여파 속에서 한편으로는 대안 체제를 모색하는 여러 사회주의자들과의 논쟁을 통해, 다른 한편으로는 자신의 구상을 현실 정치에서 실험하면서 부딪혀야 했던 계속된 시련 속에서 줄곧 수정되고 보완되어 갔다. 특기할 만한 점은 소유와 공유제 사이의 제3의 길을 모색하는 과정에서 그가 공유제에 대한 비난의 강도를 높이고 공유제의 폐단을 막기 위해 자유의 기능을 강조하면 할수록 애당초 그가 그토록 저주를 퍼부었던 소유에 대해서는 조금씩 관대한 입장을 보이기 시작했다는 사실이다. 여기서 프루동의 소유론은 상당한 방향전환을 하게 되며, 적어도 겉으로 보기에는 모순과 혼동으로 가득 찬 잡동사니가 되어 거친 공박을 자초하게 된다. 마르크스를 비롯한 반대파들이 볼 때, 소유의 파괴자 프루동이 어느 순간에 소유의 옹호자로 변신한 것이다.

프루동은 『소유』의 제2장에서 "소유(propriété) 없는 점유(possession) 만으로도 사회의 질서를 유지하기에 충분하다는 사실을 입증하려" 많은 지면을 할애했다. 그에 따르면 점유는 사실적 상황인 반면, 소유는 법적 상황이다. "주택임차인, 차지농, 주식보유자, 용익권자 등은 점유자인 반면, 빌려주고 사용을 허락하는 주인, 용익권자의 사망에 의해서만 향유권을 되찾는 상속인은 소유자이다". 그런데 생산은 사회적 노동의 총화로 이루어지는 것인 만큼, 개별 생산자는 누구나 사회의 생산물에 대해 영원한 점유권자일 뿐이다. 프루동에 의하면 현 소유제의 모순은 소유와 점유를 혼동하는 데에 있으며 나아가 소유가 점유 위에 군림하는 데 있다. 따라서 그는 『소유』의 끄트머리에서 "점유를 보존하고 소유를 제거하라"고 소리 높여 외쳤다. 달리 표현하자면 소유를 점유로 전환시킴으로써 소유권의 악폐를 치유해야 한다는 것이다. 그러나 『소유』에서 프루동이 내놓은 해결책은 많은 평자들이 지적하듯이 무척 막연하고 심지어 무기력해 보인다. 그가 말하는 점유란 아마도 "제3자의 의도를 침해하지 않으면서 재화를 이용할 수 있는 일종의 용익권"을 뜻하는 듯하나 어디서도 그 이상의 명확한 개념규정을 찾아보기 힘들다. 더구나 법적 능력을 갖지 못한 단순한 사실 상황으로서의 점유가 과연 어떻게 소유라는 법적 권위를 질정할 수 있는지에 대한 구체적인 답은 묘연하며, 나아가 개개 시민이 누구나 사실상의 점유자로서의 지위만 인정받는다면 이는 결국 프루동 자신이 그토록 혐오한 공유제로서의 국가에 소유권의 관리를 일임하는 결과를 낳지 않을까 하는 의구심을 떨쳐버리기 힘들다.

그러나 프루동은 1848년 이후, 특히 『혁명의 일반 이념』에서 소유의 점유화라는 종래의 주장에서 한 걸음 물러나서 점유의 무기력성을 지적하기에 이른다. 이제 그는 예컨대 토지의 소유를 점유로 전환시킨다는 것은 실제로는 국가가 유일한 소유자로 되고 개개 경작자는 국가의 소작인이 된다는 사실을 의미한다는 점을 인정한 듯하다. 이 경우 점유는 오히려 거래와 상속의 자유에 장애요인이 되며 전제정의 도구가 될 위험이 있다. 더구나 민주주의의 습속이 널리 보급됨에 따라 소유의 본능이 일반 대중의 심성에 더욱 뿌리 깊게 자리잡기 시작했다. 농민들은 단지 자기가 경작하는 땅에 대한 불완전한 점유권에 만족하지 않고 그 땅에 대한 '완벽한 주권자'가 되길 원했다.[37] 여기서 프루동은 집세나 소작료 등 영구적인 불로수득을 연부상환금으로 대체함으로써 점유자 측에서 점진적으로 소유를 되사는 방안을 해결책으로 제시했으며, 세입자나 소작농에게 필요경비를 조달해 주기 위해 '교환은행(banque d'échange)'을 설립할 것을 제안했다. 그렇게 되면 불로수득을 낳는 임대차 관행은 현대적인 매매 계약으로 대체될 것이며 인간에 의한 인간의 종속이 사라지리라는 것이 프루동의 구상이었다. 소유의 필요성이 용인되기 시작한 것이다.

소유의 옹호자로서의 면모는 『혁명과 교회에서의 정의』(1858)와 『과세 이론』(1861)에서 더욱 뚜렷하게 드러난다. 프루동이 태도 변화를 보인 것은 자신이 밝히고 있듯이 소유의 비밀을 통찰함으로써 "언젠가 이 죄악의 제도, 이 도둑질의 원리, 엄청난 증오와 학살의 원인

37 *Idée générale de la Révolution au XIXe siècle*(Marcel Rivière, 1931), 270-271쪽.

을 우애와 질서의 견실한 담보로 만들 수 있다"[38]라고 생각했기 때문이다. 이제 소유 그 자체는 정의와 도덕의 외부에 존재하는 중립적인 심리적 현상으로서 법과 제도의 수혈을 받을 경우 정당화될 수 있는 것으로 파악된다. 『혁명과 교회에서의 정의』에서 프루동은 소유와 임대차를 그것이 떠맡아야 하는 경비와 위험부담 및 소유자 측에서 제공하는 반대급부 등의 명목으로 정당화한다. 그 대신 그는 지대나 임대료 따위에 대한 단일 과세를 통해 그것을 소유자와 사용자 및 국가의 삼자 사이에서 적절히 분담할 것을 요구한다.[39] 『과세 이론』에서 프루동은 한 걸음 더 나아가 아무 조건 없이 소유와 임대차를 정당화한다. 심지어 그는 자본이나 상속에 대한 과세 특히 누진과세를 격렬하게 비난하면서 소유를 세금의 횡포로부터 보호하고자 애쓴다.[40]

프루동은 유작이 된 『소유의 이론』에서 소유의 문제에 대한 지난 25년에 걸친 자신의 오랜 탐색 과정을 돌이켜 보면서 마침내 도달한 자신의 소유 이론의 전모를 펼쳐 보인다. "소유는 원래 그대로는 악의 원리 그 자체이며 반(反)사회적이나, 스스로 일반화되는 과정에 의해 그리고 다른 제도들의 도움을 받아 사회 체제의 중추이자 원동력이 되기 마련이다".[41] 소유는 그 원리와 기원에서는 부당하지만 그 목적을 통해 정당화될 수 있다는 것이 프루동이 마지막에 도달한 결론인 듯하다.

38 *De la Justice dans la Révolution et dans l'Eglise*, t.II, 94쪽.

39 *De la Justice dans la Révolution et dans l'Eglise*, t.II, 95쪽.

40 *Théorie de l'impôt*(Marcel Rivière, 1934), 192쪽, 141-142쪽, 185-186쪽.

41 *Théorie de la propriété*(l'Harmattan, 1997), 208쪽.

소유의 정당성은 기본적으로 그 정치적 차원에서 찾을 수 있다. 소유는 국가의 강압에 맞설 수 있는 유일한 힘이며 인간의 자유를 지키는 최상의 보루이다. "시민이 국가 안에서 제 몫을 하기 위해서는 인신적 자유만으로는 충분하지 않다. 국가가 공적 영역에 대한 주권을 가지고 있는 만큼, 시민에게는 자신이 완전한 주인으로서 차지한 물질의 몫에 의해 자신의 인격을 보장받는 일이 필요하다. 이러한 조건은 소유에 의해 충족된다".[42] 한편 소유가 국가 권력에 맞서는 보루로서 제 구실을 다하기 위해서는 소유에 대해 어떤 인위적인 구속을 가해서는 안 된다. 소유는 마치 상품이나 화폐처럼 자유롭게 순환되어야 하며 소유자에게 그 처분권이 완전히 일임되어야 한다. 요컨대 "소유는 절대적이고 자의적이다. 소유에 조건을 강요하거나 소유를 규격화하는 것은 소유를 파괴하는 일이다".[43] 자연이 준 그대로 남아 있을 때라야 소유는 자유의 수호자가 될 것이다. 이렇게 소유의 절대성을 강조하는 프루동의 논지는 상속재산의 규제와 양도권의 철폐를 주장하던, 『소유』에서 보여준 초기의 입장에서 이미 너무도 멀리 가 있었다.

더구나 프루동은 소유의 자기조절 메커니즘을 입증하는 데까지 나아간다. 소유를 규제하지 않는다면, 결국 독점과 압제와 불의를 초래하지 않겠는가? 그러나 프루동에 따르면, 소유는 한편으로 그 운동방식 자체에 의해, 다른 한편으로 소유를 둘러싼 온갖 제도적 장

42 *Théorie de la propriété*, 138쪽.

43 *Théorie de la propriété*, 176쪽.

치들에 의해 우려되는 모든 폐단으로부터 스스로를 보호하고 있다.[44] 경쟁에 의해 소유는 저절로 제한되고 균형을 되찾는다. 예컨대 토지 소유를 둘러싼 경쟁은 농기구의 개량과 새로운 농법의 도입을 가져올 것이며 결국 독점 자체가 불가능해진다는 것이다. 또한 소유는 신용은행, 세금, 시장 조직, 상호보험 등 소유의 보완 장치들뿐만 아니라 법 앞에서의 평등, 언론의 자유, 노동자 및 농민 조직 등 시민사회의 제도적 기제들에 의해서 견제와 균형이 이루어질 것이다.

그렇다면 압제와 불의를 낳지 않고 자유의 보루가 될 소유의 적절한 규모는 과연 어느 정도인가? 여기서 프루동이 오랜 세월 동안 추구해 온 궁극적인 이상이자 그의 사상이 갖는 독특한 성격이 드러난다. 『소유의 이론』에 앞선 여러 책에서 드문드문 나타나는 소유의 규모에 대한 논의들을 종합해 볼 때, 프루동이 이상적이라고 여긴 소유는 소규모 독립자영농의 토지 소유인 듯하다. 프루동은 우선 대토지 소유를 소생산자의 몰락과 빈곤을 초래하는 결정적인 요인이라고 공격했다. 또한 토지의 지나친 세분화 역시 생산을 저해하고 노동자의 생계를 위협할 것으로 내다보았다.[45] 그는 4-5명의 한 농민 가구가 생계를 꾸리기에 적절한 토지 규모를 약 5헥타르 정도로 산정했다.[46] 요컨대 그가 생각한 이상은 토지의 지나친 분산도 지나친 집중도 아닌 농민적 소토지 소유였던 것이다. 이리하여 소유의 파괴자에

44 *Théorie de la propriété*, 176-180쪽.

45 *De la Justice dans la Révolution et dans l'Eglise*, t.II, 396쪽.

46 *Capacité politique des classes ouvrières*(Marcel Rivière, 1924), 364쪽.

서 소유의 옹호자로 서서히 변모해 간 한 혁명아의 진기한 사상 편력이 마침내 완수되었다. 프루동은 사회의 온갖 병폐와 빈곤을 낳는 소유의 폐지를 외치는 선지자로서 세상에 나타난 후, 마침내 국가와 권력의 강압에 맞설 최후의 보루라고 여긴 소유의 복권을 주창하는 자유의 투사로서 생을 마감했다. "소유는 도둑질이다"와 "소유는 자유이다"라는 상충하는 듯한 두 명제가 프루동의 사상 속에서 온전히 시민권을 얻은 것이다.

그렇다. 프루동이 궁극적으로 추구한 것은 소유제의 폐지가 아니라 소유제의 개혁이었다. 소유가 철폐된다면 국가의 강압을 낳고 자유의 위축을 가져올 것으로 본 그는 결국 소유를 완전히 파괴하지 않으면서 그 폐단을 치유하는 방안을 택했다. 이 점에서 그는 마르크스와 완전히 길을 달리한 셈이다. 마르크스는 소유라는 '제도'를 공격하는 차원을 넘어 자본주의 '체제' 자체를 문제삼았으며 자본주의 붕괴의 필연성을 역설했다. 프롤레타리아 혁명에 의한 국가 권력의 전취를 통해 공산주의 사회를 이룩하고자 하는 마르크스주의자들이 볼 때, 단순히 소유제의 개혁에 머무는 듯 보이는 프루동류의 주장은 자본주의의 발전 법칙에 둔감한 전근대적인 프티 부르주아의 환상일 뿐이었다. 프루동은 소유제도 공산주의도 아닌 제3의 길, 즉 압제도 불평등도 없는 자유의 왕국을 소유의 개혁을 통해 실현하고자 했으며, 이 과정에서 그의 지적 행보는 숱한 모순과 오해를 낳기도 했다.

그러나 프루동이 제시한 미래사회의 청사진을 마르크스의 그것과 나란히 견주기 힘든 영원한 소수자의 보고서로만 간주할 수는 없을 듯하다. 마르크스주의의 기치 아래 사적 소유를 철폐하고 평등 사회를 실현했다는 동구권 현실 사회주의의 파국이 눈앞에 드러난 오늘날, 돌이켜 생각컨대 지난 세기에 서구 각국이 보여준 사회개혁들은 소유권의 남용을 규제하고 자유와 평등의 조화를 꾀하는 쪽으로 끊임없이 다가가지 않았는가? 비록 프루동이 추구한 자유의 왕국이 영원히 도달하기 힘든 이상향으로 남아 있다고 할지라도 이미 150여 년 전에 그가 세상에 던진 문제는 21세기에 접어든 현 사회가 풀어야 할 당면과제인 것이다.

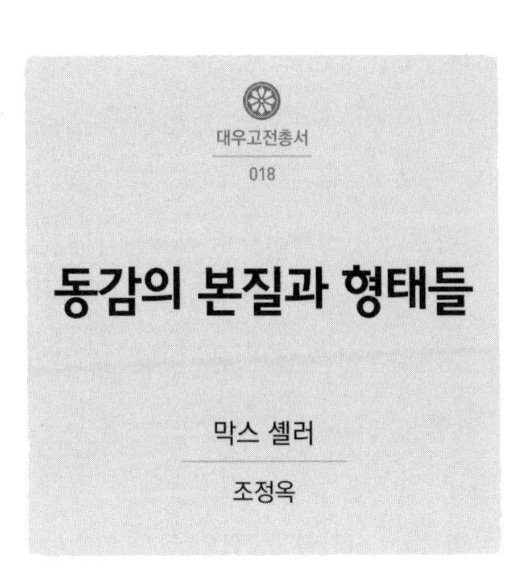

서양철학사의 물줄기는 이성 중심의 플라톤에서 흘러나와 합리주의가 주류를 이루면서 흘러갔다. 인류 역사가 남성이 여성을 지배하는 것으로 일관했다면, 서양철학사는 끊임없이 이성에 의한 감성의 지배를 인간의 이상으로 간주했다. 감성은 이성에 비해 낮은 기능으로 경시되었고 진리와 선의 도달은 이성의 역할로 생각되었다. 현대의 막스 셸러는 파스칼의 감정의 논리, 가슴의 논리(감정에도 나름의 논리가 있다) 사상을 그대로 받아들여서 자기철학을 전개했다. 이것은 이성이 감정보다 우월한 것이 아니라 단지 다를 뿐이며 감정의 논리와 법칙은 이성에게 이해될 수 없을 뿐이라는 것이다. 그리고 감정의 법칙 역시 객관적인 질서를 따르며 명증적이다. 이성이 눈이라면 감정은 귀와 같다. 눈이 볼 수만 있고 들을 수는 없듯이 이성과 감정은 사물의 서로 다른 측면을 서로 다른 방식으로 통찰한다. 더 나아가서 감정은 이성보다도 선행적으로 작용한다. 즉 우리가 어떤 낯선 사람의 얼굴 형태를 자세히 파악하기도 전에 먼저 우리 안에서는 그 인간에 대한 전체적인 느낌을 포착한다. 즉 가치지각(Wertnehmen)은 사물지각(Wahrnehmen)에 선행한다. 감정은 사고나 인식까지 지배하며 사랑은 인식의 범위를 결정한다. 이러한 감정론은 윤리학, 종교철학, 사회철학, 인간학 등 거의 모든 영역에서 셸러의 근본적 토대로 작용한다.

셸러의 철학은 흔히 초기, 중기, 후기 등 세 단계로 분류되곤 한다. 『동감의 본질과 형태들』은 『윤리학의 형식주의와 실질주의적 가치윤리학』과 함께 중기에 속한다. 초기(1897-1905)는 그의 스승 루돌프 육켄의 영향을 받아 정신과 생명의 이원론이 등장한 시기이다. 중기(1906-1920)는 후설의 현상학적 방법론을 받아들인 시기로서 가치의 철학이 전개되고 인격주의적 신학 및 주의주의적 실재론이 전개되는 시기이다. 후기(1921-1928)는 지식사회학과 형이상학이 전개된 시기이다. 여기서는 신학에서 등을 돌리고 생성 중의 신이 등장한다. 정신의 무기력성이론과 함께 그의 철학적 인간학이 세워진다.[01] 동감책은 셸러에 따르면 '철학적 윤리학을 위한 현상학적 토대의 부여'[02]

01 조정옥, "Liebe bei Max Scheler unter besonderer Beruecksichtigung des Begriffs Eros," 박사학위 논문, 17–18쪽.

02 막스 셸러, *Wesen und Formen der Sympathie*, Bern 1973. 9쪽, 앞으로 이 책에서

를 목표로 한다. 동감과 사랑을 각기 노에마 노에시스, 즉 의식 내용과 의식작용의 측면에서 그 본질과 기능을 분석함과 동시에 동감과 사랑의 여러 종류가 가지는 가치 및 도덕적 가치를 분석한다.

셸러의 사상을 이해하려면 그의 인간 삼분설과 가치 그리고 감정에 대한 이해를 전제로 한다. 인간은 크게 생명과 정신 두 부분으로 분류되며 생명은 영혼과 생적 영혼으로 나뉜다. 자아적 영혼과 생명적 영혼. 셸러는 모든 살아 있는 것은 영혼을 가진다는 아리스토텔레스의 사상을 그대로 이어받아 생명과 영혼은 동전의 앞뒷면과 같이 불가분리적인 동일성이라고 본다. 생명의 중심은 충동, 갈망, 본능 등의 진원지로서 인격의 정신적 중심과 대척된다. 종합적으로 말하자면 인간은 생명, 영혼, 정신으로 삼분된다고 할 수 있다. 감정과 이성은 정신의 대등한 두 측면이다.

이러한 인간 삼분설에 따라서 다양한 정신적 작용과 감정들도 삼분된다. 느낌, 사랑, 동감 모두가 각기 감각적, 생적, 영혼적, 정신적인 것으로 분류된다. 가치 역시 물질적 도구가 갖는 도구적 가치(유용성 가치) 이외에 쾌 불쾌의 감각적 가치, 고귀, 비천의 생적 가치, 영혼적 가치, 진선미의 정신적 가치, 성스러움의 종교적 가치 등으로 분류된다. 감정에도 높낮이가 있어서 더 지향적인 것이 있고 그렇지 못한 모호한 비지향적인 기분도 있다. 가치를 단순히 수용하는 가치 느낌과 가치 높낮이를 인식하는 선호 배척작용이 있는 반면에 가치를 자발적으로 발굴하고 창조하는 애증도 있다. 애증은 감정적 삶

의 인용은 본문의 괄호 안에 쪽수만 표기하기로 한다.

의 가장 높은 단계에 해당된다. 셸러 철학의 기본 전제는 사랑이 가장 근원적인 의미의 선가치의 담지자라는 것이다. 셸러는 심지어 선에 대한 사랑은 사랑에 대한 사랑 또는 선에 대한 선이라는 식의 동어반복으로서 무의미하다고 본다. 사랑은 인식과 의지에 앞서서 그것들을 결정해주는 가장 근원적인 것이다. 사랑은 인식의 어머니다. 한 인간이 무엇을 사랑하는가가 무엇을 인식하는가를 결정해주기 때문이다.

1. 동감과 동감윤리학

1-1) 셸러의 윤리학과 선 개념

셸러의 윤리학은 윤리적 선을 이성에 기인한 것으로 보는 칸트 윤리학에 정면으로 대립된다. 감정은 사물과 도덕적 상황의 가치 그리고 선악 가치를 파악한다. 이성의 역할은 인식에서와 마찬가지로 감정적 직관이 파악한 것을 개념화하고 체계화하는 부차적인 것이다. 생명의 귀중함을 먼저 파악하고 그 다음에 살인하지 말라는 이성적인 법칙이 있을 수 있다. 칸트가 선에서 모든 목적과 감정과 재화와 욕구 충동 등을 배제한 반면에 셸러는 감정만큼은 가치에 대한 선천적인 직관으로서 단순한 이기주의적 욕구와는 다른 것이라고 본다. 셸러는 칸트의 윤리학을 거꾸로 전복시키면서도 칸트와 마찬가지로 결과주의를 반박하고 동기주의 편에 선다. 선 가치를 가지는 것은 행위의 결과가 아니라 행위 이전의 동기 그리고 행위 그 자체이다. 칸트의 윤리학은 어떻게 (어떤 마음 태도로) 행위하는가를 중시하는 형식주의적 윤리학이라면, 셸러의 윤리학은 무엇을 행하려고 의도하는가(행위에서 어떤 가치를 실현하는가)를 중시하는 실질주의적 윤리학이다.

칸트에서 선이란 법칙에 대한 존경심의 동기에서 출발한 법칙 준수 의지이며 법칙 준수는 절대적인 명령으로 간주된다. 셸러에서 선은 이성에 의한 충동의 억압이 아니라 인간이 한 상황에서 선택할 수 있는 여러 가지 가운데 어떤 것을 선택하느냐에 달린 것으로 본다. 보다 높은 가치 즉 감각적 가치보다는 생적 가치, 생적 가치보다는 정신적 가치의 선택의지가 선하다. 즉 선과 악은 절대적인 구분이 아니라 상대적인 구분이다. 한마디로 선이란 한 상황에서 택할 수 있는 가치들 가운데 보다 높은 가치를 선택하고 실현하려는 의지이다.

윤리적 기능은 선악을 비롯한 가치 파악, 가치 직관 기능인 감정이다. 이 전제하에서 동감의 본질과 형태들 속의 동감론이 전개된다. 동감과 가치 느낌은 전적으로 다르다. 동감은 타인이 느끼는 그대로를 무비판적으로 따라가는 분별력 없는 반작용에 불과하다. 즉 셸러가 보기에 보다 높은 도덕적 가치를 갖는 동감과 그렇지 않은 동감도 있지만 본래적으로 동감은 도덕적인 능력이 아니다. 거기에서 셸러는 동감을 도덕의 기준으로 삼으려는 동감윤리학에 대한 비판을 시작한다.

1-2) 동감윤리학

동감 책은 동감의 윤리적 기능의 한계를 분명히 설정함과 동시에 동감이 타자 인식에서 가지는 중요한 역할을 강조하려는 이중적인 의도가 있다.

동감윤리학은 자신의 행동을 칭찬하거나 비난하는 관찰자의 판단과 태도 속에 자신을 대입함으로써, 즉 동감을 통해서 자기행동을 바라보는 타인의 증오와 분노들에 직접 참여함으로써 자기행동에 대한 윤리적 판단을 비로소 내릴 수 있다는 입장이다. 이것은 애덤 스미스, 흄 등의 영국인들과 루소와 쇼펜하우어로 대표된다. "보는 이에게 기꺼이 시인하는 느낌을 주는 심적 활동이나 성질을 덕이라고"[03] 정의하는 흄의 입장도 거기에 속한다. 이것은 한 행동의 도덕적 가치를 그 행위의 의지, 행위 자체 그리고 행위자의 인격 존재로 판단하는 것이 아니라 행위에 대한 관찰자의 태도에 의존하여 판단한다. 셸러는 무수한 마녀재판에서 무수한 마녀들이 타인의 태도에 굴복되어 스스로를 진짜 마녀라고 생각했다고 말한다. 만일 전 세계가 어떤 이를 부당하게 죄인으로 취급한다면 그가 정말로 죄인인가라고 셸러는 의문을 제기한다. 오히려 아무도 자신의 행위에 동감하지 않아도 그 행위는 도덕적일 수 있다. 전 세계가 반대해도 어떤 진리가 비진리가 되지 않는 것과 마찬가지이다.

윤리적 판단에서 굳이 동감을 끌어들일 필요는 없으며 심지어 동감을 끌어들이지 않는 것이 타당하다. 왜냐하면 동감에는 가치 인식 기능이 없으며 가치에 대해서 무분별하기 때문이다. 동감을 두 부

03 스털링 램프레히트, 『서양철학사』, 김태길, 윤명로, 최명관 역, 을유문화사, 2000년, 496쪽.

분으로 분해해보면 타인의 감정을 그대로 뒤따라서 느끼는 것(이해)과 그 느낌에 대한 반작용이며, 두 부분 어디에도 가치 인식은 들어있지 않다.

사랑을 동감의 일종으로 보거나 사랑을 동감에서 도출하려는 동감윤리학의 시도에 대해서 셸러는 반기를 든다. 인도인과 쇼펜하우어는 사랑을 동감으로 분해하거나 사랑을 동감에서 도출하거나 그렇지 않으면 사랑을 감정 합일과 혼동한다.(82) 사랑과 동감의 본질은 전적으로 다르며 동감에서 사랑이 도출되는 것이 아니라 오히려 사랑에서 동감이 도출된다. 사랑이 결핍된 동정은 심지어 모욕적이다. 가령 쇼펜하우어에 따르면 만물은 단 하나의 동일한 의지에서 발생했으며 모든 존재는 다 같은 의지의 각기 다른 형태의 객관화이다. 동식물도 그 본질은 의지이고 인간의 본질도 의지이다. 그러므로 동물이 당하는 고통은 곧 나의 고통이기도 하다. 다른 존재의 고통에 대한 동정심은 사랑의 길이고 나의 이기적 생존 욕구를 초월하는 해탈의 경지이다. 셸러는 쇼펜하우어의 이러한 동정이론을 영국의 동감윤리학과 함께 비판의 표적으로 삼는다. 셸러의 『동감의 본질과 형태들』을 한마디로 요약한다면 다음과 같다. "동정에서 사랑으로 갈 수는 없다. 그러나 사랑에서 동정으로 갈 수는 있다."

상식적인 견해로 보면 타인의 고통을 나의 고통으로 여기고 타인을 나 자신으로 간주하는 상태로 가까이 다가갈수록 진정한 동감이라고 이해된다. 그러나 셸러는 그것을 착각과 혼란 그리고 자아상실로 보고 진정한 동감과는 거리가 멀다고 본다. 진정한 동감은 타인의 체험에 직접 참여하고 관심을 갖는 동시에 자타 동일시나 타인의 체험을 자기 것으로 동일시하지 않는 상태 즉 자타의 거리 간격을 유지하는 상태이다. 셸러는 인간 간의 본질적인 동일성이 동감이나 사랑과 같은 합일을 가능케 한다는 형이상학적 일원론(브라만교, 쇼펜하우어, E. v. 하르트만, 헤겔 등)에 대립하여 본질 동일성이 아니라 본질 차이성과 개인간의 거리가 진정한 동감과 진정한 사랑을 가능케 한다고 본다. 인격은 속성적 차이에 의해서 개별화되며 어떤 경우에도 대상화되거나 인식될 수 없다. 알지도 못하는 다른 인격과 합일한다는 것은 불가능하다. 비록 동감은 사랑에 비해 도덕적인 가치가 낮지만, 진정한 동감은 그렇지 않은 감정 전염이나 감정 합일 그리고 동일화보다는 도덕적 가치가 높다.

2. 동감의 본질과 종류

셸러의 동감이론은 동감을 위해서 또는 동감을 위한 타인의 체험을 이해하기 위해서 감정이입이 필요하다거나 과거에 자신이 체험했던 바를 상기해야 하거나 타인의 모방을 통해서 과거 체험을 불러일으킴과 동시에 그렇게 재생산된 체험을 타인에게 투사하고 감정이입을 해야 한다는 립스와 같은 이론을 거부한다. 모방을 통해서 타인의 체험을 이해하는 것이 아니라 거꾸로 타인의 체험을 이해함으로써 비로소 모방이 가능해진다. 타인의 체험은 모방이나 감정이입이 없어도 직관적으로 가능하다. 타인의 체험을 파악하는 동감은 인간에게 선천적인 기능이다. 셸러는 타인의 신체와 같은 물질만을 지각할 수 있으며 타인의 내적인 체험은 체험하는 본인만 파악할 수 있다는 이론을 거부한다. 지각에는 물질을 파악하는 외적 지각과 영혼 체험과 같은 내면을 파악하는 내적인 지각이 있다. 내적 지각은 자신뿐만 아니라 타인에게도 똑같이 적용할 수 있다. 물론 치통과 같이 본인만 체험하는 감각체험도 있다. 만일 타인의 내면을 지각할 수 없다면, 물질적 자연도 역시 관찰되는 순간만 존재하는 것으로서 인정할 수 있으며 인간이 공통적으로 파악할 수는 없다는 결론에 이른다. 동감은 나의 체험과 삶을 풍부하게 하고 확장하는 계기이다. 동감을 통해서 우리는 자아중심주의에서 벗어나서 다른 인간들을 나와 동등한 실재성과 동등한 가치성을 가진 것으로서 받아들인다.

또한 셸러는 동감이 사교적 본능에 기인한다는 계통발생사적인 이론을 거부한다. 동감은 반드시 이타적이거나 사교적인 활동에 보탬이 되는 것은 아니기 때문이다. 심지어 잔인성도 동감을 필요로 한다. 나무토막같이 죽은 물질에 대해서는 잔인할 수가 없다. 대상이 살아 있다는 의식, 즉 동감을 전제로 하여 잔인성도 가능한 것이다. 그리고 동감은 경험이나 교육에 의해서 후천적으로 획득되는 것이 아니라 인간의 선천적인 능력에 속한다. 그렇기 때문에 앞서 언급한 동감을 위해서, 타인의 체험을 이해하기 위해서 감정이입이나 투사가 필요하지 않은 것이다.

2-1) 동감의 본질과 종류

셸러는 타인의 인격의 불가지성을 주장하지만 나의 존재가 단순한 환영이 아닌 실재성이듯이 타인의 존재도 똑같은 실재성이라는 것을 선천적 직관에 의해서 알 수 있다고 본다. 더 나아가 우리는 대상의 가치뿐만 아니라 타인의 모든 감정 그리고 타인이 느끼는 가치 느낌까지도 뒤따라서 느낄 수 있다. 이와 같은 타인의 느낌에 대한 느낌이 바로 동감이다. 동감은 타인이 내 머릿속의 단순한 상상이 아닌 실재성이라는 인식을 전제로 한다. 동감은 타인의 실재성 인식과 마찬가지로 인간에게 선천적으로 내재하는 능력이다. 인간뿐만 아니라 느낄 수 있는 모든 존재는 동감할 수 있으며 동감은 느낄 수 있는 존재들 상호간에만 가능하다.

셸러에 따르면 동감이란 타인의 체험에 실제적으로 참여하는 것이며 그것에 대해 반응하는 것이다. 즉 동감의 본질은 뒤따라-느낌 안에 주어진 타인의 느낌과 그것이 포괄하는 가치 사태에 대해 일으키는 나의 반작용이다.(24) 그러므로 동감은 타인의 심적 체험을 뒤따라-느낌과 그것에 대한 반작용이라는 두 단계로 진행된다.

셸러는 타인의 체험에 대한 단순한 파악이나 이해, 즉 뒤따라-느낌과 본래적 동감이 다른 것임을 강조한다. 뒤따라-느낌은 인식적 행위에 불과하며 도덕과는 무관한 작용이다. 뒤따라-느낌은 타인의 체험에 대한 참여와 무관할 수도 있으며 냉담하게 머물 수도 있다. 뒤따라-느낌은 동감 없이도 일어날 수 있으며 뒤따라-느낌을 기반으로 해서 잔인성과 같이 동감과 정반대의 작용이 일어날 수도 있다. 또한 셸러에 따르면 타인의 체험에 대한 진정한 이해와 내 안에서 그 체험과 유사한 체험의 단순한 재생산 그리고 타인의 체험의 모방은 엄밀히 구분된다. 동감은 그런 재생산 또는 모방이 필요하지 않으며 그런 재생산이나 모방이 아니다. 타인과의 거리 간격이 결핍된 모방이나 재생산은 동감과 거리가 멀다. 그럼에도 립스 같은 모방론 혹은 감정이입이론에 의해서 혼동되어왔다.

동감은 인간의 선천적 기능이므로 동감을 위해서 감정이입이나 재생산 모방 등은 불필요하다. 따라서 감정이입이론, 모방론 등은 오류이다. 이들은 특히 자신이 과거에 직접 체험했던 것만을 동감할 수 있다는 잘못된 주장을 한다. 감정은 감각적인 단계에서 생적인 단계를 거쳐서 정신적인 단계로 올라갈수록 타인의 체험을 이해하기 위한 재생산이 불필요하다. 즉 자신이 과거에 체험하지 않은 것이라도 이해할 수 있다. 예를 들면 부처는 사치와 향락 속에서 성장했음에도 질병과 고통이라는 단 몇 개의 예속에서 세계고통 전체를 직관할 수 있었다.

동감을 선천적인 기능으로 보는 셸러는 동감이 계통발생사적인 종의 획득물이라는 다윈과 스펜서의 이론을 반박한다. 즉 동감적 감정의 발생은 사교적인 본능의 생성과 양성의 결과로 나타나는 현상이고, 동감적 감정은 지성의 발달과 공동체 구성원의 연대성과 관심이 상호 결합하여 상승된다는 다윈의 원칙을 셸러는 비판한다. 이해와 동감은 다르며 이해는 동감과 정반대인 잔인함의 근원이기도 하다.

사랑과 동감의 성립을 설명하기 위하여 인간뿐만 아니라 만유의 존재의 본질 동일성을 전제로 하는 쇼펜하우어, 불교, 헤겔, 셸링의 이론을 셸러는 일원론적인 형이상학이라고 부르며 거기에 반대하여 오히려 인격간의 본질 차이성, 분리의식과 자유의 부여가 동감과 사랑을 가능케 한다고 주장한다. 인격들간의 차이성이 환상이라면 사랑도 환상이다. 게다가 인격은 불가지적인 것으로서 동감을 통해서는 접근할 수 없으며 오로지 사랑을 통해서만 뒤따라 수행할 수 있는 어떤 것이다. 무엇인지 알 수 없는 것과의 합일은 원칙적으로 있을 수 없다. 자연 상태의 인간은 어느 정도 유아론적이고 타인을 실재로서 인정하지 않고 단순한 그림자에 불과한 것으로 보는 것이 사실이며 동감이 그런 자아중심주의를 극복하게 해주는 것은 사실이다. 동감이 존재의 독립성의 가상, 즉 마야의 베일을 찢는다는 쇼펜하우어의 주장이 그런 점에서 일리가 있기는 하다.

동감은 작용 양태로 보아 여러 종류가 있으나 그 가운데 진정한 의미의 동감은

1) 타인의 체험에 참여하려는 의식적 의도를 내포한다.

2) 타인과 나 사이에 간격과 거리감, 분리의식을 유지한다.

3) 타인을 단순한 영상이 아닌 나와 똑같은 실재적 존재로 취급한다.

이런 조건을 갖춘 것은 동감과 상호 동일적 동감뿐이며, 그밖에 감정 전염이나 합일적 감정은 진정한 의미의 동감이 아니다.

1) 상호 동일적 동감: 이것은 부모 두 사람이 자식의 탄생을 기뻐하며 그 기쁨을 함께 느끼는 경우와 같이 심적 체험이 내포하는 느낌과 그 느낌이 가지고 있는 가치 사태가 두 사람에게서 동일한 경우를 가리킨다.(23) 여기서 뒤따라-느낌은 불필요하며 동감과 동감의 대상인 감정은 서로 분리되지 않는다.

2) 동감: 본래적 의미의 동감에서는 뒤따라-느낌을 통해 타인의 기쁨과 슬픔이 주어지고 그것의 가치적 질료에 동감이 지향하여 반응한다.(24) 이때 나의 동감과 타인의 감정은 분리된 서로 다른 사실

에 속한다. 타인의 기쁨과 나의 기쁨은 서로 다르며 나의 기쁨은 단지 함께 기뻐하는 자, 동감하는 자로서의 반응, 즉 함께 기뻐함에 지나지 않는다.

3) 감정 전염: 축제가 열리는 방으로 들어설 때 나도 모르게 즐거운 축제의 분위기에 젖어들어간다. 이것은 타인의 체험에 대한 앎을 전제로 하지도 않으며 타인의 체험으로 지향하려는 의도도 없다. 그러므로 감정 전염은 비자의적 무의식적으로 타인과 똑같은 감정 상태로 젖어드는 것이고 진정한 의미의 타인의 체험에 참여하는 것이 아니다. 감정 전염의 경우 타인에 대한 분리의식이 없으므로 동감하는 자 안에서 실제적 감정이 일어난다. 감정 전염은 군중심리처럼 함께 행동하는 무리가 감정에 휩쓸리게 만들고 감정적 동요를 아주 쉽게 부풀리게 하며 의도하지 않은 무책임한 행동으로 이끈다. 고통은 동정심에 의해서 전염된다는 니체의 말은 동정과 감정 전염을 혼동한 것이다. 타인의 고통을 나의 실제적인 고통으로 느끼는 것은 자타의 거리 간격을 유지하고 의식하는 동감이 아니다. 진정한 동감은 적어도 감정 상태가 아닌 감정 기능이다.

전통 역시 타인의 전달 작용을 의식하지 않은 채로 내용이 전달되어 공동체 또는 타인의 사고와 감정을 나의 것으로 착각한다는 점에서 감정 전염과 유사하다. 타인과 자신을 동일시해서 나의 삶이 아닌 타인의 삶을 사는 인간 유형이나 타인의 주목과 판단의 노예가 되는 허영심에 찬 인간, 영혼적으로 타인에 의존하여 살아가는 영혼적인 기생충 유형, 자신의 무가치성에서 오는 공허를 타인의 체험들로 채우는 영혼적인 흡혈귀 유형 등은 모두 자기 생의 부재 상태로서 윤리적으로 부정적인 가치이다.

4) 합일적 감정: 이것은 감정 전염의 극단적 상황으로서 무의식적으로 타인의 감정을 나의 감정으로 느낄 뿐만 아니라 타인의 자아를 나의 자아와 동일시하는 것이다.(29) 감정 합일에는 타인의 자아가 나의 자아 안에 흡수되는 자아적 감정 합일과 거꾸로 타인의 자아 안에 나의 자아가 흡수되는 타아적 감정 합일이 있다. 거기에는 자연 종족에서 토템 동물과 자신의 동일시, 조상과 자기의 정재적 동일시, 자신이 신의 존재와 운명과 진정으로 동일하다고 믿는 황홀경의 감정 합일이 있으며, 피최면자가 최면술사와 자신의 상재적 동일시, 사디즘과 마조히즘에서 자타 동일시, 사랑 속에서 상호 융합 현상, 어머니 자신과 자식의 동일시 등이 있다. 여기서 셸러는 베르그송이 창조적 진화에서 인용한 파브르의 곤충기에 나오는 말벌의 예를 들고 있다. 말벌이 애벌레를 죽이지 않고 단 한번의 침으로 마비시키는 것은 일종의 본능적 지식일 뿐만 아니라 애벌레의 생명 과정에 대한 말벌의 감정 합일의 일종이다. 인간은 이성이 과대 발달한 대가로 동물과 같은 감정 합일 능력과 무수한 본능을 상실했다. 따라서 셸러는 모든 진보는 곧 퇴보라고 본다. 감정 합일이 일어나는 위치는 신체의식과 정신적 인격 중심의 중간 지점인 생적 중심이다. 생적 중심은 정열, 갈망, 그리고 여러 가지 충동들, 곧 권력 충동, 생존 충동 등의 중심이다. 감정 합일은 신과 같은 순수 정신적 존재에서는 일어날 수 없으며 생명을 가진 존재에서만 일어날 수 있다.

발달 단계로 볼 때 더 발달된 단계에서는 뒤따라 느낌이 발견되는 반면에 덜 발달된 단계에서는 감정 합일이 발견된다. 즉 똑같은 놀이를 하더라도 유아에게는 감정 합일이 되는 반면에 좀더 성장한 어린이에서는 단지 뒤따라 느낌만이 있다. "마찬가지로 조상과의 원시적인 동일시에서는 아직도 감정 합일이 발견되는 반면에 나중에 경건에 가득 찬 조상 숭배 의식에서는 조상의 삶에 대한 뒤따라 느낌만 있을 뿐이다. 군집이나 무리 그리고 군중 속에서는 아직 진정한 감정 합일이 있는 반면에 생활공동체에서는 단지 뒤따라 느낌만 있을 뿐이다. ……고대의 신비 의식에서는 아직 진정한 감정 합일이 존재하지만 …… 연극예술에서는 감정 합일 대신에 단순한 미적 감정 합일과 뒤따라 느낌만이 나타난다."(106)

타인의 체험에 참여하려는 의식적 의도 없이 자동적 또는 반자동적으로 거기에 휘말려 들어가 실제적인 기쁨이나 고통을 느끼는 감정 전염이나 합일적 감정은 진정한 동감이 아니다. 또한 동감의 토대가 되는 뒤따라-느낌도 동감이 될 수 없고 타인을 아직 실재가 아닌 영상으로 취급하며 타인의 체험에 대해 무관심한 태연성을 유지할 수 있다.(20)

'동감의 본질과 형태들'에 기술된 동감을 다시 내용에 따라 분류하면 감각적 동감, 생적 동감, 영혼적 동감, 정신적 동감으로 나눌 수 있다. 감각적 느낌에는 쾌, 불쾌의 가치 느낌과 상태로서의 쾌와 고통이 있으므로 감각적 동감은 타인의 쾌, 불쾌에 대한 동감이라고 할 수 있다. 그러나 셸러의 저서 『윤리학의 형식주의와 실질주의적 가치윤리학』에 따르면 감각적 느낌의 연장성, 장소성, 시간적인 비연속성, 현재성(aktuell) 때문에 감각적 느낌에 대한 재생느낌(Wiederfuehlen), 뒤따라-느낌, 예기적 느낌 등은 불가능하며 동감 역시 불가능하다.(형식 122, 335) 이것으로 보면 두 저서에서 셸러의 입장이 일치하지 않음을 알 수 있다. 여기서 생각해야 할 것은 연장성과 장소성을 갖는 것은 모든 감각적 느낌이 아니라 상태적 차원의 고통과 쾌락에만 국한되므로 상태성을 벗어나서 지향성과 활동성을 갖는 쾌, 불쾌의 감각적 느낌에 대한 동감은 가능하다는 것이다. 동감이란 타인의 감정과 동일한 감정을 함께 느낌이 아니라 타인의 심적 체험에 대한 반작용이라고 규정할 때 심지어 상태적 차원의 감각느낌에 대한 동감도 가능하다. 결국 셸러 윤리학에 나타난 동감개념이 감정 전염에 해당하는 잘못된 개념임을 알 수 있다.

생적 느낌은 생적 가치에 대한 느낌, 상태 차원으로서의 건강, 질병, 늙음과 죽음의 느낌, 감정적 반응으로서의 기쁨과 우울, 충동적 반응으로서의 용기, 불안, 복수 충동, 분노 등이다.[04] 그러므로 생적 동감은 그러한 생적 느낌에 대한 동감이다.

정신적 느낌에는 미추 등의 미적 가치들, 정의와 부정의, 선악 등의 윤리적 가치들, 진리 인식이나 학문적 가치 등에 대한 가치 느낌, 상태로서의 기쁨과 슬픔, 반응으로서의 만족과 불만족, 용납과 불허, 존중과 무시, 보복 추구심과 우정을 뒷받침해주는 정신적 공감이 있다.(형식, 123)

04 Max Scheler, *Der Formalismus in der Ethik und die matieriale Wertethik*, Bern, 1966, 123쪽 이하. 앞으로 이 저서의 인용은 본문 괄호 안에 '형식, 쪽수'로 표기된다.

가장 높은 단계의 느낌은 성스러움의 가치 느낌이며 여기서는 상태로서의 느낌인 행복과 절망까지도 상태를 초월해 있다. 반응에는 믿음과 불신, 경외심과 경건(Anbetung) 등이 있다. 이것에 대한 동감 역시 정신적 동감이다. 셸러는 때로 진선미의 가치 느낌을 영혼적인 느낌으로 보고 성스러움의 느낌을 그보다 높은 정신적 느낌으로 구분한다.

2-2) 동감의 가치론적 고저

세계의 모든 대상이 가치가 있듯이 가치를 느끼는 감정들 역시 작용가치가 있다. 감각적 쾌락과 고통부터 애증에 이르는 감정 영역에서 동감의 가치론적 위치가 어디인지 살펴보자.

(1) 정신적 작용은 영혼적 기능보다, 기능은 반작용보다 더 높은 가치가 있다.(형식, 118) 그러므로 사랑과 미움과 가치 선호 배척은 가치 느낌보다 더 높은 가치를 가지며 가치 느낌의 기능은 기쁨과 슬픔, 불안과 분노 등의 반작용보다 높은 가치를 지닌다. 그러므로 반작용인 동감은 가치 느낌보다 낮은 작용가치를 지닌다.

(2) 지향적 작용이나 기능은 상태보다 더 높은 가치를 지닌다.(형식, 119) 그러므로 지향적인 사랑과 미움 그리고 가치 느낌은 쾌락과 고통과 같은 상태보다 더 높은 가치를 지닌다. 동감은 지향하는 대상을 가지는 지향적 작용이므로 비지향적인 쾌락과 고통보다 높은 가치를 지닌다.

(3) 수용적인 작용보다는 자발적인 작용이 더 높은 가치를 지닌

다. 그러므로 자발적인 작용인 애증이 가치 느낌보다 더 높은 가치를 지닌다.

감정 영역의 가치론적인 서열을 맨 위에서부터 열거하면 다음과 같다. 사랑과 미움, 가치 선호 배척, 가치 느낌, 기쁨과 슬픔 그리고 동감, 쾌락과 고통. 비록 상태나 반작용이라는 점에서는 같을지라도 정신이 영혼보다 존재론적으로 더 높기 때문에 예를 들면 영혼적 기쁨보다는 정신적 기쁨이 더 높은 가치를 가진다. 여기서 만일 반작용이 상태보다 높은 작용이라면 영혼적 반작용과 정신적 상태 가운데 어느 것이 더 높은가는 의문으로 남는다.

함께 슬퍼함(동정심)이 함께 기뻐함보다도 널리 퍼진 현상이며 윤리학에서도 더 많이 언급되지만, 둘의 윤리적인 가치는 동일하다. 그리고 전체 작용으로 볼 때 기쁨은 슬픔보다 더 선호해야 할 것이므로 함께 기뻐함이 함께 슬퍼함보다도 더 가치가 높다. 동시에 함께 기뻐함은 시기에 의해 방해받을 수 있기 때문에 작용 수행의 가치로 볼 때 더 고상한 마음씨의 표시이다.

2-3) 여러 동감들의 도덕적 가치

동감은 가치를 가지며 그 가운데에는 도덕적 가치도 포함된다. 모든 종류의 동감이 동일한 도덕적 가치를 가지는 것이 아니라 동감의 단계와 내용에 따라 도덕적 가치가 달라진다. 그 기준은 다음과 같다.

(1) 진정한 동감은 감정 전염이나 합일적 감정보다 더 높은 도덕

적 가치를 가진다.

⑵ 동감은 정신적, 영혼적, 생적, 감각적 동감의 순서대로 높은 도덕적 가치를 가진다.

⑶ 타인의 상태에 대한 느낌보다는 타인의 가치 느낌에 대한 동감이 윤리적으로 더 높은 가치를 가진다. 예를 들면 누군가의 절망에 대해 동정심을 느끼는 것보다는 그가 고흐의 그림을 아름답다고 느낌에 대해 동감하는 것이 더 높은 가치를 가진다.

⑷ 동감이 지향하는 사태의 가치와 부합하는 동감은 그렇지 못한 동감보다 윤리적으로 더 높은 가치를 갖는다. 타인의 고통에 대해 기뻐하거나(잔인함, 심술궂음) 타인의 기쁨에 대해 괴로워하는 것은 부정적 가치를 가지며, 타인의 고통에 함께 고통스러워하고 타인의 기쁨에 함께 기뻐하는 것이 좀더 높은 긍정적 가치를 가진다. 함께 기뻐함(Mitfreude)과 함께 괴로워함(Mitleid)은 동등한 윤리적 가치를 가지지만 전체 작용 가치로 볼 때 고통보다는 기쁨이 더 선호해야 할 가치이므로 함께 기뻐함이 보다 더 높은 가치를 가진다.

5) 그리고 윤리적으로 가치 있는 기쁨과 슬픔에 대한 동감만이 윤리적 가치가 있다. 만일 살생을 즐기는 누군가의 느낌에 동감한다면 그런 동감은 윤리적으로 무가치하다.

동감 과정을 분석해보면 타인의 심적 체험에 대한 뒤따라-느낌과 그에 대한 반작용으로 나누어진다. 뒤따라-느낌은 동감의 구성요소가 아니라 전제 조건이다. 뒤따라-느낌은 타인의 심적 체험 속에 내포된 느낌작용과 그것의 상관자인 가치를 파악한다. 이때의 가

	뒤따라-느낌	진정한 동감	감성 전염	합일적 감정
타인	영상	실재	실재	실재
타인의 체험에 참여	단순한 이해	진정한 참여	진정한 참여가 아니다	진정한 참여가 아니다
타인과의 거리	분리	분리	타인과 동일 감정	타인과 나의 존재 합일/타인과 동일 감정
기능의 주체	영혼	영혼	영혼/생적 영혼	생적 영혼

치는 타인이 느낀 가치다. 그러므로 뒤따라-느낌이 받아들인 가치는 언제나 타당한 가치 인식이라는 보장이 없다. 동감의 두 단계 어디에도 객관적인 가치 직관은 내포되어 있지 않다. 동감을 윤리적 동감으로 만들어주기 위해서는 별도의 가치 직관의 힘이 필요하다.

셸러에 의하면 동감은 어떤 것이든지 간에 가치 인식 능력이 없으며 선악 판단도 할 수 없다. 가치에 대해 무지한 동감에 의존하여 나의 행위를 결정한다면 행위의 선이 보장될 수 없다.

기대되는 타인의 칭찬과 비난 여부에 따라 행위를 결정하는 것은 잘못이다. 사회적 시인을 선악의 기준으로 삼는 윤리학은 오류다. 의지와 행위의 나침반은 가치 느낌이며 근본적으로는 가치 느낌을 지배하는 사랑이다.

2-4) 우주적 감정 합일과 무우주적 인격 사랑

서양 철학에서는 고대 플라톤부터 우주 영혼으로서의 에로스사상과 우주와의 합일 사상이 존재했다. 고대 그리스에서 감정 합일은 능동적인 감정 합일이며 함께 기뻐함이다. 인도와는 반대로 여기서 우주는 행복한 동물이다. 고대의 감정 합일은 인도에서처럼 민주적으로 서로 눈을 마주 대하는 것이 아니라 동식물과 죽은 것들에 대해 아래로 굽어보는 감정 합일이다.(93) 아시시의 성자 프란체스코는 전체 기독교 역사를 뒤집어엎고 인간끼리 형제일 뿐만 아니라 풀 나무 짐승 등도 인간의 형제이며 다 같은 하느님 아버지의 자손이라고 보았다. 프란체스코가 말하는 우주와 감정 합일은 인간이 자연을 굽어보는 것이 아니라 자연을 올려다보는 감정 합일이다. "무우주적이고 인격적인 사랑신비주의, 즉 굽어 내려다보는 것이 아니라 위를 향해 바라보는 우주에 대한 동정심의 사랑신비주의를 자연의 존재와 생명의 우주생명적인 감정 합일과 합치고 하나의 생명 과정으로 종합하려는 시도, 그것은 유럽 인간 역사의 최대 영혼 형성과 정신 형성 가운데 하나의 작품이다. 이것은 아시시의 성자가 한 아주 희귀한 행위였다."(97) 인간과 자연의 분리는 역사적으로 유대교의 유신론에서 비롯된다. 유신론은 전체 자연의 탈영혼화를 초래했다. 우주 속에 신이 깃들어 있다고 보는 스피노자와 같은 범신론은 심지어 우주를 신으로 대체하여 그 결과 우주를 무화시켰다는 의미의 무우주론이라는 비난을 받는다. 셸러는 기독교적인 의미의 신에 대한 사랑을 무우주적 인격 사랑(기독교적 무우주적 정신적 사랑신비주의)이라고 해석한다. 신 사랑은 예수 인격과 자기 인격의 진정한 본질 동일시이며 예수 인격 속에서 자기 인격 실체의 생성과 변형 그리고 닮아감 그리고 예수 인격에 압도당함이다. 그리고 그것은 신 안에서 임의의 모든 이웃의 정신적 인격에 대한 무우주적 사랑이다. 신에 대한 사랑은 곧 신 안에서 만인에 대한 사랑이다.

아시아 특히 인도에서 우주는 거대한 고통 공동체로서 다른 존재의 고통에 동감하고 하나되는 것을 이상으로 삼는 윤리가 지배적이다. 여기서 사랑은 자기해방의 기법으로서 사랑의 대상보다도 사랑하는 자의 해탈을 중시한다는 점에서 유아론적이다. 사랑은 그 자체로 긍정적인 가치를 가지는 것이 아니라 끊어야 할 집착에 해당된다. "부처가 사랑의 긍정적인 점으로 평가하는 것은……사랑이 가슴의 긍정적인 행복이 아니라 단지 가슴의 해방이라는 것과 타인에게 봉사하고 타인을 돕는 행위의 우연적인 결과와 함께 사랑이 인간의 개인적인 자기 폐쇄성에서 벗어나고 심지어 침잠의 최고의 경지에서는 그의 개인성과 인격 전체에서 벗어나는 기법이라는 것이다. 사랑이 향하는 방향이 아니라 벗어나는 이탈, 그러므로 사랑에 함께 놓여 있는 자기탈출, 자기부정, 자기체념, 자기희생까지……높이 평가되고 그것은 처방된 기법들에 의해 행해진다. 그러므로 여기서는 신에 대한 사랑도 없고 이기주의와는 다른 진정한 자기사랑도 없다. 신에 대한 사랑은 적어도 불교에서는 신이 없기 때문에 존재하지 않는다."(88) 인도인은 인간을 동식물 위에 두지 않으며 자연 속에서 자연의 온생명과 감정 합일을 이루며 산다. 여기서 우주는 곧 나이며 너이다. 이러한 우주적 감정 합일은 세계가 전체성으로서 주어지는 유기체로 보일 때만 가능하다.

셸러는 서구의 신 안에서 무우주적 인격 사랑과 아시아의 우주와의 합일 사상은 서로 보완되어야 한다고 본다. 인도의 불교에는 신 사랑이 없는 반면에 서구의 일면적인 자연 지배 사상은 우주 생적 감정 합일의 퇴화를 가져와서 인간 사랑과 인간 간의 동감까지도 파괴할 위험이 있다. 여기서는 자연을 친구로 보는 정서가 필요하다. 우주와의 감정 합일은 자연의 긍정적 가치와 의미를 제공해주므로 자연과학에게도 필요하다. 인간 속의 완전한 인간성이 성취되려면 인간이 가질 수 있는 모든 유의 감정적 작용들과 능력들에 대한 교육이 필요하다. 사랑으로 가득찬 성행위는 우주 생적 감정 합일의 자연적 열쇠이다.

3. 사랑의 본질과 종류

사랑에는 다양한 측면들이 있기 때문에 인간학적, 인식론적, 심리학적, 사회학적 관점 등 다양한 관점에서 관찰될 수 있다. 셸러에서 사랑은 무엇보다도 가치론적 맥락에서 관찰된다. 그의 중기 저술인 『동감의 본질과 형태들』에서 사랑 개념은 포괄적인 것으로서 모든 종류와 형태의 사랑을 지시한다. 반면에 후기에서는 에로스와 아가페를 분리하여 대립적인 것으로 규정한다. 사랑을 심도 있게 다룬 셸러의 중기 저서 『동감의 본질과 형태들』에서는 아가페와 에로스를 따로 구분하지 않고 정의하는 반면에 그의 후기 저서에서는 두 가지를 완전히 다른 성질의 것으로 규정한다. 중기 저서에 나타난 논리적 부정합성(예를 들면 사랑의 가치 지향적 성격과 가치 독립적인 성격)은 바로 서로 다른 성질의 사랑을 한꺼번에 정의하는 데에서 기인한다. 셸러는 그의 논문 「원한과 도덕적 가치판단」에서 고대 그리스적 사랑(보다 나은 것에 대한 사랑)과 기독교적 사랑(낮은 것도 포용하는 사랑)을 비교하고 있고 「사랑과 인식」에서는 두 가지를 뚜렷한 반대 개념으로 보면서 후자가 전자에 대한 운동 방향 전환인 것으로 본다.

모든 감정이 그렇듯이 사랑 역시 가치 대상을 지향하며 가치 연관적이다. 가치는 선천적 본질로서 가치 느낌, 사랑과 미움, 가치 선호 배척 작용 등을 통해 선천적으로 직관된다. 이 세계에서 가치와 결부되지 않으며 가치와 무관한 사물은 없다. 가치와 독립적인 대상은 가치, 느낌, 애증 등의 감정 작용을 인위적으로 억제할 때에 한해서 의식에 주어진다. 가치를 가진 모든 것, 즉 이 세계의 모든 사물이 감정적 지향의 대상이다. 그러므로 원칙적으로 이 세계의 모든 것이 사랑의 대상이 될 수 있다. 본래적으로 대상 연관적인 사랑은 당연히 가치 연관적일 수밖에 없고 특히 모든 감정과 사랑은 대상의 여러 측면들 가운데 가치를 염두에 두고 발생한다.

셸러는 사랑 이론에서도 인간을 몸, 영혼(심리), 정신의 세 층으로 구분하며 몸과 영혼은 아리스토텔레스와 같이 불가분리적인 단일체로 본다. 몸과 영혼은 생명이며 자연적인 부분인 반면에 정신은 생명과 자연을 초월하는 인식과 감정 작용이다. 사랑은 몸이나 영혼의 기능이 아니라 정신적 작용이다. 이러한 셸러의 삼분적 인간 구조론은 특히 인간 단일성을 확보하지 못한다는 비판을 받아왔다. 스트라서는 존재와 가치의 연결성과 지적 지각과 감정적 가치 지각 간의 상호작용을 들고 나오면서 셸러를 비판한다. 함머는 셸러의 인간 층 이론이 인간의 단일성을 보장해주지 못한다고 비판한다. 중기에서는 에로스와 아가페의 구분 없이 모든 사랑은 단순한 심리적 기능이 아니라 그보다 더 높은 정신적 작용이라고 본다. 그러나 후기에서는 에로스는 영혼적 기능에 불과하고 아가페만이 정신적인 작용이라고 입장을 바꾼다. 셸러는 아리스토텔레스의 영혼론을 받아들여 신체와 영혼이 불가분리적이나 그 위에 신적인 정신이 놓인다고 본다. 정신이야말로 인간을 동물과 구분짓는 본질 직관, 자기반성, 금욕, 절제의 능력이다. 이런 셸러의 인간학에서는 심신과 정신의 전체적 통일성을 확보하기 힘들다. 나는 영혼과 정신을 동일한 주관의 태도 변경으로 보면서 인간 단일성을 확립하고 영혼과 정신 그리고 아가페와 에로스의 서열을 폐지함이 마땅하다고 본다.

3-1) 사랑의 본질

셸러는 사랑이 외부적 원인에 기인한 쾌락이라는 스피노자의 견해를 정면으로 반박한다. 사랑은 사랑하는 인간이 우리에게 부여하는 아픔과 고통을 통해서도 변하지 않으며 미움 역시 미워하는 인간이 우리에게 부여하는 기쁨과 쾌락을 통해서도 결코 변하지 않는다(스피노자에게는 이성이 인간의 본질이므로 감정은 인간의 본질을 벗어나 있는 상태이며 이상적인 상태가 아니다). 사랑이 응답적 사랑의 결핍으로 불행한 경우에도 사랑은 높은 행복 느낌을 가진 작용으로서 존립할 수 있다.(150) 셸러는 애증의 작용적 성격뿐만 아니라 애증이 판단보다도 훨씬 더 근원적임을 통찰한 브렌타노의 주장에 동의하지만 애증이 하나의 인식임에는 반대한다. 가치 선호 배척 작용이 가치의 높낮이에 대한 인식인 반면에 애증은 가치 인식의 토대이기는 하지만 인식과는 다른 고유한 것이다. 판단이나 평가를 토대로 하는 존중과 같은 감정 작용도 있지만 사랑에는 그런 작용들이 대상에 대해서 취하는 거리가 없다. "애증은 가치 내용 자체에 대한 아주 근원적이고 직접적인 감정적 태도 방식이다."(151)

합리주의적 관점에서 사랑은 눈이 먼 것이다. 그러나 셸러에 따르면 애증의 눈을 통해서 보는 것이 이성의 눈을 통해서 보는 것보다 결코 열등한 것이 아니라 애증 나름의 고유한 명증성을 가지고 있다. 오히려 사랑은 눈이 밝으며 이성이 볼 수 없는 것을 들여다본다. 예를 들면 인격은 오직 사랑을 통해서만 열릴 수 있고 접근될 수 있다. 애증 나름의 고유한 논리와 법칙과 이유가 있다. 이것은 이성이 납득할 수 없는 것이다. 눈이 들을 수 없듯이 이성은 감정의 논리를 이해할 수 없다. 그렇기 때문에 철학사에서도 사랑은 저급한 혼돈 상태로 간주되곤 했다. 이성이 보기에 감정은 혼돈이지만 감정에게는 명증적이다. 이성과 감정은 서로 보는 대상이 전혀 다를 뿐이며 결코 감정이 이성에 비해 하등한 기능이 아니다.

인격은 합리주의에서처럼 성질, 행위, 작품, 태도 등으로 설명될 수 없다. 인격은 근본적으로 불가지적이다. 어떤 진정한 작용 그리고 인식작용에서도 인격은 대상으로서 주어질 수 없다. 인간에서 대상화될 수 있는 부분은 신체, 신체 단일성, 자아와 자아의 생적 영혼뿐이다. 인간을 대상화할 때마다 인격은 우리의 손아귀에서 자꾸 빠져나간다. 게다가 인격은 자연과 달리 스스로 침묵할 수 있으며 자신을 은폐할 수 있다. 사랑을 통해서도 인격은 마찬가지로 대상화될 수 없지만 뒤따라 체험함과 인격의 작용(특히 그의 사랑작용)을 함께 실행함으로써 우리에게 주어질 수는 있다. 즉 개인으로서의 인격의 가치는 단지 사랑작용의 과정에서만 주어질 수 있다. 여기서 대상화된다는 것은 자연과학적인 합리적 설명의 대상이 된다는 의미이고 주어진다는 것은 (감정적인) 직관 속에서 느껴진다는 것이다.

(1) 사랑은 정신의 지향적 작용이다: 가치를 파악하는 감정적 기능이나 작용들은 지향성의 정도에 따라 단계가 달라진다. 가장 낮은 쾌, 불쾌의 감정 상태 또는 감각적 느낌이 있고 그 위에 막연한 기분이 있으며 다시 그 위에 지향적인 가치 느낌과 가치 선호 배척 작용이 있다. 사랑과 미움은 감정 영역에서 최고 위치에 있다. 대상이 아예 없거나 표상이나 지각을 매개로 해서 간접적으로만 대상과 연결되는 선지향적 감정 상태나 절반 정도만 지향적인 기분과는 달리 사랑은 목표로 하는 대상이 뚜렷한 지향적 작용이다. 감각적 느낌이나 기분이 영혼적 기능인 데 비해서 애증은 정신적 작용이다. 영혼은 생명과 자연의 단계이며 육체와 불가분리적이라면 정신은 생명과 자연의 단계를 초월한 반자연적이며 인간 특유의 작용이다.

(2) 사랑은 가치 고양 작용(Werterhoehung)이다: 가치 느낌이 단순한 가치 수용 작용인 데 반해서 사랑은 새로운 가치를 자발적으로 발굴하는 작용이다. 즉 사랑은 대상이 가진 가치를 있는 그대로 느끼는 데 그치는 것이 아니라 긍정적 가치를 능동적, 자발적으로 찾아내고 발견한다. 그에 따라 대상의 가치는 점점 더 상승하고 마침내는 그 대상의 이상적인 모습에 도달한다. 한 인간의 이상적인 가치상은 그 대상의 현실적인 실재는 아니지만 경험적으로 주어진 가치들에

뿌리를 둔 것이다. 즉 그것은 단순한 상상이나 감정이입 또는 착각이 아니다. 경험적 실재와 이상적 가치상의 미분리 상태가 사랑의 본질적 상태이다.

사랑은 한 대상에게 주어진 한두 가치에서 출발하여 더 높은 가치로 나아가는 지향적 움직임이며 심지어 대상에게 추가로 주어지는 낮은 가치나 오점에도 대상을 있는 그대로 받아들인다. 사랑의 진정성은 우리가 구체적인 대상의 오점들을 보기는 하지만 이 오점들과 함께 사랑하는 데서 입증된다.(160) "사랑은 낮은 가치에서 출발해서 더 높은 가치로 올라가는 운동이며 운동 속에서 그때그때 한 대상 또는 한 인격의 보다 높은 가치가 빛나듯 출현하는 운동이다."(155) 사랑은 보다 높은 가치의 정립과 보존, 보다 낮은 가치의 지양을 도모한다. 반대로 미움은 낮은 부정적 가치에서 출발해서 보다 낮은 가치에 적극적으로 눈을 돌리며 결국은 가치 영역 전체에 대해서 폐쇄적이 된다. 비유적으로 말하자면 사랑은 대상을 마음속에서 천사(대상의 있을 수 있는 최고의 모습)로 만들어가며 미움은 악마(대상의 있을 수 있는 최악의 모습)로 만들어가는 과정이라고 할 수 있다.

(3) 사랑은 자발적, 창조적 작용이다: 기쁨이나 슬픔은 가치에 대한 반작용이며 동감 역시 타인의 감정에 대한 반응 또는 반작용이다. 진, 선, 미에 대한 느낌은 대상의 있는 그대로의 가치를 수용하는 기능이다. 반면에 사랑은 앞서 밝힌 바와 같이 영혼적 기능이나 반응 또는 단순한 수용 기능이 아니라 스스로 가치를 찾아내는 자발적인 작용이다. 그리고 사랑은 가치 발굴을 통해서 가치 영역을 넓히는 창

조적 작용이다. "사랑이 보다 높은 가치를 향한 운동이라는 것에 사랑의 창조적인 의미가 놓여 있다."(156) 사랑은 모든 가치 느낌, 선호, 의지, 행위 등의 영역에서 완전히 새로운 높은 가치들을 등장시킨다. 미움 역시 정신적 작용이며 사랑과는 반대로 가치에 대해서 눈을 감고 가치를 말소시키는 파괴적인 작용이다.

(4) 사랑의 본질은 추구나 충동과 독립적이다: 셸러에 의하면 추구가 사랑에 선행하거나 추구를 동반하지만 사랑의 본질은 추구가 아니다. 추구의 불안은 사랑이 명료할수록 제거된다. 비록 사랑은 지향하는 목표로서 대상을 가지기는 하지만 추구와 달리 실현되어야 할 목표가 없다. 어머니가 잠자는 아기를 사랑스러운 눈으로 바라볼 때 실현하려는 어떤 것도 가지고 있지 않다. 모든 추구가 실현하려는 목표를 가지는 반면에 사랑은 전적으로 대상의 있는 그대로의 존재에 안주하고 머문다.

갈망, 동경, 욕구, 충동 등의 추구와 사랑을 비교해보면 추구는 만족하면 안정되지만 사랑은 언제나 동일하게 머물며 더 깊이 움직인다. 추구는 가치와 무관하지만 사랑은 가치연관적이다. 추구가 자연적 성향이라면 사랑은 자연적 성향을 거슬러 올라간다. 셸러는 사랑이 충동에서 기인한다고 보는 자연주의자를 비판하면서 충동은 사랑을 발생시키는 것이 아니라 단지 사랑의 한계를 짓고 대상 선택에 참여할 뿐이다. 즉 사랑의 지향작용이 지향하는 가치 대상에 대해서 충동 역시 함께 지향할 때에 한해서 사랑이 현실화될 수 있다. "1. 충동적 동요가 사랑 운동이 겨냥하는 것과 동일한 가치 영역을 향할 때에만 하나의 주어진 생물심리적인 유기체에서 사랑작용이 실현된다. 2. ……객관적으로 성립하는 주어진 가치 성질들의 영역으로부터……충동 체계를 자극하는 가치만이 가능한 사랑 가치로서 떼어져 나올 수 있다."(186)

(5) 사랑은 사회적(사교적) 작용이 아니다: 타인을 전제로 하며 타인에게로 지향하는 작용인 사회성은 사랑의 본질이 아니다. 사랑은 일차적으로 가치를 지향하며 그 가치를 내가 갖든지 타인이 갖든지 전혀 무관하다. 사랑이 일어나기 위해서는 의식작용이 타자에게로 향하는 것이 필수 전제는 아니다. 타인에게로 향하는 작용이라고 해서 반드시 사랑만 있는 것이 아니라 시기, 악의, 심술 등도 있다. 동감은 사회적 작용인 반면에 애증은 그렇지 않다. 우리는 자신을 사랑하거나 미워할 수는 있지만 자신과 동감할 수는 없다. 동감은 다른 인간(생명체)을 필요로 하기 때문이다.

자기를 도외시하거나 자기 속에 머물 수 없는 것으로서의 이타주의는 자기증오이며, 타인들의 가치를 배려하지 않는 이기주의도 자기사랑이 아니다.(155) 이기주의는 세상에 나만이 존재한다는 태도가 아니라 오히려 타인들을 의식한 사회적 작용이다. 이기주의는 사회적 자아가 모든 가치들, 사물들을 자기와 관계되는 한에서 지향하는 것으로서 자신의 가치를 지향하는 자기사랑과 다른 것이다.

3-2) 사랑의 형태와 종류 그리고 양태

(1) 사랑의 형태들

정신적 작용에는 신체 작용, 생적 작용, 영혼적 작용, 정신적 작용 및 인격적 작용이 구분되듯이 사랑도 인격의 정신적 사랑, 자아 개인의 영혼적 사랑, 생적(정열적) 사랑으로 구분된다. 유쾌하거나 유용한 대상에 대해서는 느낌과 관심만이 성립하고 그 대상에 대한 사랑은 있을 수 없다. 단지 쾌적하기 만한 대상은 사랑에 본질적인 가치 고양을 일으키지 않으므로 감각적인 사랑은 사랑이라고 할 수 없다. 다른 감정적 지향의 부수 현상으로서의 감각적 쾌적 지향은 아무 문제가 없지만, 한 인간에 대한 단순한 감각적 취급은 사랑 없는 냉담한 태도인 동시에 악하다. 미움에도 마찬가지로 생적, 심적, 정신적 미움이 있다. 그리고 한 대상을 사랑하는 동시에 미워하는 것도 가능하다. 즉 누군가의 영혼의 실존이 사랑스럽지 않지만 그의 성스러움을 여전히 사랑할 수 있다. "동일한 한 인격이 그 인격의 실존과 가치들의 세 단계에서 그리고 이런 세 가지 형태의 애증 속에서 동시에 미움과 사랑의 대상일 수 있다."(171) 이러한 영혼의 부조화는 사랑의 기능들을 본질적으로 분리할 수 있음을 의미한다. 인간의 최고 단계의 실존에 대한 미움은 악마적이며 영혼적인 실존에 대한 미움은 악하며 생적인 증오는 단순히 나쁘다.

(2) 사랑의 종류

우리가 언어적으로 아주 다양한 사랑의 종류를 거론하지만 그

가운데에는 진정하지 않은 사랑의 종류가 있다. 예를 들면 모성애나 조국애, 고향사랑은 진정한 사랑의 종류인 반면에, 부성애나 국가에 대한 사랑은 진정한 사랑의 종류가 아니다. 모성애(어머니의 사랑)가 결정적으로 자식에 대한 어머니의 사랑을 나타내는 반면에, 부성애(아버지의 사랑)는 아버지가 하는 사랑인지 아버지에 대한 사랑인지 회의하게 만든다. 진정한 사랑의 종류들은 대상의 영상이 주어지지 않아도, 즉 그 대상에 대한 직접적인 자기체험이 없이도 그 대상에 대한 사랑이 우리의 심적 동요 속에서 현전한다. 그것은 작용 자체의 진정한 성질을 지시한다. 예를 들면 자식을 가지지 않은 여성이라도 진정한 모성애의 동요를 느낄 수 있다.

(3) 사랑의 양태

사랑의 양태는 사회적인 행동방식과 동감 체험들이 사랑과 결합되는 데서 나타나는 여러 가지 감정 현상들이다. 호의, 잘되기를 바람, 쏠림, 이끌림, 다정다감, 공손, 친절, 헌신, 집착, 신뢰, 감사, 경건……등이 그것이다. 이들 가운데 호의, 감사, 다정다감은 인간 본성의 구성 요소에 속하며 공손, 경건은 역사적으로 생성된 것이다.

(4) 사랑의 범위

자기사랑과 친구 사랑, 가족 사랑과 조국 사랑, 보편적 인류애 등 사랑의 범위는 좀더 넓을 수도 있고 좀더 좁을 수도 있다. 수만 명의 러시아인이 굶어 죽었다는 사실보다도 가족 한 사람이 손을 베었다는 것이 우리의 동정심을 더 자극한다(사랑과 관심의 원근법). 범위가 다른 사랑 간에 대립 관계가 성립될 수 있다. 예를 들면 조국 사랑과 인격 사랑은 서로 적대적일 수도 있다. 포이어바흐나 스펜서 등의 자연주의적 이론들은 각 사랑의 본질적 고유성을 인정하지 않고 모든 사랑을 성 충동 같은 단 하나의 요소가 확산된 형태로 보며, 보다 좁은 범위의 사랑을 더 나쁜 것으로 해석한다.

그러나 셸러는 범위의 크기가 커질수록 느낄 수 있는 대상의 가치가 더욱 표피적이고 낮은 가치가 된다고 한다. 즉 인격 가치를 벗어나서 점점 더 감각적인 상태 영역으로 다가간다. 신이 아닌 한 인간에게는 인류에 대한 사랑보다는 조국 사랑이 본질 법칙적으로 더 가치 있는 사랑이다. 조국은 인류에 비해서 한 인간에게 보다 큰 실증적인 가치 풍요를 가지고 경험될 수 있기 때문이다.(189) 최대 다수에 대한 사랑은 실제로 증오이며 보다 넓은 범위의 사랑은 가치 질서의 전도이다. 살아 있는 것들 가운데에서는 보다 가까운 것을 사랑함이 더 먼 것을 사랑하는 것보다 가치 있다.(190) 니체는 기독교적인 이웃사랑에 대립되는 먼 인간에 대한 사랑을 권유했지만 사실은 이웃사랑이 더 가치 있는 것이다.

3-3) 사랑의 우위성

(1) 인식에 대한 사랑의 우위성

셸러에 의하면 하나의 존재관계라고 할 수 있는 인식은 사랑을 전제로 한다. 다른 존재자에 참여하기 위해서는 자기 자신을 초월하는 작용인 사랑이 있어야 한다. 자신의 상태와 의식 내용을 떠나는 것, 즉 자기초월은 세계와의 접촉의 전제이다. 더 나아가 사랑은 인식으로 이끄는 자명종이며 정신과 이성의 어머니이다. 새에 대해 알게 되어 새를 사랑하는 것이 아니라 거꾸로 새에 대한 사랑이 새에 대한 인식 욕구를 불러일으킨다. 한 인간의 인식세계와 범위가 가치세계를 한계짓는 것이 아니라 거꾸로 가치세계가 인식세계를 한계짓는다. 가치세계는 한 인간이 인식할 수 있는 존재 범위를 그려주고 그것을 존재의 바다에서 마치 하나의 섬처럼 떼내어준다.[05] 인식의 정도는 사랑에 비례한다. 무엇을 사랑하는가가 인식을 결정하고 의지와 행위를 결정하며 결국은 인생을 결정해준다.

사랑은 모든 감정 작용 가운데에서 가장 근원적인 작용이며 감정은 모든 실천적, 이론적 행위의 뿌리다. 사랑은 이런 의미에서 모든 다른 감정, 의지, 지성적 작용에 대해 우위성을 갖는다. 셸러가 인식에 대한 사랑의 우위를 논할 때 사용한 사랑 개념은 자기초월 및 관심의 의미이다. 셸러는 여기서 관심 역시 사랑의 저조한 동요라고 보고 이 관심이 모든 인식의 근본 조건이라고 본다.

(2) 미움에 대한 사랑의 우위

미움 역시 사랑과 같은 지향적인 정신작용이다. 셸러는 중기에서 주로 미움을 가치 은폐와 폐기로서 가치 창조적인 사랑과 대립된 것으로 본다. 그러나 후기에서는 미움은 사랑의 낮은 단계이며 사랑의 일종으로 파악한다.

05 셸러 전집, GW 10권, 356쪽.

『동감의 본질과 형태들』에서 셸러는 미움을 가치에 대해 눈이 먼 부정적 작용이 아니라 저등한 가치를 파악하는 일종의 긍정적 작용으로 본다. 그러나 미움은 사랑과 비교할 때 높은 가치에 대해 무감각하고 결국 가치 영역을 축소시킨다. 가치론적으로 볼 때 미움은 사랑에 대립되며 사랑보다 열등하다. 즉 사랑이 미움보다 우월하다.

셸러의 후기 철학에서 사랑과 미움은 대립관계가 아니라 정도차이가 있는 동질적인 것으로 이해된다. 미움은 사랑의 낮은 단계이며 애증 모두 관심의 한 형태이다. 미움도 관심의 일종이므로 미움도 사랑의 모체이며 사랑의 일종이라고 할 수 있다. 모든 미움작용은 이미 사랑작용을 토대로 한다. 후기에서는 모든 사랑이 긍정적인 것도 아니고 모든 미움이 부정적인 것도 아니다. 사랑에도 높은 가치를 사랑하는 올바른 것이 있고 낮은 가치를 사랑하는 그릇된 것도 있다. 마찬가지로 미움에도 올바른 것과 그렇지 않은 것이 있다. 사랑과 미움 모두에 명증적이며 눈이 밝은 것도 있고 그렇지 못한 것도 있다. 사랑과 미움 모두 가치 질서에 대한 인식을 전제로 한다. 가치 질서에 비추어 그 질서에 부합되는 경우(높은 가치를 가진 것이 높은 위치를 차지할 때) 사랑이 일어나고 가치 질서가 뒤집힐 때(낮은 가치를 가진 것이 높은 위치를 차지할 때) 미움이 일어난다. 미움은 사랑의 질서가 손상되는 것에 대한 우리의 마음과 정서의 폭동이다. 모든 대상은 가치를 가지며 가치 질서 속에서 어떤 특정한 위치를 차지한다. 사물의 가치와 가치 질서에 대한 인식이 없으면 올바른 애증이 형성될 수 없다.

(3) 아가페에 대한 에로스의 우위

에로스가 남녀간의 정열적인 사랑이라면 아가페는 신에 대한 사랑과 신적인 사랑을 의미한다. 신적인 사랑이란 신에 대한 사랑보다 높은 단계의 사랑으로 세상에 대한 신의 사랑 행위에 동참하는 사랑이다. 에로스가 아름다움이나 선함, 지성 같은 긍정적인 가치에서 출발하여 더 높은 가치상으로 올라가는 마음의 움직임이라면 아가페는 대상이 가진 가치와 전혀 무관하게 그가 한 인간이기에 사랑하는 것이다. 에로스가 가치 의존적인 사랑이라면 아가페는 가치 독립적인 사랑이며 대상의 가치가 낮고 비천할수록 더욱더 커질 수 있는 사랑이다. 중기에서 미분리된 아가페와 에로스가 후기에서는 뚜렷이 분리된다. 아가페는 본질과 이념 그리고 근원적 현상들에 대한 통찰이다. 그에 비해 에로스는 감각의 영역 속에 머물며 기껏해야 형체 파악에 불과하다. 에로스는 존재나 본질이 아니라 우연적 속성을 인식하고 세계의 형체적 측면(시각적이나 청각적 측면)을 파악한다. 에로스는 가치, 특히 미적 가치를 지향한다. 에로스는 실제적인 가치 대상으로부터 가치 성질들을 분리한다. 아가페가 본질 직관의 근원이고 철학의 원동력인 반면에 에로스는 가치 선호작용의 원천이고 예술의 근원이다. 에로스는 가치 선호작용에 의해 선택 범위를 넓히고 세분화한다. 에로스는 상상 활동을 북돋우고 지각보다 상상이 우세하도록 한다. 그러므로 에로스는 예술가적 구상의 인도자이다. 아가페는 정신작용인 데 비해 에로스는 영혼적 기능이다. 에로스는 통찰력을 얻은 충동이므로 아직 정신적이지 못하다. 에로스는 아직 악령적이다.

3-4) 사랑에서 동감으로

(1) 감정들간의 토대 법칙

셸러는 뒤따라-느낌에서 사랑에 이르는 여러 감정들의 토대관계를 다음과 같이 제시한다. (동감 105-111)

1) 감정 합일은 뒤따라-느낌의 토대가 된다. 이것은 감정 상태들 간의 관계가 아니라 감정 기능들 간의 관계이고 감정 성숙 및 발달단계에 따른 토대관계이다. 어린이나 원시인 같은 저급한 발달단계에서도 감정 합일이 발견된다. 여기서 셸러는 낮은 단계의 감정 기능이 높은 단계의 토대가 된다는 것을 전제로 한다.(106)

2) 뒤따라-느낌은 동감의 토대가 된다. 전자는 아직 타인을 실제로 취급하지 못하고 타인의 감정 상태의 성질만 제시한다. 반면에 동감은 타인을 실제로 취급하고(Realhaltung) 자기애와 자기중심주의, 유아론을 극복한 단계이다.(107)

3) 동감은 인류애의 토대이다. 타인을 실제로 취급하는 것이 자발적 인류애의 전제가 된다. 동감 속에는 인간으로서의 인간의 특수가치가 아직 주어지지 않은 상태인 반면에 인류애는 인간이 단지 인간이라는 이유로 종족과 선인, 악인을 넘어서서 모든 인간을 포용한다.(107)

4) 인류애는 인격 사랑과 신에 대한 사랑의 토대가 된다. 인류애는 인간을 인간 종족(생적인 것)의 한 예로 취급한다.(110) 반면에 인격 사랑은 개인적 개별적 인격 중심에 대한 사랑이며 이런 인격 사랑은 기독교적 인격 사랑의 본질적 징표이다. 생적 자아가 인격의 도구

이지만 주어짐과 발달 질서로 보면 타인의 생적 자아를 실제적인 것으로 취급하는 인류애가 인격애에 선행되어야 한다. 셸러에 따르면 현대에서 기독교적 인격 사랑이나 신 사랑 위에 보편적 인류애를 놓는 것, 니체처럼 원인애(먼 이웃에 대한 사랑)를 인인애(가까운 이웃에 대한 사랑) 위에 놓는 것은 신적인 것에 대한 증오에 기인한다.(108)

그 이외에 셸러는 성애같이 우주의 한 존재와의 합일이 우주적 생명과의 합일 감정의 토대가 된다고 본다.(116)

(2) 사랑에서 동감으로

위에서 살펴본 동감과 사랑의 본질과 기능적 차이로 미루어볼 때 셸러에서 동감과 사랑은 다 같은 감정 영역에 속하기는 하지만 이질적인 성질과 이질적 양태와 능력에 속한다. 사랑이 좀더 높은 정신적 작용이라면 동감은 보다 낮은 자아의 영혼적 기능이다. 사랑이 자발적, 능동적 가치, 창조작용이라면 동감은 단순한 반작용이다. 사랑이 가치 발견과 창조의 능력이라면 동감은 가치에 대해 전혀 무지하다.

셸러에 의하면 동감에서 사랑으로 비약할 수는 없다. 반면에 동감이 진정한 동감이 되기 위해서는 사랑이 필요하다. 사랑이 동감에 비례하는 것이 아니라 오히려 동감이 사랑에 비례한다. 동감 없는 사랑은 있을 수 있지만 사랑 없는 동감은 있을 수 없다. 사랑 없는 동감은 진정한 동감이 아니라 단순한 이해(인식) 그리고 뒤따라-느낌에 불과하다. 여기에서 셸러는 보다 높은 기능이 낮은 기능의 토대가 된다고 봄으로써 여러 기능들 간의 토대 법칙을 언급한 때와는 모순된 입장을 토대로 한다.

사랑	동감
정신이나 인격의 작용	영혼이나 자아의 기능
자발적	반응적(반작용reaktiv)
사랑의 대상은 무제한적	동감의 대상을 느낄 수 있는 존재에 국한
가치 발굴 및 창조 능력 동감	가치에 대해 무지

생각 1) 여기서 제기되는 물음은 마치 감각을 토대로 해서 인식이 성립하듯이 낮은 기능을 토대로 높은 기능이 발생하는가 아니면 반대로 높은 기능을 토대로 낮은 기능이 발생하는가 이다. 셸러의 가치론을 보면 보다 높은 정신적 가치의 존재가 전제되어야 낮은 생적 가치도 성립할 수 있다는 식의 논리를 토대로 한다. 예를 들면 인간이 정신적 인격을 가짐으로써 인간의 육체가 인격을 갖지 못한 동물의 육체보다 높은 가치를 갖는다. 셸러는 아직도 우주를 창조한 신이 부여한 존재 목적 하에 낮은 피조물의 개별적 목적이 종속된다는 전통적 목적론적 사고방식의 영향을 벗어나지 못하고 있다. 그러나 목적론을 벗어나 담담하고 공평한 눈으로 바라보면 몸이 있기에 그 속에 영혼이나 이성이 들어 앉을 수 있다. 즉 이른바 낮은 존재인 몸이 이성이 존립할 수 있는 토대가 된다. 만일 사랑이 동감보다 높은 기능이라면 사랑은 낮은 기능인 동감의 토대 위에서 존립할 수 있다. 타인을 영상이나 그림자가 아니라 내 앞에 실존하는 존재로 간주하고 타인의 체험을 있는 그대로 이해하고 반응하는 동감의 능력이 없으면 있는 그대로의 존재를 받아들이는 사랑은 불가능하다.

쇼펜하우어는 모든 사랑의 본질이 타인의 고통을 자기 것으로 동일시하는 동정이라고 본다. 개별적인 자기보존의 원리를 떠나면 정의가 생기고 거기서 한 발 더 나아가면 심정의 선함이 생기며 이것이 타인에 대한 순수한 이타적 사랑과 자기희생까지 낳는다. 막스 셸러는 쇼펜하우어의 동정론을 날카롭게 비판하면서 동정은 가치 인식 능력을 결여한 감정적 반응에 불과한 반면에 사랑은 가치의 자발적이고 능동적인 창조작용이라고 본다. 따라서 동정에서는 사랑이 나올 수 없으며 오히려 사랑이 진정한 동정의 필수적인 토대가 된다. 사랑 없는 동정은 동정받는 상대로 하여금 모욕감을 불러일으킬 수 있다.

생각 2) 만일 사랑이 인식의 어머니이고 인간의 의지와 행위 그리고 전체 삶에까지 영향을 미친다면 분명히 누군가의 고통을 동정할 것인가 아니면 냉담하게 지나칠 것인가에도 사랑이 영향을 미칠 것이다. 따라서 사랑은 동감을 지배한다고 볼 수 있고 사랑으로부터 동감이 가능할 것이다.

생각 3) 일시적 동감(동정심)과 살아가는 정신적 태도로서 그리고 습관으로서 한 인간 전체에 배어 있는 동정 어린 태도, 즉 지속적, 동감적 태도를 구분해서 생각해볼 수 있다. 눈앞에 고통받는 다른 인간이 내가 진정으로 사랑하는 인간이라면 그를 사랑하지 않는 사람과 비교할 수 없을 정도의 진정한 동정심을 가지고 베풀고 배려할 수 있는 것이 사실이다. 그러나 내가 사랑하는 사람은 진정으로 동정하지만 내가 사랑하지 않는 사람은 형식적 겉치레의 동정이나 무관심 또는 그의 고통을 은근히 즐기는 반감(동정의 반대)으로 대한다.

이제 그런 일시적인 동정심이 아니라 삶의 습관으로서의 동정심을 생각해보면 인간 전체 속에 체득된 동정심의 태도는 나와의 거리에 무관하게 고통받는 만인을 사랑할 수 있는 깊은 토대가 된다. 물론 이때의 사랑은 남녀간의 애정인 에로스가 아니라 헌신적인 아가페를 의미한다.

아가페로서의 사랑은 얼마든지 동정하는 삶의 습관과 직결되며 동정으로부터 발생될 수도 있다. 감정의 개입 없이, 즉 내가 그의 고통에 물들지 않고 그를 배려한다는 점에서 볼 때 아가페는 곧 동정이기도 하다. 즉 쇼펜하우어의 동정심은 곧 아가페라고도 불릴 수 있으며 동정심에서 사랑이 발생된다는 그의 이론은 타당할 수 있다. 쇼펜하우어에 따르면 동정이 아닌 사랑은 모두 자기 사랑에 불과한 에로스인 반면에 동정은 순수한 아가페이다.[06] 결국 동정에서 에로스가 발생하지는 않지만 아가페는 얼마든지 발생할 수 있다고 결론지을 수 있다.

3-5) 성적 사랑과 셸러의 프로이트 비판

셸러는 성적 사랑이 본래 번식 도구였다는 짐멜의 이론을 거부한다. 성적 사랑도 사랑인 한에서 가치 분별적이며 심지어 번식에서도 창조적이며 단순한 양적 재생산이 아니다. 성적 사랑은 단순한 종족 보존이나 동질적인 인간의 단순 재생산이 아니라 종의 질적 상승화와 고귀화를 지향한다. 단순한 종족 보존은 무의미하며 단순한 종

06 쇼펜하우어, 『의지와 표상으로서의 세계』, 454,455쪽.

족 보존을 위해서라면 성적 사랑이 불필요하다.(121) "사랑이 결여된 성행위는 단지 재생산할 뿐이다. 왜냐하면 성적인 사랑은 바로 인간의 질적인 상승을 위해 가장 유리한 기회를 기대하는 형식을 가진 감정적인 가치 파악이기 때문이다. 동시에 성적인 사랑은 생명 존재로서 과거에 있던 것보다 더 나은 인간을 감정적으로 미리 설계해보는 것이다. 그렇다. 성적인 사랑은 언제나 과거에 있던 것보다 새로운 것 더 나은 것 그리고 더 아름다운 것을 생산하려는 성향이 있고 그런 추구를 하는 온생명 자체의 에로스와의 예기적인 감정 수용이다."(121) 성행위는 번식이나 쾌락과 같은 목적을 염두에 둔 목적적 행위가 아니라 키스나 애무와 같은 사랑의 표현 행위이다. 쾌락은 서로의 진정한 융합 감정과 감정 합일을 산출하는 데 기여한다.(119) 쾌락은 의도된 것이 아니라 사랑의 표현에서 주어지는 부수적 현상이다. 그리고 인간을 쾌락의 도구 또는 번식의 도구로 사용하는 것은 부도덕하다.

인간의 모든 활동을 성욕에 기인한 것으로 보는 프로이트의 판에로티시즘에서는 성적 사랑뿐만 아니라 모든 종류의 사랑을 성욕에서 비롯된 것으로 간주한다. 셸러에 의하면 이성에 대한 사랑은 성 충동을 동반하지만, 성욕이나 성 충동과 사랑은 본질적으로 다르다. 사랑작용이 지향하는 대상에 대해서 충동 역시 지향될 때 사랑이 가능하기는 하다. 그러나 충동에서 사랑이 발생하는 것은 아니다. 셸러는 프로이트의 이론을 자연주의적 사랑이론에 집어넣으면서 그것은 영혼적 사랑이나 정신적 사랑의 존재를 인정하지 않으며 오히려 생명 적대적인 것으로 취급하는 등 잘 설명할 수 없다고 비판한다.

인간이 성숙기 이전에 심지어 유아기부터 가지는 성적 쾌락 추구를 프로이트는 리비도라 부르며 대상을 가리지 않고 쾌락을 추구하는 리비도를 도착적이라고 간주한다. 성 충동은 도착적인 리비도가 욕구 만족의 대상을 우연히 이성에서 찾는 경우에 불과하다. 즉 인간의 성적 충동은 선천적인 것이 아니라 후천적으로 획득된 것이며 인간은 다차원적으로 도착적이다. 도착은 본래적인 것이 뒤집히는 혼란이 아니라 유아기적인 성향의 고착화이다. 리비도가 배척되어 무의식 속에 잔존하는 데서 노이로제가 발생하며 만일 리비도의 대상이 욕구 만족과 전혀 다른 것으로 옮겨가는 것, 즉 리비도의 승화에서 모든 문화가 기인한다. 즉 승화란 배척된 리비도 안에 들어있던 에너지가 다른 대상과 과제, 예를 들면 정신적인 활동에 쓰이도록 인도되는 것을 의미한다.

셸러에 따르면 리비도는 이미 방향을 이성으로 지향하는 충동이며 성적 충동은 이미 리비도 안에 내재되어 있다. 성 충동은 인간에게 선천적인 것이며 도착은 비정상이고 혼란이며 병적인 것이다. 리비도가 영혼 전체 에너지의 특성이라면 어떻게 리비도에서 리비도 배척의 힘이 생성되는가 하는 의문이 프로이트에 대해서 제기된다. 그리고 리비도 배척의 결과 문화가 번창할 수 있다면 금욕적인 수도원에서 문화가 가장 번성해야 하고 문화가 번성한 곳에서는 인구가 감소해야 할 것이지만 그렇지 않다.

3-6) 부끄러움의 본질과 종류들

동감의 본질과 형태들에서는 부끄러움(수치심)에 대한 언급이 없지만 셸러가 더 오래 살았더라면 동감에 이어서 대대적인 연구를 했을 것이다. 수치심에 관한 것은 그의 유고에 일부분 남아있다. 여기에 간략히 요약해본다.

셸러는 모든 감정에 대한 분석에서와 마찬가지로 수치심의 분석에서도 현상학적인 방법인 본질 분석을 실행한다. 부끄러움의 본질은 정신과 충동 그리고 개별자와 보편자라는 두 가지 극을 통해서 설명된다. 인간은 육체를 가진 충동적인 존재이며 인간종의 번식에 기여하는 존재인 동시에 육체와 본질적으로 독립적인 정신적 인격 존재이다. 그리고 인간은 개별적 개인인 동시에 인간 종이라는 보편성의 한 예이다. 인간은 바로 육체와 정신 종과 개별자 사이에 놓여 있는 존재이며 그 양극에서 갈등하는 존재이기에 부끄러움을 느껴야 하고 동시에 느낄 수 있는 능력이 있다.[07] 가치를 분별할 수 있는 정신과 가치에 대해 무분별하고 쾌락만을 추구하는 충동 모두를 갖춘 존재만이 부끄러움을 느낄 수 있다. 그러므로 신도 동물도 부끄러움을 느낄 수 없고 오직 인간만이 부끄러움을 느낀다.

셸러에 의하면 부끄러움의 본질은 한편으로는 가치를 분별하는 높은 의식적 기능과 충동적인 낮은 추구 간의 긴장을 드러내는 감정이며, 다른 한편으로는 개별적 개인이 자신을 되돌아봄이며 보편적 종적 영역으로 추락하는 데 대한 자기보호의 필연성의 느낌이다.[08] 부끄러움의 보편적 기능은 가치에 대해 무지한 낮은 충동이 우세하

07 막스 셸러, *Schriften aus dem Nachlass*, Bd.1, Bern 1957, 69쪽.

08 막스 셸러, a.a.O., 90쪽.

지 못하도록 억압하고, 그럼으로써 가치 인식 기능 일반의 보다 높은 원리가 자기 권리를 찾도록 보호해주는 것이다.[09] 예를 들면 수치심 가운데 가장 대표적이며 강렬하고 긴박한 성적 수치심은 가치를 지향하고 한 대상에 몰입하려는 사랑과, 단지 쾌락만을 지향하며 대상에 대해 무차별적인 충동 간의 갈등의 느낌이다. 이러한 성적 수치심은 유일한 개별적 개인으로서의 자아와 인간 종의 번식에 기여하는 한 생명체로서, 즉 보편자의 한 예로서의 자아간의 갈등 속에서 좀더 보편적이고 강력한 낮은 원리인 충동을 제어함으로써 더 개별적이고 높은 원리인 사랑이 우세하도록 돕는다.

개별자의 자기 보호 느낌으로서의 부끄러움은 개별자가 개별자와 보편자 간의 갈등을 체험하는 느낌으로서, 개별자가 보편적 영역으로 떨어지는 경우에 느낄 뿐만 아니라 보편자의 한 예로서의 개별자가 유일한 개별자로 취급되는 경우에도 느낀다. 예를 들면 나 개인 특유의 체험을 타인이 실패, 실망, 승리, 애정, 질투 등 보편적인 개념 안에 집어넣을 때 나는 부끄러움을 느낀다. 또한 내가 의사 앞의 환자처럼 나를 보편자의 한 예로서 내보일 때, 내가 그에 의해서 환자가 아닌 한 개성적인 개인으로서 취급될 때에도 부끄러움을 느낀다. 부끄러움이란 공공성과 보편성에 의해서 개인 영역이 다칠 가능성에서 비롯된다. 그리고 모든 형태의 부끄러움은 개인 자신의 보호 감정이고 그것의 기능은 보편에 대한 개인의 자기보호이다.[10]

09 Bruno Rutishauser, *Max Schelers Phaenomenologie des Fuehlens*, Bern 1969, 126쪽.

10 B. Rutishauser, a.a.O., 110쪽.

모든 부끄러움 가운데 대표적인 성적 수치심의 기능을 보자. (1) 그것은 감각적 쾌락만을 지향하는 리비도적인 충동을 억제하여 순수한 리비도가 대상을 지향하는 성 충동으로 발전하는 것을 가능케 한다.[11] 그러므로 성 충동이 있으므로 성적 수치심이 일어나는 것이 아니라 반대로 성적 수치심이 있으므로 성적 충동이 발생할 수 있는 것이다. (2) 성적 수치심은 성 충동이 사랑하는 상대방으로 향하도록 하며 성 충동을 억제해서 성적 결합을 사랑이 충만한 시기로 연기하게 만든다. 성 충동은 완전한 성적 성숙 이전에 이미 만족을 추구하도록 강압하므로 성적 만족의 시기를 연기할 필요가 있다. 성적 수치심은 사랑을 느낄 수 있는 시기까지 그리고 사랑에 적합한 대상을 선택할 때까지 충동적 요구를 제지한다. 결국 수치심은 파트너를 선택할 때 사랑을 기준으로 삼을 수 있도록 하여 인간 번식에서 질적 상승의 최적 조건을 마련하는 생물학적 기능을 한다. (3) 성적 수치심은 사랑하는 마음가짐과 태도가 있더라도 순간적인 사랑의 동요가 일어날 때까지 성적 만족의 추구를 억제하도록 한다.

부끄러움의 종류에는 신체적 부끄러움 또는 생적 부끄러움, 영혼적 부끄러움 그리고 정신적 부끄러움이 있다. 전자는 쾌락을 지향하는 생적 감각적 충동과 가치선택적인 생적 느낌, 생적(성적) 사랑 간의 긴장에서 비롯된 것이다. 후자는 생명의 힘의 상승을 지향하는 충동 그리고 자기 보존 충동과 정신적 인격의 사랑, 의지, 사고 간의 긴장에서 비롯된다.

11 B. Rutishauser, a.a.O., 141쪽.

4. 타자 인식과 공동체 문제

셸러는 이 책의 마지막 부분에서 사회과학을 비롯한 정신과학의 중요한 문제인 타인에 관한 의식과 지식 그리고 공동체에 관한 지식과 의식은 인간에게 선천적인가 아니면 경험적으로 획득되는가라는 문제를 다룬다

인간의 정신적 인격은 본래적으로 대상화할 수 없고 인식할 수 없는 것으로서 실험적인 심리학, 경험심리학에서는 다룰 수 없다. 타자 이해란 객관적인 인식이 아니라 한 존재가 다른 존재의 작용을 뒤따라가며 거기에 참여하는 것이다. 경험심리학은 단지 인간의 신체나 영혼의 단계까지만 접근할 수 있을 뿐이다. 셸러에 의하면 인간은 사회의 일부이고 사회는 인간의 일부이다. 사회나 공동체를 전혀 모르는 로빈슨까지도 선천적으로 공동체 의식을 가지고 있다. 인간은 본래적으로 너의 존재에 관한 본질적인 직관과 더불어 공동체의 존재에 대한 본질 직관을 가지고 있다.

타인을 어떻게 나와 똑같은 영혼을 가진 존재로서 인식할 수 있는가 하는 문제에 대해서 셸러는 유비추리나 감정이입이론을 거부한다. 유아는 선천적으로 표정에 대해서 민감하며 그것은 타인 영혼의 존재에 대한 선천적인 관심과 지식을 의미한다. 우리는 타인의 신체를 지각하고 확인함으로써 타인 영혼의 존재에 대한 확신에 이르는 것이 아니다. 자신의 내면적 영혼에 대해서 직관할 수 있는 것과 마찬가지로 우리는 타인 영혼의 존재에 대해서도 직접적으로 직관할 수 있다. 나에게 나의 자아만 주어지며 다른 인간에 대해서는 오직

그의 신체만 주어진다는 이론은 부당하다. 타인의 자아는 오히려 자기자아에 앞서서 주어지는 것이다. 예를 들면 전통은 우리가 고유개념 세계에서 무의식적이고 자동적으로 흡수하는 것이다. "아동이 자기와 그의 영혼적인 환계 간을 아주 예리하게 분리할 수 있는 단계에 도달하기 전에 그의 의식은 이미 실제적인 유래가 완전히 은폐된 관념들과 체험들로 가득 채워진다."(241) 모든 원시적 인간들은 공동체의 영혼 속에 융해되어서 살아간다. 파악하기 어려운 것은 타인의 영혼이 아니라 오히려 자신의 영혼이다.

만일 영혼이 오직 자신에게만 주어질 수 있다면 자연 역시 오직 한 사람에게만 주어진다는 결론이 나올 것이다. 그리고 외부 세계와 물질의 존재뿐만 아니라 지나간 과거의 의식 내용과 타인의 존재까지 거부하는 유아론에 빠질 것이다. 외적 지각의 태도 속에서는 얼굴 붉힘이 단지 체온 상승으로밖에는 보이지 않는다. 반면에 태도를 전환하여 내적 지각의 태도를 취하면 그것은 부끄러움으로 보인다. 신체 안에만 갇혀서 사는 한 우리는 타인의 영혼에 대해서 무지해진다.

결론

진리는 다수결로 결정될 수 없으며 대중적 유행이나 관습이 곧 선악의 기준이 될 수는 없다. 무엇이 마음에 든다는 감정이 한 사람에서 다른 사람에게로, 결국 공동체 전체로 감정 전염되는 흐름에 선악 판단을 내맡길 수는 없다. 선악은 오히려 한 주관의 깊은 내면적 감정적 느낌에 의해, 사랑에 의해 올바로 판단될 수 있다. 이 점을 강조하려는 것이 셸러의 동감이론과 가치론 그리고 사랑론의 감춰진 속뜻이다. 그리고 그것은 타당하다. 동감과 사랑에 대한 셸러의 치밀하고 독창적인 본질 분석은 우리에게 너무나도 풍부하고 흥미로운 철학적 메시지를 전달해준다.

정신과학에서 역사적 세계의 건립

빌헬름 딜타이

김창래

1. 딜타이는 누구인가?[01]

딜타이는 누구인가? 그리고 누구로 알려져 있는가? 우리는 도대체 통일적인 딜타이 상(像)을 가지고 있는가? 전문적인 딜타이 연구가들 사이에서도 "**딜타이가 본질적으로 누구인가?**"라는 물음에 대해서는 일치된 의견이 없다. 이것은 그의 『전집』이 20권을 넘고 이 『전

01 이 글은 발표된 논문 「딜타이는 누구인가?—가다머의 딜타이 해석에 대한 비판적 고찰」(《철학탐구》, 중앙대학교 철학연구소 편, 24집)을 필요에 따라 발췌, 요약, 축소, 변형하여 작성되었다.

집』의 태반이 유고의 형태로 남겨져서 읽기 어렵다는 사실과도 관련이 있겠지만, 무엇보다도 그가 **비체계적인 사상가**였다는 점에 기인할 것이다. 그는 자신의 철학을 완벽한 체계로 구성하려는 생각조차 갖지 않았다. 그의 철학적 사유는 많은 경우에 착상처럼 떠올라 약간의 작업을 하다가 미완성의 형태로 후학들에게 넘겨지는 경우가 많았고, 따라서 이 천재적인 해석학자에 대한 해석의 문제가 후학들에게는 늘 힘겨운 과제로 남게 되었다. 이 과제의 난해함은 무엇보다 딜타이가 매우 다양한 얼굴을 가지고 있다는 사실에 있을 것이다. 따라서 이 다양한 얼굴 중의 어느 하나에만 지나치게 집중할 경우 그의 다른 얼굴은 사라지고 오독의 가능성은 커 간다. 이런 맥락에서 본 해제는 "딜타이는 누구인가?"라는 물음에 대한 일의적인 답변을 포기한다. 그것은 다양한 문제의식과 다양한 시도들이 혼재하고 있는 그의 철학 자체를 어느 한 측면으로 환원하는 것이 바로 그의 철학에 반하는 일이기 때문이다.

실제로 그의 철학에는 기원을 달리하는 여러 단초들이 혼합되어 있다. 그는 삶의 철학자였고, 삶의 철학자로서 이성 중심주의와 주지주의에 반대한 낭만주의자였다. 또한 19세기 역사의식의 성립 과정을 목도하며 철학했던 사람으로서 그는 역사주의자였고, 동시에 역사학자이자 역사성의 철학자이기도 했다.[02] 그리고 역사성에 대한 통

02 역사성의 철학자로서의 딜타이의 모습은 하이데거의 카셀 강연에 잘 나타나 있다(cf. M. Heidegger, "Wilhelm Diltheys Forschungsarbeit und der gegenwärtige Kampf um eine historische Weltanschauung. 10 Vorträge," hrsg. v. F. Rodi, in: *Dilthey Jahrbuch*, Bd. VIII, 1992~93).

찰은 그를 전통적 형이상학에 대한 비판자로 만들기도 했다. 인간이 꾸려온 삶의 기록 및 과정으로서의 역사에 대한 그의 관심은 이론적 인식과 실천적 삶의 괴리를 극복해야 한다는 과제를 제기했고, 이는 그로 하여금 실천철학의 길을 가게 하기도 했다.[03] 또한 그는 적어도 자연 연구에 있어서는 칸트의 선험철학적 인식론을 유보 없이 수용했고, 또 칸트의 『순수이성비판』을 자신의 『역사이성비판』으로, 그것도 칸트의 선험철학의 "틀 안에서"[04] 보완하려 했다는 점에서 한 사람의 선험철학자이기도 했다.[05] 역사이성비판의 기획이 인간의 "역사적-사회적 현실성"(I/4)으로서의 정신적 삶에 대한 인식론적 정초를 꾀했다는 점에서, 그리고 그 작업들을 정신과학론으로 구성했다는 점에서 그는 두 개의 과학(자연과학과 정신과학)의 자립성을 인정한 학문 이원론자이고—이 점에서 또한 반실증주의자이기도 하다—, 정신과학의 방법론자이기도 하다. 그리고 이 방법론을 해석학이라는 학문에서 찾았다는 점에서 그의 가장 잘 알려진 얼굴, 즉 해석학자로

03 리델의 딜타이 해석은 그 전형적인 예라 할 것이다(cf. M. Riedel, "Das erkenntnistheoretische Motiv in Diltheys Theorie der Geisteswissenschaften," in: *Hermeneutik und Dialektik*, hrsg. v. R. Bubner u. a., Bd. I, Tübingen 1970, 233~255쪽).

04 W. Dilthey, *Gesammelte Schriften*, Bd. VII, 192쪽(이하 딜타이의 『전집』은 약호 없이 권수는 라틴어 숫자로, 쪽수는 아라비아 숫자로—편집자 서문의 쪽수는 역시 라틴어 숫자로—표기하고, 둘 사이에 슬래시를 넣는다. 예를 들면 VII/192).

05 딜타이가 칸트의 선험철학적 기획의 정당한 계승자라는 사실은 분명 지금까지의 딜타이 수용사를 통해 경시되어 온 부분이다. 그리고 이런 경시에는 H. 리케르트가 유포시킨 오해가 큰 역할을 했을 것으로 여겨진다(H. Rickert, *Kulturwissenschaft und Naturwissenschaft*, 『문화과학과 자연과학』, 이상엽 옮김, 책세상, 6·7판 서문과 3장 참조).

서의 딜타이의 모습이 드러나기도 한다. 이 다양한 철학적 단초들과 문제의식, 그리고 문제 해결의 시도들이 그의 철학 안에 혼재해 있다. 이런 면에서 볼 때 "딜타이는 누구인가?"라는 물음에 대한 일의적 답변의 시도는 늘 딜타이의 어떤 면에 대한 외면을 수반할 수밖에 없다. 그러나 그럼에도 불구하고 나는 그의 다양한 철학적 시도를 이끌어 갔던 어떤 근본적인 문제의식은 분명히 있고, 그의 다양한 철학적 기획들은 저 하나의 문제의식에 의해 통일적으로 연관될 수 있다고 본다. 그 근본적 문제의식이란 곧 **삶과 인식, 현실과 개념의 갈등**이다. 이 갈등 내지 모순은 그의 철학의 다양한 맥락에서 다른 외관을 갖추고 나타난다. 이미 정신과학이라는 표현 자체가 '과학으로는 파악될 수 없는 정신에 대한 과학'이라는 의미에서, 그리고 삶의 범주(Lebenskategorie) 역시 '전(前) 개념적 현실성으로서의 삶에 대한 개념'이라는 의미에서 저 모순의 또 다른 표현일 뿐이다. 그의 온 지성을 이끌어 간 근본 동력은 바로 이 갈등이었고, 그의 온 철학적 사유는 이 갈등 해결의 시도 이상 다른 것이 아니다. 따라서 그의 근본 문제는 다음과 같이 정식화될 수 있다; 어떻게 **전 개념적 현실성으로서의 삶**에 대한 **보편타당하고 객관적인 개념적 인식**이 가능한가?

단순화의 우를 무릅쓴다면 딜타이의 철학은 근본적으로 '전 개념적 현실성으로서의 삶'과 '개념화된 객관적 인식'이라는 두 항 사이의 진자 운동으로 규정될 수 있을 것이다. 때로는 개념화 될 수 없는 삶의 생생한 현실성과 이 삶의 역사적 상대성에 대한 자각이 그의 철학의 전면에 부각되는가 하면, 다시 이 전 개념적 삶을 개념에 고정시켜 이에 대한 보편타당한 인식을 얻으려는 시도가 반복적으로 이루어진다. 때로는 삶이, 때로는 과학이 서로 교체되면서 그의 철학의 복판에 서고 이를 중심으로 그 외 여러 철학적 단초들이 새롭게 배치되는 파노라마가 펼쳐진다. 물론 딜타이가 이 두 항 중에서 어느 쪽에 더 치우쳤는가에 대해서는 학자들 간의 견해가 상이할 수 있으나, 이 두 항 사이의 갈등이 그의 본질적인 문제 상황이었다는 데에는 이견이 있을 수 없다. 실제로 지금까지의 딜타이 수용사에서 대표적인 것으로 알려진 몇 가지의 딜타이 해석들이 빚은 충돌도 그가 이 모순된 문제 상황에서 어느 쪽에 중점을 두었는가에 대한 해석의 문제로 이해될 수 있을 것이다. 지금부터는 삶과 인식 간의 갈등에서 전자에 무게를 둔 하나의 딜타이 해석과 후자에 중점을 둔 또 다른 딜타이 해석에 대한 소개를 통해 딜타이 철학의 핵심부로 접근해 가고자 한다. 전자의 해석은 H. 리케르트의 것이고 후자의 해석은 H.-G. 가다머의 것이다.

2. 딜타이는 삶의 일원론자인가?

가장 흔한 철학사의 분류법에 따르면 딜타이는 한 사람의 삶의 철학자(Lebensphilosoph)이고 그 이상은 아니다. 이 해석에 따르면 딜타이는 헤겔적인 의미의 체계 철학에 반대하고, 칸트적인 의미의 개념적 사고의 비역동성에 반대한다. 따라서 삶을 개념의 보편성이 아니라 삶 자체의 실제적 구체성과 다양성, 그 현실성과 역동성으로부터 이해하려 한다. 실제로 딜타이가 다른 여러 삶의 철학자들과 동시대인이고, 또 독일 낭만주의의 영향권 아래서 철학을 했다는 외적 정황이 이런 해석을 지지해 준다. 자주 인용되는 다음의 구절은 읽을 가치가 있다.

> 로크, 흄, 칸트 등이 이룩한 인식하는 주관의 혈관에는 실재의 붉은 피가 흐르지 않고, 오직 단순한 사유 활동으로서의 **이성**의 희석된 과즙만이 흐르고 있다. 그러나 전체 인간에 대한 역사적 심리학적 연구는 나에게 자신의 힘의 다양성에 있어서, 즉 의지하고 **느끼면서** 표상하는 존재자에 대해서도 (외부 세계, 시간, 실체, 원인 등과 마찬가지로) 인식과 인식의 개념에 의거한 설명을 하도록 요청하였다 (I/XVIII : 강조는 옮긴이).

이 유명한 구절에 의하면 인간의 삶은 그의 지성적 능력뿐 아니라, 지·정·의(logistikon, epithymia, thymoeides) 전체를 통해 파악되어야 한다. 그 경우 삶은 지성적 개념화를 통해서가 아니라 삶 자체의 힘과 다양성에서 이해된다. 이렇게 보면 딜타이는 로고스 중심주의에 대한 삶의 철학의 반대를 분명히 한 것으로 보인다. 실제로 딜타이가 이런 주장을 자주 폈다는 사실에는 의심의 여지가 없다. 그는 삶은 우리가 "그 배후로 나아갈 수 없는" 것이라고 말하기도 하고, 또 삶은 결코 "이성의 법정에 소환될 수 없다"(VII/261, 359, cf. V/5)고도 말한다. 그리고 자신의 철학적 노고의 마지막 목표는 "삶을 삶 자체로부터 파악하는 것"(V/4)이라고 규정한다. 이런 맥락에서 리케르트는 다음과 같이 쓴다.

> 현대의 삶의 철학의 특징은 삶 자체, 그리고 **오로지** 삶 자체와 더불어서만 전체적인 세계관과 삶의 관점이 성립된다는 것이다.…… 삶 자체가 자기 자신으로부터, 그리고 아무런 개념의 도움도 없이 철학을 해야 한다.……세계와 삶에 있어서 본질적인 것은 오로지 삶이며, 따라서 이제 철학은 삶 이외에 아무것도 필요로 하지 않는다.[06]

리케르트에 의하면 딜타이의 철학은 한마디로 삶의 일원론(Lebensmonismus), 즉 유일하게 의미 있는 것은 삶이고, 삶은 결코 개념적 사유로 환원될 수 없다는 주장이다. 즉 삶의 역동성과 생생함을 얻기 위해 개념적 사유를 포기하는 것이 바로 허황한 "유행 철학"[07]으로서의 삶의 철학이고 딜타이 역시 이 철학의 허황함에 빠져 있다는 것이 바로 리케르트의 딜타이 비판의 요체이다. 물론 리케르트 역시 딜타이가 일단은 삶과 개념 사이의 갈등에 놓여 있다는 사실은 인정한다. 이는 다음을 보면 명백해진다.

> 삶의 철학(Lebensphilosophie)은 그것이 삶의 **철학**(*Philosophie* des Lebens)이기 위해 삶의 형식을 필요로 한다. 그러나 그것은 또한 **삶**의 철학(Philosophie des *Lebens*)이기 위해 모든 고정된 형식을 거부

06 H. Rickert, *Die Philosophie des Lebens. Darstellung und Kritik der philosophischen Modeströmungen unserer Zeit*, Tübingen 1922, 5f.

07 Ibid., IX.

하여야 한다.[08]

즉 딜타이의 삶의 철학은 '개념화의 대상이 아닌 삶'에 대해 '개념적 사유 작용으로서의 철학'을 접맥했다는 의미에서 하나의 모순된 시도이다. 그러나 리케르트에 의하면 삶과 개념 사이의 모순에 직면한 딜타이는 이내 철학에 고유한 개념적 사유를 포기하고 삶의 일원론에 빠져 버리고 만다. 왜냐하면 딜타이의 철학은 근본적으로 체험에 근거하기 때문이다.[09] 체험은 무엇인가? 체험이란 딜타이에게 내면화되어 고양된 삶(Er-leben)이다.[10] 즉 체험은 "현실성의 내면화"(VII/28)이고, 직접적으로 "내면으로부터 알려진 것(das von innen Bekannte)"(VII/359)이다. 따라서 체험은 어떤 개념의 매개를 통해 내게 주어지는 것이 아니라 직접적으로 "내 자신에 대해 서 있고(für mich da)"(VII/26, 139), 따라서 이미 "그 자체로서 확실한 것"(VII/26)이다. 이렇게 개념의 가공 없이 직접적으로 주어지는 인식을 철학의 전통은 직관이라 불러 왔다. 그런 의미에서 리케르트는 딜타이가 추구하는 인식이 결국은 "이해하는 직관(Intuition), 삶의 총체성 내지 삶의 연관의 직관(Anschauung)"[11] 이상 다른 것이 아니라고 본다. 이렇게 개념의 자발적 가공 없이 직관에 직접적으로 주어진 것, 즉 "개

08 Ibid., 64쪽.

09 Cf. ibid., 27쪽.

10 Cf. O. F. Bollnow, *Dilthey. Eine Einführung in seine Philosophie*, Stuttgart 1955, 101f.

11 H. Rickert, op.cit., 28쪽.

념 없는 직관"이 신칸트주의자로서의 리케르트에게 "맹목"[12]으로 보였으리라는 사실은 어렵지 않게 짐작할 수 있다. 이런 관점에서 리케르트는 "이성 혐오증에 빠진 〔이〕 유행의 철학이 학으로서의 철학의 죽음을 불러오리라"[13]는 우려까지 표하고 있다.

나는 리케르트가 딜타이 철학에 적어도 '삶의 **철학**'과 '**삶**의 철학' 간의 갈등이라는 관점에서 접근하는 한 옳다고 생각한다. 그러나 이 갈등에서 이내 한쪽 항에 무게를 실어 버린다는 점에서는 옳지 않다고 생각한다. 그렇게 될 때 우리는 역사적 삶의 영역에서 개념화된 객관적 인식을 추구하는 딜타이의 다른 얼굴을 놓치게 되기 때문이다. 리케르트가 보지 못한 딜타이의 또 다른 얼굴—그것은 삶에 대한 보편타당한 인식의 가능성을 추구하던, 정신과학의 방법론자로서의 딜타이이다. 이것 역시 딜타이의 얼굴이고, 그런 한에서 외면할 수는 없는 것이지만, 또한 이 얼굴만을 강조해서 삶의 실제성을 추구하던 딜타이의 얼굴을 외면한다면, 그것은 다시 리케르트가 범한 오류를 정반대의 방향에서 범하는 것이 될 것이다. 우리는 그런 오류의 전형을 가다머의 딜타이 해석에서 발견한다.

12 I. Kant, *Kritik der reinen Vernunft*, B 75.

13 H. Rickert, op. cit., IX.

3. 딜타이는 계몽의 완성자인가?

가다머는 자신의 『진리와 방법』의 제2부 제1장을 통해 해석학의 역사를 다루면서 딜타이에게 두 개의 장을 할애하고 있다. 그 각각의 제목은 '역사의 인식 이론적 문제로부터 정신과학의 해석학적 정초에로'와 '삶의 철학과 과학 사이의 균열'이다. 이 두 개의 상징적인 제목이 암시하듯이, 가다머에 의하면 딜타이의 철학은 '삶과 과학의 갈등'이라는 고유한 문제에서 출발하며, 이 문제의 해결을 통해 정신과학의 철학적 근거 마련을 시도한다.

물론 이 작업은 칸트의 저서 『순수이성비판』에 대한, 딜타이의 미완의 저서 『역사이성비판』의 "보완"[14]을 의미한다. 잘 알려진 대로 칸트는 순수이성의 비판적 자기 검진을 통해, 인류가 가진 두 대상 영역 중의 하나인 자연(Natur)에 대한 이성 인식의 가능 조건을 해명한 바 있다. 이것이 바로 당시 "현실적인"[15] 학문, 즉 (순수 수학과 순수) 자연과학에 대한 인식론적 정당화로서의 『순수이성비판』의 작업이다. 그런데 딜타이에 의하면 인류가 가진 나머지 하나의 대상 영역, 즉 자유(Freiheit)와 관련해서는 이성 인식의 가능 조건에 대한 철학적 연구가 이루어진 바 없고, 따라서 "자연과학의 곁에서……자연스럽게, 삶 자체의 과제로부터 발전되어 나온"(VII/79)—따라서 역시 현실적인 학문으로서의—정신과학에 대한 인식론적 정당화 역시 결

14 H.G. Gadamer, *Wahrheit und Methode*, Tübingen 1960, 206쪽.

15 I. Kant, op. cit., B 20.

핍되어 있다. 따라서 인과법칙이 아니라 자유의 법칙이 지배하는 역사적 삶의 세계에 대한 인식의 철학적 정당화가 시도되어야 하며, 그 탐구는 당연히 『역사이성비판』이라는 제목을 부여받아 마땅하다. 왜냐하면 그 책은 역사 이성(historische Vernunft)의 능력과 한계에 대한 비판적 자기 반성을 통해 역사 인식을 가능하게 하는 선험적 조건을 밝혀야 하기 때문이다. 그리고 그 작업이 성공적으로 이루어질 경우에만 인류는 비로소 자연과 자유라는 온 대상 영역에 대해 완전한 이성 인식을 가질 수 있고, 그것은 이성의 완성을 의미하게 될 것이다. 즉 궁극적으로 추구하는 것은 이성 사용을 통한, (자연과 역사라는) 세계 전체에 대한 인식의 획득이고, 그 첩경은 자연과학과 마찬가지로 보편타당하고 객관적인 학문으로서의 정신과학의 학문성을 보장하는 일이다.

따라서 모든 문제의 출발점은 정신과학적 인식의 객관성의 확보이다. 물론 정신과학에서 인식의 객관성 문제는 자연과학의 경우보다 한결 더 복잡하다. 그것은 정신과학의 탐구자가—불편부당한 관찰자로서의 자연 연구가와는 달리—자신의 고유한 시간과 역사를 갖고 있고, 따라서 피할 수 없이 "그들이 살고 있는 시대, ……그들 자신의 시야에 의해 규정되기" 때문이다. 그러나 그럼에도 불구하고 정신과학 역시 하나의 과학이기 위해서는 "모든 과학 그 자체에 포함된 보편타당성의 요구"를 충족시키지 않으면 안 된다. 이를 딜타이는 다소 애매하게 "삶의 경향과 정신과학의 과학적 목표 간의 갈등(Widerstreit zwischen den Tendenzen des Lebens und ihrem wissenschaftlichen Ziel)"(VII/137)이라고 표현한다. 정당하게도 가다머는 이 갈등을 "유한하고 역사적인 인간의 관점 구속성"과 모든 상대적 관점을 넘어서는 "정신과학적 인식"의[16] 객관성 간의 갈등으로 구체화한다.[17] 즉 딜타이는 일단 역사주의자로서 인간적 존재자의 근원적인 **역사성**을 승인하지만, 또한 정신과학의 논리학자로서 동시에 역사인식의 **초역사적 객관성**을 추구한다는 것이다. 따라서 "우리는 하나의 시대를 그 시대로부터 이해해야 하며, 그 시대에게는 생소한 현대의 척도로 재단해서는 안 된다." 이것은 역사적 존재자로서의 인간의 "유한성"과 추구되고 있는 "무한한"[18] 인식 간의 갈등이다. 가다머의 딜타이 해석 역시 이미 언급했던 역사적 삶과 객관적 과학 사이의 갈등에 주목하고 있다. 따라서 모든 문제의 초점은 이 갈등의 해결 여부이다.

실제로 딜타이가 자연과학의 방법으로서의 설명(Erklären)에 대비해 정신과학의 고유한 방법으로 제시한 이해(Verstehen)는 바로 이 갈등을 해결하고 정신과학적 인식의 객관성을 확보하는 모델로 구상되었다. 자주 읽히고 또 자주 인용되는, 본 역서의 제3부의 도입부에서(cf. VII/203~220) 딜타이는 '인식되어야 할 과거 지평의 복원', '복원된 전체 안으로의 자기 투입, 전위, 전치', 그리고 '그 안에서 이루어지는 추체험' 등의 일련의 과정으로 이루어지는 이해의 모델을 제시한다. 이를 간단히 재구성하면 다음과 같다. 근원적 저자는 특

16 H.G. Gadamer, op. cit., 221쪽.

17 김창래, 「딜타이는 누구인가?—가다머의 딜타이 해석에 대한 비판적 고찰」, 262f. 참조.

18 G. W. F. Hegel, *Phänomenologie des Geistes*, hrsg. v. J. Hoffmeister, 19쪽.

정 체험을 통해 표현되어야 할—즉 타인에게 전달할 가치가 있고 따라서 문자에 고정되어 보관되어야 할—내적 사유 내용을 얻는다. 그리고 이 내면적, 정신적 의미 내용이 외면화, 감성화되어 문자에 고정되면 그것이 곧 후대의 해석자를 위한 삶의 표출이다. 여기까지가 체험과 표현, 즉 텍스트의 생산 과정이다. 이렇게 생산된 텍스트, 즉 문자화된 삶의 표출들은 후대의 해석자에게 전수된다. 그러나 저자와 해석자 사이에는 시간적인 간격이 있고, 이 간격은 곧 의미소외를 수반할 수밖에 없다. 왜냐하면 저자와 해석자는 각기 다른 시대, 다른 역사에 속하고, 따라서 다른 방식으로 사유하고, 느끼고, 행위하기 때문이다. 그렇기 때문에 해석자에게는 텍스트에 대한 객관적 독서를 위한 특단의 기술, 즉 '이해'가 요구된다. 무엇보다도 텍스트는 해석자가 속한 현대의 지평이 아니라, 텍스트와 저자가 속했던 과거의 지평에서 읽혀야 한다. 왜냐하면 텍스트는 바로 그 지평 안에서 이루어졌던 저자의 체험을 지시하고 있기 때문이다. 그런데 문제는 문자적으로 고정된 텍스트는 현재의 해석자 앞에 현존해 있지만, 그것이 속했던 과거의 지평은 시간의 흐름과 더불어 사라지고 없다는 점이다. 따라서 텍스트와 저자가 속했던 과거의 지평이 최소한 "표상의 상"(V/276) 안에서라도 복원되어야 한다. 바로 여기서 작용하는 것이 이른바 해석학적 순환(hermeneutischer Zirkel)이라는 것이다. 즉 부분들로서 주어진 텍스트들의 귀납적 총괄을 통해 부분이 속한 전체를 예감적으로(divinatorisch) 구성하고, 그 전체 안에서 다시 부분들에 대한 정밀한 독서가 이루어진다. 이렇게 예감된 전체 안에서 진행되는 부분들 간의 비교(Komparation)는 다시 전체의 수정과 개선, 그리고 확대를 가져온다. 즉 부분과 전체의, 그리고 예감과 비교의 상승적 순환을 통해 우리는 원래 저자의 의도(mens auctoris)에 점점 더 근접해 간다.[1] 그 근접의 구체적 과정이 바로 자기 투입, 전위, 전치 그리고 추체험이라는 것이다. [19]즉 예감적으로 복원된 과거 안으로 나 자신을 투입하고, 나의 입장을 저자의 위치로 바꾸어, 저자의 근원적 생산 과정(체험과 표현)을 거슬러 가며 반복적으로 체험하는 추체험이 이루어진다. 즉 이해란 내적, 정신적 체험 내용을 외면화, 감성화하는, 텍스트의 근원적인 산출 과정의 "역조작"이다. 왜냐하면 이해하는 자는 이제 거꾸로 외적, 감성적 문자 기호들에서 출발해서 이 기호들이 지시한는 내적, 정신적 체험 내용으로 되돌아가기 때문이다. 그리고 이 모든 과정의 최종적인 결과는 해석자와 저자의 정신적 동치(동감, Sympathos)뿐 아니라 실존적 동치, 즉 "함께 삶(Mitleben)"(VII/214)이다. 과거의 저자의 원래 의도가 시간 간격과 의미 소외에도 불구하고 현재의 해석자의 정신 안에 복원된다. 즉 나는 나의 주관적인 입장과 지평이 아니라, 해석자의—이해되는 객관의—입장과 지평에서 그를 이해한 것이다. 그리고 이 모든 것이 가능한 것은 "개인들 간에 존립하는 공통성이 감성계에 객관화되어 나타난 다양한 형식, …… 〔즉〕 객관정신"(VII/208)의 매개 덕택이다. 개별자들 또는 더 큰 삶의 통일체들 간의 반복된 이해의 실천은 그들 간의 어떤 공통성을 형성하고, 이 공통성이 "보편-인간적 타당성"(VII/161)을 갖기 때문에, 그리고 이 공통 정신이 현대의 해석자와 과거의 텍

19 H.G. Gadamer, op. cit., 217쪽.

스트를 연결해 주기 때문에 과거로부터 과거를 이해하는 일, 즉 객관적 역사 인식이 가능하다는 것이다. 즉 본질적으로 이해 불가능할 정도로 멀고 생소한 타자는 없다. '나'와 '너'는 근본적으로 동일한 객관정신, 하나의 역사 이성의 토대 위에 서 있기 때문이다. 따라서 이해는 그때마다의 "너 안에서의 나의 재발견"(VII/191)으로 규정된다.

그러나 가다머의 입장에서 보면 여기서 다음과 같은 비판적 물음들이 자연스럽게 제기된다. 정말 인간이 역사적으로 제약된 존재자라면 어떻게 자신이 속한 현재의 지평과 상이한 과거의 지평을 복원할 수 있는가? 설령 그러한 복원이 가능하다 하더라도, 정말 인간이 자신의 시대와 시대의 관점에 구속되어 있다면 이 유한한 인간이 어떻게 자신의 관점을 떠나 과거의 관점안으로 자신을 투입하고, 나와는 근본적으로 다른 시대에 속한 타인의 입장에 설 수 있는가? 설령 그러한 입장의 변경이 가능하다 하다라도, 어떻게 내가 아닌 그의 체험을, 그가 겪었던 그래도 반복할 수 있단 말인가? 물론 예상할 수 있는 딜타이의 답변은 시대의 간격을 초월하는 객관 정신, 역사 이성의 매개일 것이다. 그러나 그 답변이 제공되는 순간 바로 다음의 물음이 이어진다. 정말 역사 이성이 모든 개별의 차이를 넘어서 객관적인 이해의 성공을 보장하는 보편적 매개자라면, 그것은 바로 역사주의자로서의 딜타이의 철학적 출벅점, 즉 인간의 역사적 상대성의 테제를 폐기하지 않는가? 이른자 역사 이성 또는 역사의식의 보편성은 결국 개별자들 간의 차이와 다름을 은폐시키는, "모든 소가 까매지는 어두운 밤"[20]과 같은 것이 아닌가?

> 딜타이가 생각했던 것처럼 삶이 고갈되지 않는 창조적 실재성이라면, 역사의 의미 연관의 지속적인 변화가 객관성에 도달하는 앎을 배제하는 것은 아닌가? 따라서 역사적 의식이란 결국은 하나의 유토피아적 이상에 불과하고 자신 안에 모순을 포함하는 것은 아닌가?[21]

딜타이는 유한하고 역사적인 인간의 관점 구속성에서 정신과학적 인식의 가능성에 대한 어떤 근본적인 장애도 발견하지 못했다. 역사의식은 자신의 고유한 상대성을 넘어서는 고양을 이루어 내야만 한다. 이를 통해 정신과학적 인식의 객관성이 가능해질 수 있도록 말이다. 그러나 우리는 물어야 한다. 어떻게 '모든 역사적 의식을 넘어선, 절대적이고 철학적인 앎에 관한 개념'을 끌어들이지 않고도 이 같은 요구가 정당화될 수 있는지를 말이다. 자신의 고유한 제한성이……객관적 인식으로의 근본적인 요구를 지양하지 않는다는, 역사의식의 탁월성은 무엇이란 말인가?……인간의 의식은 결코 무한한 지성, 즉 이 지성에 대해 모든 것이 동-시대적이고(gleich-zeitig), 그리고 동시에 현재적일 수 있는 그런 지성이 아니다. 의식과 대상의 절대적 동일성—그것은 유한하고 역사적인 의

20 G. W. F. Hegel, *Phänomenologie des Geistes*, hrsg. v. J. Hoffmeister, 19쪽.

21 H.G. Gadamer, op. cit., 217쪽.

식에게는 도달 불가능하다. 인간의 역사의식은 항상 역사적인 작용 연관 안에 휘말려 있다. 그럼에도 불구하고 자기 자신〔의 역사적 상대성〕을 넘어서고 이를 통해 객관적 역사 인식을 얻어 낼 수 있다는, 역사의식의 탁월함은 도대체 어디에 근거하는 것인가?[22]

원래 역사의식이란 "정신적 세계의 모든 현상들을 역사적 발전(Entwicklung)의 산물로 파악"(VII/105)하는 의식이다. 따라서 이 의식은 역사적으로 규정되어 있음에 대한, 따라서 역사적 상대성의 규정을 넘어설 수 없음에 대한 의식이다. 그러나 이 역사의식이 다시 역사적 상대성의 한계를 넘어 역사적으로 상이한 시대 간의 보편적 가교 역할을 한다면, 그것은—적어도 가다머가 보기에—인간의 역사성에 대한 딜타이의 통찰이 충분히 역사적이지 못했다는 사실을 의미한다. 실제로 가다머는 "참으로 역사적인 사유는 자기 자신의 역사성까지도 함께 사유해야"[23] 하고 "스스로 제약되어 있다는 사실까지 함께 반성해야" 한다고 쓰고 있다. 여기저기서 모든 현상들의 역사적 상대성을 폭로하면서 정작 "자기 자신만큼은 절대적인 것으로 간주하는……그런 의식은" 우리 역사적 존재자로서의 인간이 결코 현실화할 수 없는 하나의 "환상"[24]에 불과하기 때문이다.[25] 결국 가다머의 해석에 의하면 객관적인 학문으로서의 정신과학의 정초를 위한 딜타

22 Ibid., 221쪽.

23 H.G. Gadamer, *Gesammelte Werke*, Bd. II, Tübingen 1986, 64쪽.

24 Ibid., 182쪽.

25 김창래, 「딜타이는 누구인가—가다머의 딜타이 해석에 대한 비판적 고찰」, 256f. 참조.

이의 작업은 그의 역사주의적 내지 "삶의 철학적 출발점과 결합되지는 못했다."[26] 즉 정신과학적 인식의 객관성을 향한 그의 열렬한 요구가 결국에는 그의 철학적 출발점, 즉 인간의 역사적 상대성에 대한 통찰을 지양하기 때문이다. 결국 딜타이의 한 손이 추구하던 정신과학적 인식의 객관성은 그의 다른 손이 쥐고 있던 인간의 역사성의 희생을 통해서만 가능했다. 이를 통해 그는 이른바 자유의 세계에 대한 보편타당한 인식의 가능성을 열었고, 따라서 자연과하과 정신과학의 "동등성"[27]을 입증할 수 있었으며, 이를 통해 자연과 자유의 모든 영역에 대한 이성 인식의 가능성을 보장할 수 있었다. 즉 칸트에 의해 절반의 성공만을 거두었던 "계몽주의가" 이제 딜타이의 역사 이성의 보편적 매개에 의해 "역사적 계몽주의로 완성된다." 가다머가 보기에 딜타이는 "계몽주의의 자식"[28]이며 동시에 계몽의 완성자이기도 하다.[29]

26 H.G. Gadamer, *Wahrheit und Methode*, 224쪽.

27 Ibid., 227쪽.

28 Ibid., 226쪽.

29 이상은 김창래, 「딜타이는 누구인가?—가다머의 딜타이 해석에 대한 비판적 고찰」, 266f. 참조. 여기서 나는 리케르트와 가다머의 딜타이 해석의 정당성 여부를 조목조목 논박할 생각은 없다. 그것은 분명 내가 옮긴 한 권의 책에 대한 해제가 할 일은 아니기 때문이다. 오히려 평가는 독자의 몫이다. 왜냐하면 바로 그런 평가를 위해 이 책이 번역되었기 때문이다. 그러나 최소한 나는 딜타이의 **삶**의 철학에는 이른바 개념적 사유가 없다는 리케르트의 주장과 관련해서는 '삶의 범주'에 대한 딜타이의 논의를, 그리고 딜타이가 인식의 **객관성**을 위해 역사적 상대성을 포기했다는 가다머의 주장과 관련해서는 '이해의 한계'에 대한 딜타이의 논의를 읽어보라고 권하고 싶다. 조심성 있는 독자라면 아마 리케르트와 가다머를 통하지 않고 직접 딜타이를 읽어야 할 이유를 발견하게 될 것이다.

4. 딜타이는 애지자(eros philosophos)가 아니었던가?

나는 리케르트나 가다머의 딜타이 해석이 전혀 일리가 없는 것은 아니지만, 딜타이가 처한 모순적 상황을 지나치게 빨리 어느 한쪽으로 해소시켰고, 그런 한에서 딜타이의 복잡한 문제를 다소 단순화시킨 면이 있다고 믿고 있다. 물론 딜타이가 삶과 과학 사이의 갈등에 처해 있었고, 이 갈등의 해결을 자신의 평생의 과제로 삼은 것만큼은 의심의 여지가 없다. 이 갈등에 직면한 딜타이는 가다머에 의하면 삶을 포기했고, 리케르트에 의하면 과학을 포기했다. 어느 경우건 이 포기와 더불어 딜레마는 해소되었겠지만, 딜타이가 원했던 대로 해결된 것은 아니다. 얼핏 삶과 과학의 갈등에 직면한 딜타이가 갈 수 있는 길은 세 가지밖에 없는 것처럼 보인다. 첫째 과학의 포기, 둘째 삶의 포기, 셋째 갈등의 절묘한 해결. 리케르트는 첫 번째, 가다머는 두 번째 가능성을 주장하고, 두 사람은 세 번째 가능성을 부정하고 있다. 그러나 실제로 그러한가? 딜타이는 실제로 저 세길 중의 하나를 갔는가? 오히려 다음과 같이 물을 수는 없는가? 즉 “딜타이는 삶과 과학의 충돌에 직면해 둘 중의 어느 하나를 포기한 것은 아니고, 그렇다고 이 갈등 자체를 해결한 것도 아니며, 도리어 이 갈등을 갈등으로 유지시키면서, 해결될 수 없는 갈등만이 갖는 고갈되지 않는 생산적 힘에 이끌려 평생토록 완결될 수 없는 철학적 사유에 매진한 것은 아닌가?[30] 이미 앞서 인용했던 곳에서 딜타이는 과거의 삶을

30 김창래, 「딜타이는 누구인가?—가다머의 딜타이 해석에 대한 비판적 고찰」, 271쪽.

그 과거로부터 탐구하려는, 그래서 과거에 대한 객관적 인식을 추구하는 정신과학자가 **늘 다시** 자신의 현재로부터 과거를 해석하게 되는 근본적인 **한계**에 대해 논한 바 있다. 그리고 그는 이 같은 정신과학자의 역사성과 그의 과학적 목표 사이의 "갈등이 정신과학의 건립에서 최초로 해결"(VII/138)되리라는 **기대**를 표했다. 이에 대해 리케르트는 이 모순의 해결을 위해 딜타이가 취한 구체적 처방이 학문의 개념성의 포기라고, 그리고 가다머는 삶의 실재성의 포기라고 주장한다. 모순은 모순을 유발한 두 항 중의 어느 하나의 포기를 통해서만 해결될 수 있다는, 형식적으로는 사뭇 자명한 논리에 입각해서 말이다. 그러나 적어도 내가 보기에 딜타이를 바라보는 리케르트와 가다머는 다소 형식논리적 단순성에 사로잡혀 있는 듯하고, 바로 여기에 오독의 기원이 있다. 왜냐하면 모든 모순이 꼭 형식논리적 모순일 필요는 없기 때문이다. 정신과학자가 처한 **현실**과 그가 세운 **목표** 사이의 모순이, 그리고 지금 우리의 **처지**와 그 처지를 넘어서는 우리의 **기대** 사이의 모순이 하나의 형식논리적 모순에 불과한가? 디오티마의 오랜 잠언이 알려주듯 우리는 통상 우리가 갖지 못한 것,[31] 심지어 지금의 현실에 모순되는 것을 기대하고 추구하지 않는가? 지금의 현실에 부합하는 목표만을 기대하는 인간을 우리는 현실적이라고 생각할 수는 있을지언정, "**철학의 욕구**의 원천"으로서의 "이분"[32]의 힘에

31 Cf. Plato, *Symposion*, 202d.

32 G. W. F. Hegel, "Differenz des Fichteschen und Schellingschen Systems der Philosophie," in: *Jenaer Kritische Schriften* (I), hrsg. v. H. Brockard u. a., Hamburg 1979, 10쪽.

의해 지금의 현실과 모순된 것을 '추구하는 철학자(eros philosophos)'라고 부를 수는 없을 것이다. 내가 아는 딜타이는 인간의 정신과학이 결코 얻을 수 없는 것을 추구했다. 그리고 그것은 결코 얻을 수 없는 것이기에 추구할 만한 가치가 있었다.

모순의 근원은 바로 여기에 있다. 인간은 역사적 존재자이고 따라서 자신의 시대와 상황을 넘어, 과거의 삶을 과거로부터 이해할 수는 없다. 그러나 이 역사적 인간이 저 과거를 알기를 원하고, 그것도 객관적으로 알기를 원하는 한, 그는 자신의 역사성의 한계를 초월하는 초역사적 인식을 추구하지 않을 수도 없다. 철학자가—그가 정말 자신이 '갖지 못한 것'을 사랑하고 추구하는 자라면—이러한 모순에 빠지는 것은 불가피하며 또 당연한 일이다. 중요한 것은 이 모순은 형식논리적으로 해결되거나 해소될 성질의 것이 아니라, '인간의 근원적 역사성이라는 피할 수 없는 현실'과 '초역사적 인식에 대한 추구라는, 또한 포기할 수 없는 목표' 사이에서 발생하는, 즉 추구하는 존재자로서의 인간의 자연적 본성에 근원을 둔, 하나의 존재론적인 모순이라는 점이다.

오래도록 딜타이를 읽고, 또 그의 주저 중의 한 권을 우리말로 옮기는 수년의 작업을 통해 얻은 인상은 내게 다음과 같은 사실을 알려준다. 딜타이의 철학적 문제 상황은 물론 삶과 과학 사이의 갈등이다. 그러나 서로 갈등하고 있는 이 두 항을 양손에 나눠 쥐고 있던 딜타이가 결국 갈등을 견디다 못해 그중 하나를 버렸다는 주장은 지나치게 형식논리에 구속된, 따라서 본질적으로 비철학적인 생각이다. 왜냐하면 그가 제시한 이해의 모델은 "철학자에 의해 설계되고,

제작된, 그리고 그 성능에 대한 검증도 마친, 따라서 개별 과학자로서의 정신과학자가 이제 사용하기만 하면 타인의 삶에 대한 객관적 인식이 자동으로 산출되는 그런 환상적인 기계는 아니"[33]기 때문이다. 딜타이가 원했던 것은 "감성적으로 주어진 생소한 개별자의 삶의 표출"에 대한 "보편타당하고 객관적인 이해"(V/334)였다. 그러나 어떻게 한 개별자가 다른 개별자를 완벽하게 이해한단 말인가? 개별자가 딜타이 자신의 서술처럼 "보편 인간적인 것의 한 경우가 아니라", "자기 목적, 그것도 유일한 자기 목적"이고, 따라서 그 자체 완결된 "하나의 개별적 전체"(VII/212)라면 말이다. 이렇게 이해가 그 "깊이를 헤아릴 수 없고(unergründlich) 따라서 어떤 사유도 그 배면으로 들어가 볼 수 없는"(VII/224) 개별자의 체험의 내면, 즉 "개인의 비밀"(VII/212)을 향하는 한, 이해는 피할 수 없이 어떤 "비합리적인 것을 포함하고……그 어떤 논리적 실행의 공식으로도 재현될 수 없다."(VII/218).[34]

> 해석은 자신의 과제를 항상 특정한 정도로만 수행할 수 있을 뿐이다. 그러므로 모든 이해는 항상 상대적일 수밖에 없고 결코 완결에 이를 수 없다. 개별자는 언표 불가능하다(Individuum est ineffabile)(V/330).

33 김창래, 「딜타이는 누구인가?—가다머의 딜타이 해석에 대한 비판적 고찰」, 277쪽.

34 만일 그런 재현이 가능하다면 이해는 그야말로 반복 가능성의 조건을 충족시키고, 이는 우리에게 완성된 기계가 주어졌음을 의미할 것이다. 그러나 유감스럽게도 그런 일은 가능하지 않고, 딜타이 역시 그 사실을 알고 있었다.

따라서 이해란 "최고도의 긴장을 요하는, 그럼에도 결코 완전히 실현될 수는 없는 지적 과정"(VII/227)이다. 바로 이것이 이해의 "한계"(VII/218, V/330)이다. 그러나 이 한계는 모든 이해의 시도를 좌절시키는 한계가 아니라, 오히려 "항상 더 새로운 작업"(VII/225), "항상 새롭고 더 심오한 이해의 시도를 유발하는"(VII/212) 한계이다. 그러나 이 반복된 새로운 시도에도 불구하고 이해는 여전히 "결코 종결에 이를 수 없음(Niezuendekommen)"(VII/227)으로 남고, 그 "본성상의 해결 불가능성"(VII/225)에도 불구하고 "무한히"(VII/225) 반복된다. 그렇다. 이해란 완성된 **기계**가 아니라 "무한한 **과제**(unendliche *Aufgabe)*"(V/335, 336: 강조는 옮긴이)이다. '타인의 내면에 대한 객관적 이해'라는 결코 도달할 수 없는 목표에 무한히 접근하라는 과제이다. 이미 과제라는 말에는 이루어야 할 목표가 포함되어 있다. 그런데 이 이루어야 할 목표가 결코 도달될 수 없는 것이고, 이 도달 불가능성에도 불구하고 이 목표가 스스로를 지양하지 않을 때—우리는 이 모순된 상황을 표현하기 위해 애지(愛智), 즉 철학(philosophia)이라는 좋은 말을 가지고 있다. 철학은 여기서 단 하나의 정신을 지시한다. 그것은 우리 유한한 인간에게 '우리로서는 결코 얻을 수 없는 것'을 쉼 없이 사랑하고 추구하라고 요구해 온, 그렇게 2500년의 장구한 역사를 통해 우리 인간을 쉬지 않고 휘몰아쳐 온 애지의 정신이다. 물론 딜타이도 이 정신의 휘몰아침을 피해 갈 수는 없었다.

객관 정신 또는 역사 이성의 매개를 통해 타자의 개별성을 이해하는 과정은—가다머가 오해한 것과는 달리—결코 "일회적으로 수행되어 완결에 이르는 기계적 과정이 아니다."[35] 오히려 딜타이는 '마지막 비밀로서의 개인의 **개별성**'과 '이 개별성들을 서로 연결해 주는 **보편화된 정신**' 간의 순환적 매개를 염두에 두고 있다. 우리가 개별자로서 갖는 **개별자**의 한계 또는 역사적 상대성을 온전히 극복하는 것은 불가능하고, 따라서 생소한 개별자에 대한, 초역사적으로 타당한 정신과학적 인식의 성취가 결코 이룰 수 없는 목표라는 사실은 자명하다, 그러나 그것이 자명한 만큼 또한 자명한 것은 우리는 개별과 보편 간의 무한한 순환을 통해, 끝없이 교체되는 예감(Divination)과 비교(Komparation)를 통해, 그렇게 진행된 이해의 무한한 반복을 통해 이 인식의 객관성의 정도를 조금씩이나마 상승시킬 수 있다는 점이다. 즉 개별자들 간의 결코 완전하지 못한 이해의 실천이 두 개별자 사이에 어떤 공통성을 형성하고, 그렇게 형성된 공통성이 다시 한결 성공적인 수준에서 이해의 실천을 가능하게 한다. 물론 이 새로운 이해의 실천은 더욱 확장된 공통성을 가져올 것이고, 그것은 더욱 성공적인 이해를 약속할 것이다.[36] 물론 이 무한한 반복 속에서도 우리는 결코 이해의 최종적인 완성에 도달하지는 못하겠지만, 중요한 것은 이를 통해 우리의 이해는 늘 더 나아지고, 우리는 우리 추구의 목표점에 좀 더 접근해 가고 있다는 사실이다. 바로 이것이 모순에 직면한 해석학자가 형식논리의 무력을 극복하기 위해 취하는 사유의 도

35 김창래, 「딜타이는 누구인가?—가다머의 딜타이 해석에 대한 비판적 고찰」, 각주 74.

36 잠시 후 언급하겠지만 여기에는 분명 하나의 모순이 있다. 공통성은 이해를 통해 형성되고, 이해는 다시 공통성의 전제 아래서만 가능하기 때문이다. 즉 이해는 자신의 실행을 통해 비로소 형성되어야 할 것을 이미 전제하고 있다.

식, 즉 해석학의 순환(hermeneutischer Zirkel)이다.

나의 주장은 딜타이의 철학적 시도 역시 모순된 두 항 간의—'역사적 상대성에 구속된 개별자'와 '보편-인간적 타당성을 향하는 역사이성' 간의, '개별자의 비밀'과 '그들 사이에 엄존하는 공통성' 간의, 즉 ' 전 개념적 삶의 현실성'과 '개념적 인식의 객관성' 간의—해석학적 순환의 반복이고, 이 반복을 통한 인식의 점진적 확장이었다는 것이다. 물론 여기에는 형식논리적으로 하나의 모순이 있다. 왜냐하면 공통성은 이해를 통해 형성되고, 이해는 다시 공통성을 전제해야만 가능하기 때문이다. 즉 이해는 자신의 실행을 통해 비로소 형성될 것을 이미 전제하는 나쁜 순환(circulus vitiosus)에 걸려든 것처럼 보인다. 따라서 다음의 물음이 제기된다. (공통성을 이미 전제하지 않으면 시작조차 할 수 없는) 이해가 먼저인가, 아니면 (이해의 실천을 통해서 비로소 산출되는) 공통성이 먼저인가? 형식논리는 이 물음에 답할 수 없다. 왜냐하면 이 물음은 "닭이 먼저냐, 달걀이 먼저냐?"라는 물음과 같이 그 시작과 끝을 확정할 수 없는 어떤 과정을 문제시하고 있기 때문이다. 그러나 분명한 것은 이 같은 형식논리적 틀이 있음에도 불구하고 실제로 우리의 인식은 이 과정을 통해 성장하고 있다는 점이다. 언젠가 내가 지적했듯이 "닭과 달걀 간의 순환의 시작이 논리적으로 확정될 수 없다고 한다 해서, 생식을 멈추는 닭은 세상에 단 한 마리도 없고, 그 어떤 계란도 닭으로의 성장을 포기하지는 않는 것"[37]처럼 말이다. 그렇게 우리의 인식도 형식논리적 하자를 껴안고

37 김창래, 「고르기아스의 세 번째 난제에 대한 해석학적 대응」, 87쪽.

성장하고 있다. 이것은 경험이 알려 주는 바이다. 딜타이의 출발점은 바로 이 경험, 그가 오랜 "역사 연구를 통해" 실제로 획득했고 "친히 확인했던 이 긍정적 경험"[38]이다. 그리고 그는 이 경험의 강화를 통해 그가 비밀스러운 개별성들 간의 전달의 문제를 해결할 수 있다는 기대를 가지고 있었다. 그러나 이 '기대'가 이해의 문제가 '현실'적으로 결코 최종적인 완성에 도달할 수 없다는 그의 또 다른 통찰과 모순을 빚는 것은 아니다. 기대는 늘 현실을 앞서 가기 때문이다. 철학자들은 그렇게 생각한다.

5. 사족(蛇足)

끝으로 나는 나의 모든 논의를 다시 상대화하고자 한다. 즉 위의 논의의 **결론**은 최종적인 것이 아니라, 잠정적인 것이다. 왜냐하면 모든 결론은 우리가 정말 **끝**에까지 가서 발견하는 것이 아니라, 우리가 충분히 갔다고 믿을 때, 더 이상 가기를 원치 않을 때, 그리고 그 믿음과 원치 않음이 합리적이라고 여겨질 때 내리는 것이기 때문이다. 그러므로 모든 결론은 충분한 이유를 가지고 결론적인 것으로 간주함(Für-Abschließendes-Halten)이다. 나 역시 그 이상의 결론을 내릴 수는 없었다. 즉 "딜타이는 누구인가?"라는 물음에 대한 나의 답변은 "그는 누구이다"가 아니라 "그는 누구로 간주되어야 한다"이다. 물론

38 김창래, 「딜타이는 누구인가?—가다머의 딜타이 해석에 대한 비판적 고찰」, 각주 74.

이것은 **하나의** 해석이다. 이 해석이 제공하는 것은 '하나의 딜타이' 또는 '딜타이 자체'가 아니라, 여러 가능한 상(像, ikon)들 중에서 내가—충분한 이유를 가지고 택한—'하나의 딜타이 상(ein Diltheybild unter anderen)'이다.

이미 밝혔듯이 나는 "딜타이는 누구인가?"라는 물음에 대한 유일하게 옳고, 결코 틀릴 수 없는 답변은 원리적으로 불가능하다고 믿고 있다. 그것은 이 물음에 대해 경합하는 많은 답이 있고, 그중 하나만이 참인데 우리가 그 하나를 찾지 못해서가 아니다. 그것은 우리가 제시하는 모든 답이 딜타이 자체가 아니라, 다시 딜타이 상이기 때문이다. 그런 의미에서 "딜타이는 누구인가?"라는 물음 자체가 이미 하나의 철학적인 물음이다. 즉 이것은 철학적 작업을 요구하는 물음이다. 이런 작업을 나는 '해석'이라고 부르고, 그 구체적 내용을 '상의 제작'이라고 생각한다. 이 문제는 딜타이도 언급한 바 있는 이른바 전체 표상이라는 문제와 유사한 것이다.[39] 우리가 실제로 경험하는 것은 딜타이의 이런, 저런 또는 다른 모습들이다. 그러나 우리는 결코 '딜타이 자체'를 표상 중에 가질 수는 없다. 이것은 우리가 실제로 본, 딜타이의 이 또는 저 모습들을 모아 그 모습들에 덧붙여, 그

39 "한 나무에 대한 지각에서 출발해 보자. 나무와 관련하여 사실상……주어진 것은 한 특정 관점에서 관찰한 줄기, 가지의 부분들, 그리고 잎들이다. 나는 이 개개의 상을 재현들을 통해 보충한다. 그리고 그 파악의 결과는 한 그루의 나무라는 동일한 대상에로의 관계 맺음을 통해 얻어진 〔개개의 상들의〕 통일성이다.……이 같은 관계 체계의 총체성(Gesamtheit)을 나는 전체 표상(Totalvorstellung)이라 부른다"(VII/33f.). 물론 우리는 이 전체 표상을 '그 나무'라고 부른다. 결코 우리는 그 나무 전체를 동시에 경험하지 못했음에도 불구하고 말이다. 이런 의미에서 우리는 이 또는 저 딜타이 상을 '**그** 딜타이'라고 부른다.

모든 모습들의 **근거에 놓여 있을** 통일적 주체로 사유해 낸 것이다. 즉 이것은 덧붙여 사유함(Hinzudenken)의 결과이며, 따라서 우리가 여러 부분적인 딜타이 상을 모아 구성해 낸 '전체 상'이다. **하나의 딜타이**—이것은 우리가 관찰한 여러 딜타이 (현)상들의 근거에 놓여 있다고(sub-iectum, sub-stantia, hypo-keimenon) 추정된 것이지만, 여전히 하나의 상이지 실체는 아니다.

이 같은 (전체) 상의 제작 과정은 늘 이유 있는 것이지만, 결코 기계적인 것은 아니다. 즉 여기에는 구성(해석!)의 자유로운 여백이 있다. 바로 이 여백이 철학적 사유의 공간이다. 실제로 그렇다. "딜타이는 누구인가?"라고 물으며 우리는 분명 어떤 철학적 사유의 공간 안에서 '하나의 딜타이'에 대한 '하나의 해석'을 시도하고 있다, 그러나 우리에게 주어지는 것은 여러 딜타이 상들이지 하나의 딜타이는 아니다. 후자는 우리가 전자에 덧붙여 해석해 내야 할 것이다. 이 상황은 마치 "가설 정립"[40]의 상황과도 같다. 과학자는 세계 현상의 이 또는 저 단편만을 관찰하고 모든 세계 현상의 근저에 놓여 있음직한 원리를 추론해 낸다. 그리고 그렇게 추론된 원리가 관찰된 세계 현상의 부분들과 충돌을 빚지 않는 한, 그의 가설은 이론으로 간주된다. 우리의 입장도 다르지 않다. 우리는 우리가 경험한 딜타이의 여러 부분적 상들을 토대로, 결코 경험하지 못한 하나의 딜타이에 대한 전체 상을 추론한다. 그리고 후자가 전자들과 아무런 충돌을 빚지 않는 한에서 우리의 구성, 우리의 해석은 참된 것이라고 간주한다. 즉 우리

40 J. Simon, *Philosophie des Zeichens*, Berlin·N/Y. 1989, 104쪽.

가 구성한 딜타이 상은 한시적으로 딜타이로 간주된다. 내가 한 것도 이 정도의 일일 뿐이다. 그 이상은 나를 포함한 어떤 철학자도 할 수 없다. 이 사실을 독자들에게 분명히 하고 싶었다. 그것이 이 어색한 사족의 의미이다.

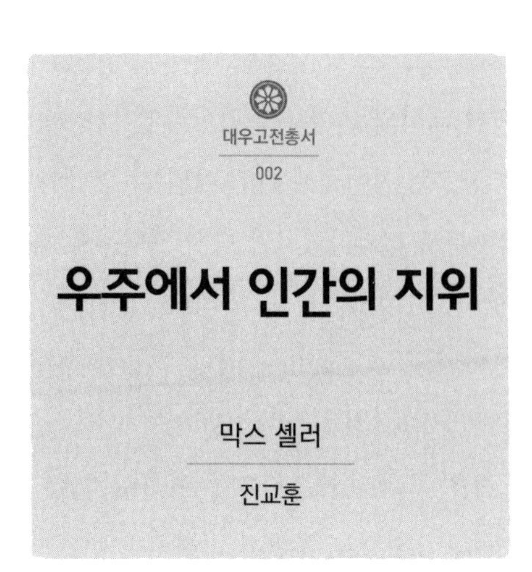

1

막스 셸러는 1874년 8월 22일 독일의 뮌헨에서 태어났다. 그의 부친은 개신교도로 바이에른 주의 어떤 귀족의 농장 관리인이었다. 막스의 부친은 결혼 후 유태인인 부인의 강권으로 농장 관리인을 그만두고 부상(富商)인 처남이 살고 있는 뮌헨에 와서 마음에 내키지 않는 상점 일을 거들며 전원생활을 늘 동경하면서 불운하게 살다가 막스가 중학교에 입학하기 전에 일찍 사망했다. 막스는 그후 외삼촌 댁에서 살았으나 모친과 외숙부를 싫어했으며, 열네 살이던 1888년

5월 성모의 축제를 보고 크게 감격한 나머지 가톨릭 교회에 다녔다. 그는 1894년 뮌헨 대학의 철학부에 입학하였다가 1895년 다시 의학부에 입학하였다. 그는 여행중에 사귄 여덟 살 연상인 유부녀를 따라 베를린 대학 의학부로 전학하였다가 다시 철학부로 옮겨와서 철학과 사회학을 공부했다.

이때 그는 딜타이(W. Dilthey, 1833-1911), 슈툼프(A. Stumpf, 1948-1936), 짐멜(G. Simmel, 1858-1918)의 강의를 듣고 크게 감격했다. 그는 일단 결혼 문제로 가톨릭교를 떠나서 철학 공부에 전념했다. 그는 다시 예나 대학으로 옮겨서 철학뿐만 아니라 정치학, 경제학, 지리학 등을 공부하고, 특히 오이켄(R. Eucken, 1846-1926)의 지도를 받았다. 그는 초월철학 및 정신철학의 주창자인 오이켄으로부터 영향을 받아 신칸트 학파의 주지주의적 경향과 19세기에 지배적이었던 자연주의적 경향에 반대하고 형이상학적 경향에 관심을 가지며, 특히 아우구스티누스(Augustinus, 354-430)와 파스칼(B. Pascal, 1623-1662)의 훌륭함을 알게 되며 정신의 철학을 연구하게 된다. 이러한 사실들은 셸러가 그의 말년에 철학적 인간학에 이르는 결정적인 계기가 된다.

그는 1897년 오이켄의 지도 아래 「논리적 원리와 윤리적 원리사이의 관계 확립에 관한 고찰(Beiträge zur Feststellung der Bei-ziehungen zwischen den logischen und ethischen Prinzipien)」로 철학 박사학위를 받는다. 그는 이 논문에서 이미 "도덕적 가치는 객관적인 것으로서, 이론적인 증명으로 충분할 수는 없는 것이며, 이론적 증명은 이성에 기인하나 도덕적 영역은 감정의 영역에 관계하는 양심(良心)

의 현상을 문제삼는다"고 주장했다.

그는 1899년에 「초월론적 방법과 심리학적 방법(Die transzendentale und die psychologische Methode)」이라는 제목의 교수자격 논문을 제출하고 예나 대학의 사강사가 된다. 그는 이 논문에서 종래의 초월론적 방법의 한계와 심리학적 방법을 비판하고 오이켄의 '정신론적 방법(die noologische Methode)'이 초월론적 방법과 심리학적 방법을 원리적으로 통일시킬 수 있다고 보고, 정신 그 자체는 인간의 문화활동과 분리시킬 수 없으며 정신적 생명은 합리적인 것을 포괄하지 않으며 정서적인 것을 포괄한다고 하는 그의 말년의 사상을 이미 여기서 분명히하고 있다. 그는 1899년 9월 뮌헨의 성 안톤 교회에서 가톨릭 영세를 받고, 4년 동안 기다려온 이혼녀 아말리(Amalie)와 10월 결혼했다.

그는 1901년 후설(E. Husserl, 1859-1938)을 할레에서 만난다. 이것은 셸러에게 결정적인 계기를 마련해 주었다. 이때부터 그는 현상학 운동에 깊이 관여하기 시작한다. 1902년부터 1903년까지 그는 바이힝거(H. Vaihinger, 1852-1933)(칸트학회 및 《칸트 연구(*Kant Studien*)》지의 창시자)와 함께 《칸트 연구》의 공동편집자가 된다. 그러나 셸러는 곧 칸트 철학에 불만을 갖게 되고, 또 오이켄의 철학적 방법보다 후설의 철학적 직관개념에 더욱 관심을 쏟게 된다. 이것은 셸러의 기질에 더 잘 맞는 것같이 보인다.

셸러는 의부증이 심한 부인 때문에 1907년 예나를 떠나 뮌헨으로 간다. 그는 뮌헨 대학에 다시 교수자격 논문을 제출하고, 윤리학과 심리학을 강의하면서 뮌헨의 현상학파와 어울린다. 그러나

1910년 부인 때문에 또 뮌헨 대학의 강사직을 사임한다. 그는 이후 9년 간 자유로운 철학의 저술가로 지낸다. 1911년 아말리와 이혼한 후 괴팅겐으로 이사하여 괴팅겐의 현상학파에 들어간 그는 1912년 「회한과 도덕적 가치판단(Über Ressentiment und moralisches Werturteil)」이라는 논문을 발표하여 짐멜, 베버(Max Weber, 1864-1921), 좀바르트(W. Sombart, 1863-1941)로부터 극찬을 받는다. 이 해 그는 유명한 교향악 지휘자인 푸르트벵글러(Furtwengler)의 여동생인 메리트(Märit)와 두번째 결혼을 했다. 마침내 그는 1913년 『윤리학에 있어서 형식주의와 실질적 가치윤리학(*Der Formalismus in der Ethik und die materiale Wertethik*)』의 제1부를 그가 편집자로 있었던 《현상학연구연보(*Jahrbuch für Philosophie und phänomenologische Forschung*)》에 발표하는 등 활발한 저술을 한다. 그는 1916년 『윤리학에 있어서 형식주의와 실질적 가치윤리학』의 제2부를 발표하고 이를 모아 단행본으로 출판한다. 그는 이 해에 다시 가톨릭교회로 돌아와서 가톨릭 월간지에 논문을 속속 발표하며, 1917-1918년 독일 외무성의 사상선전원으로 스위스, 네덜란드 등지에서 근무하다가 1919-1928년까지 쾰른 대학의 철학 및 사회학 교수로서 종교철학, 정치사회의 문제들에 관하여 강의한다.

그는 1919년 『가치의 전도(*Vom Umsturz der Werte*)』, 1921년 『인간에 있어서 영원한 것에 관하여(*Vom Ewigen im Menschen*)』, 1923년 『공감의 본질과 형식(*Wesen und Formen der Sympathie*)』 및 『사회학과 세계관론에 관한 논문집(*Schriften zur Soziologie und Weltanschaungslehre*)』, 1924년 『지식사회학의 문제들(*Probleme einer Soziologie des Wissens)*』과 『지식의 형태와 사회(*Die Wissensformen und die Gesellschaft)*』를 출판한다. 그는 이 해에 또 이혼을 하고, 가톨릭교회로부터 떠난다. 그는 1925년부터 『철학적 인간학(哲學的人間學)』의 저술에 총력을 기울이며, 1927년 「인간의 특수한 지위(Die Sonderstellung des Menschen)」라는 제목으로 철학적 인간학의 효시가 되는 강연을 다름슈타트에서 행한다. 그는 1928년 이것을 증보하여 『우주에서 인간의 지위(*Die Stellung des Menschen im Kosmos)*』를 간행하고, 동년 4월 프랑크푸르트 대학의 사회과학연구소 소장직을 맡고, 5월 19일 두번째 부인이었던 메리트의 집에서 심장마비로 급서한다. 그가 죽은 다음해에 생전에 탈고한 『철학적 세계관(*Philosophische Weltanschaung)*』이 출판된다.

2

프링스(M. Frings)는 『셸러 탄생 1백주년 기념논문집(*Max Scheler Centennial Essays)*』(The Hague, 1974)에서 셸러의 주저로 두 권을 꼽는데 그 첫번째로 『윤리학에 있어서 형식주의와 실질적 가치윤리학』을 추천하고, 두번째로 『공감의 본질과 형식』(Bonn, 1923)을 추천한다. 셸러는 생전에 17권의 단행본과 68편의 논문을 발표했으며, 사후에도 유고로 15편의 논문이 발표되었다. 그러므로 저자 자신이 어떤 것이 주저라고 밝히지 않은 이상, 다른 사람들이 함부로 이 책이 주저라고 말하는 것은 매우 조심스러운 일이다.

역자는 셸러의 말대로 그의 모든 사상이 총체적으로 그의『철학적 인간학』에 수렴되었다고 보고 싶다. 그러나 그의 유고집 제3권의 제목이『철학적 인간학』으로 되어 있고, 그의 전집 제12권에 수록되어 있으나 이미 출간된『우주에서 인간의 지위』보다 더 진전되었거나 더 정리되었다고 볼 수 없다. 다시 말해서 이 책은 내용적으로 철학적 인간학과 상관되는 생전에 미간행된 강의노트와 유고 등을 판독하여 수록했을 뿐이고, 한 권의 완성된 단행본이라기보다는 일종의 철학적 인간학에 관한 논총이라고 말해야 옳을 것으로 판단된다. 그렇다면 오히려 철학적 인간학의 효시이자 고전으로 보는『우주에서 인간의 지위』를 셸러의 대표적 저술이라고 말해도 무방하다고 역자는 생각한다. 왜냐하면 프링스 등이 주저라고 말하는『윤리학에 있어서 형식주의와 실질적 가치윤리학』과『공감의 본질과 형식』의 기본 내용이 그의 철학적 인간학에 포괄되고 있으며, 이것이『우주에서 인간의 지위』 속에 용해되어 담겨 있기 때문이다.

셸러는 처음엔 후설의 영향을 받았으나, 현상학의 기능, 목적과 의의에 관하여 후설과는 근본적으로 다르게 생각한다. 그는 이 책에서 특히 인간, 세계, 신의 본질을 해명하는 데 관심을 가진다. 두 사람의 차이는 실재에 대한 해명에서 볼 수 있다. 후설은 실재를 누스(nous) 속에서, '독단적인 위치를 가지고 있는' 의식 속에서 구성하는데, 셸러는 실재를 충동 속에 있는 역동적 인자의 생기발랄한 수행과 '삶의 중심처(Lebenszentrum)'에 근원을 둔다. 이 삶의 중심처는 그들 밖에 있는 것에 저항할 수 있을 때에만 '존재'할 수 있을 뿐이며, 적어도 고정된 법칙에 종속하는 생명이 없는 힘의 중심처(즉 에너지)와는 대조된다. 그러므로 셸러는 궁극적인 실재는 역동적이며 생동적인 인자들의 저항 속에서 구성된다고 보며, 후설처럼 의식의 구성적 결과로 보지 않는다.

셸러의 실재에 대한 개념은 멘느 드비랑, 셸링, 드리슈, 딜타이, 니체와 궤를 같이 한다. 그의 실재는 그가 '삶의 충동(Der Trieb des Lebens)'이라고 말하는 것 속에 그 기원을 두는데, 이것은 형이상학적이며 생물학적 세계근거를 넘어서는 것이며 동시에 삶의 원천이다. 그는 이것을 인간의 삶을 고동하게 하는 신성(神聖)의 속성으로, 또 인간 정신의 현시의 최고형태까지 고동하게 하는 것이라고 하였다. 그래서 그는 인간의 정신을 삶과의 종합관계 속에 있다고 보며, 정신의 유일한 존재형태가 인격이라고 말했다. 인간의 본질은 단순히 의식만도 자아만도 아니고 그것들의 존재형태인 인격이며, 인간과 역사 속에서 신성을 드러나게 할 수 있으며 드러나게 하여주는 것이다. 셸러에게서 현상학은 그 자체가 목적이 아니라 형이상학을 위한 기초가 될 뿐이다.

셸러의 중요 관심사는 사랑, 가치, 인격, 세계, 신이다. 그는 이 문제들을 생물학적으로, 사회학적으로, 형이상학적으로, 종교철학적으로 다룬다. 그는 이 모든 것을 그가 죽기 얼마 전부터 철학적 인간학과 형이상학에 관한 한 권의 책 속에서 완결시켜 보려고 시도했다.

셸러는 전술한 것 외에도 동서사상의 화해와 현대사회에서도 문제삼을 수 있는 정치, 사회의 시사 문제에 이르기까지 폭넓은 연구를 하여 우리에게 시사하는 바가 크다. 그래서 하이데거, 오르테가 등은 현대철학을 공부하려는 자는 모름지기 셸러 연구로부터 시작하여야 한다고 주장하기도 했다.

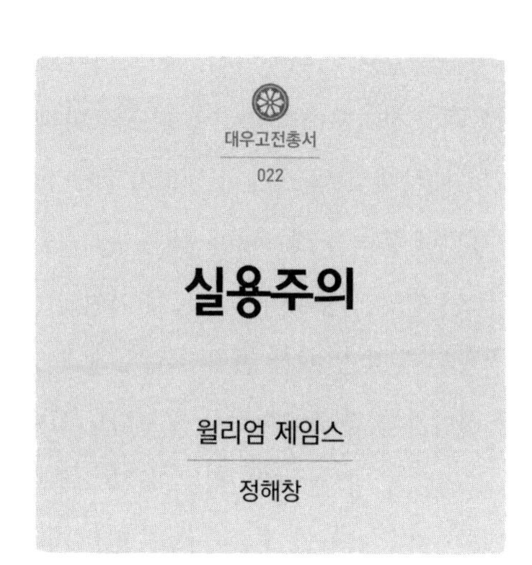

1

데카르트가 "나는 생각한다. 그러므로 나는 존재한다"로 근대 철학을 열었다면, 제임스는 "나는 행동한다. 그러므로 나는 존재한다"로 현대 미국 철학을 열었다고 할 수 있다. 제임스는 퍼스, 로이스, 듀이, 산타야나(Santayana) 등과 더불어 미국이 세계 철학사에 등록됨을 고하는 성단을 형성하는데, 그중에서도 실용주의의 창시자로 널리 알려져 있다. 제임스는 30대 후반 비교적 늦은 나이에 심리학, 해부학을 거쳐 철학으로 학문의 방향을 바꾸었다. 이런 이유로 그의 글은 전문 철학자들의 눈에 아마추어적으로 보이기도 한다. 또한 제임스는 같은 실용주의 창시자이며 친구인 퍼스와 마찬가지로 수필의 형태로 글을 썼기 때문에 그의 글에서 철학자들이 전통적으로 사용해온 논증이나 세밀한 분석을 찾는다는 것은 무리이다. 그러나 제임스가 지향하는 바는 철학적 통찰이기 때문에 이런 면은 문제가 되지 않는다. 그가 철학적 통찰 면에서 현대 철학사에 독창적 기여를 했다는 것은 미국 철학자들 중에서 어느 누구보다도 그에 대한 저술이 많이 출판되었고 논란의 대상이 되었다는 사실이 증명해준다. 동시에 제임스는 다양한 현대 철학의 조류에 속해 있는 사람들이 가장 자신의 편으로 끌어들이고 싶은 철학자이기도 하다. 그 이유는 제임스의 철학이 대단히 비옥하기 때문이다. 그의 저술 대부분은 대중 강연 원고여서 문체가 난삽하고 논리적이지 않다. 또한 철학, 심리학, 종교에 관한 논의가 뒤섞여 있어서 혼란스럽다. 그러나 그의 글은 문장 하나하나를 따로 떼어놓고 그 의미를 파헤쳐보아도 될 만큼 풍부한 철학적 통찰들로 가득 차 있다.

퍼스는 실용주의의 소크라테스(Socrates), 제임스는 플라톤(Platon), 듀이는 아리스토텔레스(Aristoteles)[01]라고 불리기도 하는데 이는 매우 적절한 비유일 것이다. 퍼스가 수학과 물리과학을 거쳐 철학으로 들어온 반면, 제임스는 의학, 생물학, 심리학을 거쳐서 들어왔다. 이런 배경의 차이는 그들의 실용주의 방향에 대한 차이로도 이어진

01 William Barrett & Henry Aiken, ed. *Philosohy in the Twentieth Century*, vol 1, "Introduction," NY, Harper, 1962, 49쪽.

다. 제임스는 퍼스와 마찬가지로 방법에 보다 큰 관심을 가졌다. 이때의 방법은 자연에 관하여 기술하는 방법을 말하는 것은 아니다. 제임스는 자신의 철학과 과학의 방법론적 구속을 가능한 한 화해시키려 하지만 후자가 인간의 관심사 중에서 가장 중요하다고 생각하지는 않는다.

제임스에 의하면 새로운 철학적 관념 또는 이론이 정착되기 위해서는 통상적으로 몇 단계를 거친다.(W2: P 572)[02] 새로운 관념은 일단 낯설기 때문에 이해할 수 없거나 터무니없다고 비판받는 것이 보통이다. 이 단계는 새로움에 대한 거부라는 일반적 반응을 반영한다. 다음 단계에서는 그 관념은 이해할 수 있는 것이라고 긍정적으로 반응한다. 마지막에는 문제의 관념이 보다 친숙한 것이 되고, 애초에 그 관념을 반대하던 사람들은 자신들이 그 관념의 발견자인 것처럼 행세한다. 제임스의 실용주의가 이런 운명을 거친 대표적인 경우이다. 실용주의가 처음 등장하였을 때, 러셀(Russell), 무어(Moore), 브래들리와 같은 영국의 철학자들에게서 혹독한 비판을 받았다. 이들은 앎과 진리를 전적으로 인간의 이해관계와 필요에 종속시키는 주관주의는 철학적 사유의 생명과 같은 비판적 사유에 치명적이라고 공격하였다. 20세기 후반에도 에어(Ayer)와 같은 철학자는 실용주의가 "인간은 만물의 척도"라는 프로타고라스(Protagoras)의 교의와 같은 것이라고 주장하였다.[03] 실용주의는 이와 같은 비판, 해석 작업을

02 해제에서 제임스의 저서는 제목을 다음과 같이 줄여서 썼다.
W1 *Writings 1878–1899*, The Library of America, NY
W2 *Writings 1902–1910*, The Library of America, NY

통해 정제되어 오늘날에도 여전히 미국의 선도적 철학자들의 정신적 지주로 남아 있다. 제임스는 그의 통찰과 삶에 대한 진솔한 태도 때문에 칭송되지만 동시에 지속성과 일관성의 결여 때문에 불평의 대상이 되기도 한다. 다양한 학문적 이력을 갖고 있지만 그의 철학의 중심에는 언제나 휴머니즘이 자리 잡고 있다. 휴머니스트로서 제임스는 대부분의 철학자들처럼 철학을 정의(definition)에 의해서 접근하는 것이 아니라 철학을 하는 데 관심을 가지고 있다.[04]

제임스를 다른 실용주의자와 구별짓는 특징은 그의 실용주의 진리론, 종교철학, 극단적 경험주의라는 세 가지 교의로 압축할 수 있다. 첫째, 제임스는 자신의 실용주의를 진리론으로 의도하였으나 이것을 명시적으로 도덕적, 종교적, 과학적 신념들, 즉 모든 종류의 신념들을 해석하고 평가하는 방법으로 원용한다. 둘째, 칸트와 마찬가지로 그는 많은 종교적 물음들에 담겨 있는 기본적 의미는 근본적으로 이론적이거나 사실적이 아니라 도덕적이라고 생각한다. 철학자로서 제임스를 구속하는 것은 가슴의 지혜이기 때문에, 그는 종교적 신념의 대상이 실험적 테스트에 의해서 존재 여부가 검증되지 않는다는 것을 근거로 하여 종교적 신념을 부정하지 않는다. 셋째, 제임스는 후기에 실용주의와는 어느 정도 독립적인 정신, 실재의 본성에 관한 일련의 문제들에 관심을 갖는다. 이 주제들에 관한 그의 견해는 그를 러셀과 같은 과학철학자에 밀접하게 연결시킨다.

03 A. J. Ayer, *The Origins of Pragmatism*, London, Macmillan, 1968, 3쪽.

04 E. Suckiel, *The Pragmatic Philosophy of William James*, Nortre Dame, U. of Nortre Dame, 2002, 6쪽.

방법으로서 실용주의는 개념의 의미에 주목한다. 제임스는 오래된 철학적 문제들은 단어들의 정확한 의미에 매달린 데서 발생한 것이므로 이런 시도를 그치면 해결된다고 주장한다. 이런 입장은 이어서 등장하는 논리실증주의의 사유 방식과 닮아 있다. 형이상학적 사변의 무의미함에 대한 이들의 접근 방식은 실용주의와 사실상 크게 다르지 않다. 실험이나 경험에 의해서 검증되지 않은 관념은 무의미하다는 주장은 관념의 의미는 그 관념을 따라 행위하는 사람에게 생기는 차이 이상도 이하도 아니라는 입장에서 그리 멀지 않다. 즉 관념은 행위를 위한 계획이고 그 의미는 행위를 따르는 결과에 의해서 결정된다는 실용주의의 주장은 논리실증주의를 예견하는 것이었다.

진리론으로서 실용주의는 하나의 관념에 관하여 어떤 결과를 예상하고 그 결과가 기대한 방식으로 발생한다면 참이고 그렇지 않으면 거짓이라고 주장한다. 즉 관념이 우리에게 아무런 인식가능한 차이를 만들지 않는다면 의미가 없다는 것이다. 어떤 하나의 관념, 즉 가정에서 연역한 것과 관찰된 사실을 비교함으로써 그 가정을 검증하는 자연과학적 방법은 바로 이런 실용주의의 절차와 다르지 않다. 자연과학의 영역에서 연역이 불가능한 관념은 무의미하다. 도덕적 신념의 경우에는 실험이나 관찰된 사실들에 비추어 검증할 수 없기 때문에 행위의 결과들에 대한 판단이 중요해진다. 결과가 더 많은 이해와 욕망을 만족시키면 그 행위는 선한 것으로 간주된다. 이와 대조적으로 종교의 경우는 믿음에 의존해야 한다. 제임스는 기존의 사실들과 조화를 이루고 자신의 경험을 이해가능하고 의미 있게 만드는 신념을 참인 것으로 수용할 권리가 있다고 주장한다.

제임스는 절대자의 존재를 단호하게 부정한다. 관념론과 실용주의의 차이는 사실상 절대자의 긍정과 부정에서 비롯된다고 해도 과언이 아니다. 절대자의 관념은 연역이 불가능하고 결과적으로 검증도 불가능하기 때문에 의미가 없다. 절대자의 관념 대신에 구체적 시간과 장소에서 특정인에게 참인 관념만이 의미가 있다. 진리는 대응설이 주장하는 바와 같이 관념과 실재의 일치가 아니다. 실재와 관념이 독립적으로 존재한다면 둘을 연결시킬 방법이 없다. 세계를 둘로 나누는 대신에 그는 경험이 하나의 계속적인 과정이라고 말한다. 이런 점에서 선은 진리와 같다. 어떤 초자연적 영역에 존재하는 절대적 선은 없다. 행위는 그것이 구체적인 욕구를 만족시킬 때만 도덕적으로 선하고, 이때의 만족은 장기적으로 볼 때의 만족이다. 제임스는 절대자는 조화로운 전체라는 브래들리의 관념을 비판한다. 모든 부분들이 전체 과정에서 본질적인 요소들인 하나의 조화로운 전체로서 우주 개념은 잘못이라는 것이다. 제임스에 의하면 이 개념은 실제로 존재하는 사실들과 부합되지 않는다. 실재는 통일된 과정이 아니고 다양한 투쟁과 갈등의 과정들이 계속되는 다원적 우주이다. 따라서 전체로서 조망된 과정은 전적으로 선하지도 악하지도 않고 둘 다의 가능성을 모두 가지고 있다.

제임스의 철학은 시종일관 인간중심적이다. 철학이 인간의 이해관계, 이상의 표현이고, 인간 실존의 구체적 조건들에 관한 반성이라면, 제임스는 그런 목적을 위한 인간의 개념을 다위니즘의 생물학적 모델에서 찾는다. 물론 제임스의 진화적 세계는 생존을 위한 투쟁만이 지배하는 세계는 아니다. 제임스가 강조하는 것은 “땀과 먼지로

된 이 실제의 세계에서 사물들에 관한 관점이 '고귀하다'면 그것은 그 진리에 반하는 회복으로서 그리고 철학적 실격으로서 간주되어야 한다"(W2: P 518)는 것이다. 철학적 주장이나 체계가 그것을 믿는 사람의 실제적 삶에 어떤 적실성도 가지지 않는다면, 그 철학은 실용주의적으로 의미가 없다. 철학은 정신적 구축물로서 고려되는 고정된 교의들의 정적인 집합이 아니다. 철학사에 등록되는 많은 철학들이 짧은 기간 내에 화석화된 채 역사적 관심거리로만 남게 되는 주된 이유는 그것들이 우리의 삶과 무관하게 전개되었다는 데 있다. 가치 있는 철학의 중요한 특징은 삶과의 진정한 연결이다. 삶은 정지되어 있지 않고 끊임없이 흘러가고, 인간은 그 속에서 지속적으로 움직이는 존재이다. 제임스는 삶의 의미를 포착하려는 철학은 이런 분명한 사실에서 출발하여야 한다고 말한다.

저서, 학술지, 강연, 일기, 편지 등 제임스가 남긴 모든 글들에서 우리는 갈망과 좌절이라는 삶의 조건을 극복하려고 강렬하게 몸부림쳤던 한 인간의 모습을 생생하게 만날 수 있다. 그는 어떤 경우에도 인간을 추상적인 족쇄로 구속하려는 시도에 단호하게 맞서서 인류의 편에 선다. 그는 반계몽주의에 반대하여 과학을 옹호하지만, 만일 과학이 신, 자유의지, 불멸성을 믿을 인간의 권리를 거부한다면 과학적 관점 역시 비난할 준비가 되어 있다. 그는 인간의 고뇌를 가볍게 희화하는 모든 우둔한 낙관주의를 비판하지만, 그 우울한 사실들, 인간의 슬픔과 고통을 무제한으로 확대하는 모든 종류의 비관주의도 거부한다. 제임스는 자신의 철학을 인간이 처해 있는 조건들을 극복하는 일종의 정신적 치료로서 간주한다. 그런 점에서 모든 진정한 철학의 원리들은 궁극적으로 인간의 감상(sentiment)에 뿌리를 두고 있어야 한다고 말한다.

2

이 책에 수록된 아홉 편의 글 중에서 「합리성의 감상」, 「실용주의의 의미」, 「실용주의와 휴머니즘」은 철학하는 방법에 관한 물음들을 다루고 있다. 그는 여기에서 철학이 무엇이고 철학이 그 임무를 어떻게 수행할 것인가에 관한 자신의 주장을 개진하고 있다. 「두 영국인 비판자」를 제외한 나머지 다섯 편의 글은 자유의지, 도덕, 과학과 종교, 종교에 관한 자신의 견해, 그리고 진리의 본성과 같은 철학의 지속적인 문제들을 다루고 있다. 이 글들은 독자를 제임스의 철학 세계로 안내할 뿐 아니라, 철학함의 정신을 훌륭하게 소개해주고 있다. 이런 점에서 제임스는 "실용주의의 플라톤"이 아니라 미국 철학 그리고 더 나아가서 "현대 철학의 플라톤"이라고 할 수 있다.

첫 번째 글 「합리성의 감상」은 이어지는 글들에 관한 훌륭한 안내문이다. 이 글은 제임스의 후기 저술에서 지속되고 있는 관심을 표명하고 있다. 「합리성의 감상」은 실천 지향적인 실용주의 표면 아래에 있는 제임스의 사유에 대한 개요를 제공하고 있기 때문에 매우 중요하다. 인간은 묻는 존재이고 그의 물음은 모든 사물의 토대에까지 이른다. 그가 모든 의문에 실질적인 답변을 얻을 수 없을지라도 이론상 물음 자체에 한계는 없다. 즉 인간에게는 실질적 욕구와 이론적 욕구가 있다. 그러나 이론적 충동들은 칸트가 말한 바와 같이 합리주의적 체계에 의해서 충족될 수가 없다. 왜냐하면 합리주의는 인간을 그 자체로 이미 완성된 세계를 알려고 하는 이론적 지성으로 보기 때문이다. 결국 최선의 이론철학은 완성된 세계의 구성요소를 어떤 도식에 따라서 분류하고 정리하는 것 이상이 될 수 없다. 제임스에게 철학은 합리성의 다양한 차원을 포함하는 정신적 활동이고, 합리성은 네 영역, 즉 지적인 영역뿐 아니라 미학적, 도덕적, 실천적 영역을 포함한다.(W2: PU 680) 그러므로 합리성은 지적인 차원에만 국한될 수 없다. 이론적 차원에 국한시켜 말한다면 지성은 아무런 거리낌 없이 우주를 돌아다닐 수 있고, 아무런 한계 없이 세부 사항을 기술하고 정확성을 만들어낼 수 있다. 그러나 이런 세계는 현실과는 아무런 관련이 없다. 이와 같이 제임스는 순수 지성의 존재를 회의한다. 이런 회의를 극복하기 위해서 우리는 도덕적, 미학적 관심으로 돌아서야 한다. 그렇게 함으로써 우리는 세계에 대한 친숙함을 얻을 수 있다. 그가 합리성의 감상을 통하여 전달하고자 하는 바는 이성이 느낌에 의해서 대체되어야 한다는 것이 아니고, 합리적 세계의 경험적 의미는 자아가 느끼는 친숙함과 질서 있는 행위 방식이라는 것이다.

철학은 수용되기 위해서 합리적이어야 할 뿐 아니라 우리가 합리적으로 느끼도록 만들어야 한다. 합리성의 감상을 동반하는 철학이 우리가 주제에 관하여 합리적이라고 느끼게 하는 철학이다. 그러므로 이 합리성의 감상을 깨우지 못하는 철학은 인간에게 아무런 소용이 없다. 제임스는 합리성의 감상을 깨우기 위해서 철학은 인간이 가진 이론적이고 실질적인 두 가지 기본적 욕구를 충족시켜야 한다고 말한다. 이론적 욕구는 우리가 알고자 하는 사실 때문에 갖는 욕구이고, 실천적 욕구는 우리가 행위를 해야 한다는 사실 때문에 갖는 욕구이다. 즉 철학적 태도는 이 두 가지 열망이 그의 내면에서 어떻게 균형 잡혀 있는가에 의해서 결정된다.

불확실성을 제거하여 삶의 안정성을 확보하려는 갈망이 사유의 시발점이라는 것을 고려하면, 철학은 당연히 그런 역할을 담당해야 한다. 철학은 우리에게 편안함의 느낌을 가져올 때 수용되고 합리적이라고 여겨진다. 우리는 이론적 욕구가 충족되고 우리의 실질적 본성이 적절하게 되고 행위를 위한 적절한 안내가 주어질 때 편안하게 느낀다. 여기에서 제임스의 특징적인 방법은 철학의 진리성이 아니라 철학의 수용가능성 조건을 먼저 다루는 것이다. 문제는 최종 분석에서 우리가 자연에 관하여 생각하는 것을 자연이 아니라 우리가 인가해야 한다는 것이다. 요컨대 철학은 합리성의 감상을 발생시켜서가 아니고 합리성의 감상을 발생시키지 않는다면 그 철학은 수용되지 않는다는 것이다. 그 경우 철학의 진리성에 관한 문제를 제기하는 것은 소용없다. 초기 논문에서 확립되고, 이어지는 논문들에서 다듬어진 이 입장은 아마도 자연주의에 대비되어 휴머니즘이라고 부를 수 있을 것이다. 영국 철학자 실러(Schiller)는 제임스에게 휴머니즘이라는 용어를 수용할 것을 권고하였지만 제임스는 실용주의라는 용어를 고집하였다.

인간의 본성이 철학의 지속가능성을 판단하는 결정적 목소리를 가지고 있다는 이런 입장은 다른 글에서도 계속되는데, 「결정론의 딜레마」에서 보다 뚜렷하게 그 생각이 드러난다. 세계는 열려 있고 미완성이고 미결정이라는 그의 세계관은 인간을 전체적으로 고려할 것을 요구한다. 즉 개선의 여지가 있는 다원적 세계에서 인간은 자유롭게 영향력을 행사하여 세계의 미래를 결정한다. 이것이 가능한 이유는 만물의 영장으로서 인간은 고도로 발달된 의식을 가지고 있는 동물이기 때문이다. 세계가 완성되어 있는 체계이거나 그 미래가 이미 결정되어 있다면, 거기에는 인간의 활동을 위한 여지가 없다. 인간은 예정된 절차를 밟아가는 자동인형에 불과할 것이다. 결정론적 세계는 "이미 절대적으로 규정된 우주의 그 부분들은 다른 부분들이 어떻다는 것을 지정하고 선포한다. 미래는 그 자궁 속에 아무런 모호한 가능성들도 숨기지 않는다. 우리가 현재라고 부르는 부분은 단지 하나의 전체와 조화를 이룬다."(W1: WB 569-570) 그러므로 결정된 세계에서는 단 하나의 미래만이 가능하다. 그리고 그 미래는 과거에 의해서 영구히 고정되어 있다.

이에 반해서 비결정론적 세계에는 실제적 가능성들이 있으며, 새로움의 생성이 가능한 세계이다. 비결정론에 의하면 부분들은 상호간에 일정한 정도로 자유롭게 활동하므로 어느 부분도 서로를 결정하지는 않는다.(W1: WB 570) 이 세계에서는 과거가 미래를 절대적으로 명령하지 않기 때문에 자유로운 행위의 진정한 독창성이 가능하다. 결정론의 세계는 폐색 우주이고 당위가 불가능한 세계이고, 비결정론의 세계는 미완성의 열린 세계이다. 의식이 효력을 발생시킨다는 말은 인간은 자신의 행위가 창출하는 세계에 책임을 질 수 있다는 것이고 그렇기 위해서 세계는 미완성이어야 한다는 것을 의미한다. 세계는 자유의지의 행사에 따라서 더 좋게 또는 더 나쁘게 될 수 있다는 것이다. 이 글은 만일 내가 자유의지를 부인한다면 나는 딜레마에 빠진다라고 요약될 수 있다. 제임스는 「결정론의 딜레마」에서 자신의 휴머니즘에 관해 최상의 표명을 하고 있다. 글이 대단히 비옥하다든지 또는 통찰력으로 가득 차 있다는 말은 바로 이 글을 두고 하는 말일 것이다.

「도덕철학자와 도덕적 삶」은 우리가 자유의지를 믿는다면 그 자유를 어떻게 사용해야 하는가를 다루고 있다. 다시 말하면 제임스는 행위의 어떤 목적들이 선하고 어떤 것들이 악한가를 묻고 있다. 예상되는 바와 같이 이 글은 제임스의 다른 글들과 마찬가지로 독자로 하여금 미로를 헤매게 만든다. 길고 복잡하지만 그 주요 주장은 옳음과 그름, 선과 악 같은 용어들은 인간 본성의 사실들을 떠나서는 무의미하다는 것이다. 자연에는 도덕과 같은 것은 없다. 왜냐하면 도덕이 있기 위해서는 인간이 있어야 하기 때문이다.

그는 아주 민감할 정도의 사회적 양심을 가졌지만, 이것을 구체적 문제에 적용시키는 데 한정한다. 즉 사회적, 도덕적 가치의 체계적 질서를 구축하는 데에는 관심이 없었다. 극단적 경험주의자로서 제임스는 도덕의 절대적 기준을 믿지 않았지만 도덕적 의무에 대해서는 결코 의심하지 않았다. 인간의 삶에서 도덕적으로 옳은 것과 그른 것의 구분이 없다면, 이 세계는 무의미할 뿐 아니라 혼란 그 자체가 될 것이다. 도덕적으로 참인 행위와 거짓인 행위를 구별하는 기준은 경험에서 도출된다. 선은 욕구를 만족시키는 것이다. 사물은 그것이 선하기 때문에 욕구되지 않고 욕구되기 때문에 선하다. 즉 어떤 대상도 그 자체로 가치를 갖고 있지 않고, 욕구될 때 가치를 갖는다.

개개인의 욕망을 모두 만족시킨다는 것은 불가능하다. 그러므로 윤리적 문제는 어떤 것을 만족시켜야 할 것인가로 구성된다. 같은 맥락에서 제임스는 결정론이 거짓이라는 증거가 있어서가 아니라 도덕적 경험을 의미 있게 만들지 않기 때문에 그 교의를 거부한다. 결정론의 세계에서는 모든 것이 이미 결정되어 있기 때문에 의무감, 후회감과 같은 것은 설 자리가 없다. 제임스에 의하면 이런 입장은 우리가 상식적으로 인정하고 있는 엄연한 사실을 부정하기 때문에 받아들일 수 없다.

「믿으려는 의지」에서 제임스는 증거가 불충분할 때라도 종교적인 문제에서 믿으려는 태도를 가질 우리의 권리를 옹호하고자 한다. 이 글은 아마도 그의 저술 중 가장 잘 알려지고 가장 널리 읽힌 글일 것이다. 제임스는 진리를 인식할 때 우리의 의지가 우리의 지성을 도와주거나 방해할 수 있는가라고 묻는다. 그의 물음은 순수하게 논리적 지성으로는 받아들일 수 없는 어떤 것을 믿을 권리에 관한 것이다. 예컨대 신의 존재를 믿을 증거가 불충분할 때, 즉 논리적으로는 신의 존재를 증명할 수 없을 때일지라도, 우리가 신의 존재를 믿을 권리를 가질 수 있는가라는 물음에 제임스는 긍정적으로 답한다.

이 글은 19세기 후반 진화론을 앞세운 과학적 세계관의 대두로 종교적 의식이 한 구석으로 밀려나던 시기에 발표되었다. 불충분한 증거로 믿을 권리, 믿으려는 의지를 행사할 권리는 과학의 이름으로 말하는 당시의 철학자들에 의해서 거부되고 강하게 비판받았다. 이들은 증거가 불충분할 때 믿는 것은 인간의 의무가 아니라고 주장하였다. 그러나 제임스에 의하면 권리와 의무에 관한 물음은 과학이 아니라 윤리에 관한 것이어서 이들의 비판은 초점을 벗어나 있다. 윤리적인 물음으로서 믿을 권리에 관한 물음은 자연이 아니라 인간 본성의 사실들에 비추어 결정되어야 한다. 믿으려는 의지가 권리와 의무에 관한 개념에 대답해야 한다면, 거기에 과학은 거부권을 행사할 수 없다. 그리하여 제임스는 증거가 불충분할 때도 종교적 문제에서 믿으려는 태도를 채택할 권리가 있다는 주장을 옹호하는 이유들을 제공한다. 그는 문제를 인간의 본성이라는 용어에 의해서 특징 지워지는 영역 내에 붙잡아두면서, 지성보다는 가슴을 움직이는 감성에 호소하는 방식을 택한다.

「종교적 경험의 다양성의 결론들」은 믿을 권리에 관한 제임스의 방어라는 데서 같은 선상에 있다. 그런 권리를 인정할 때, 제임스는 자신의 입장을 기술하기 위해서 "단편적 초자연주의(piece-meal supernaturalism)"라는 용어를 제안한다. 제임스의 신학에서 특징적인 요소는 유한한 또는 제한적 신의 관념이다. 제임스의 종교관은 『믿으려는 의지』에 기본적 성격이 나타나 있고, 『종교적 경험의 다양성』에서 본격적으로 전개된다. 그는 여기에서 신, 자유, 불멸성을 옹호하기 위해서 믿음에 의한 정당화를 이야기한다. 그에 의하면 신은 인간의 삶에서 경험되는 가장 숭고하고 최선인 것과 다름없다. 종교는 결국 다양하게 표현되는 개인적 가치의 문제, 즉 가장 가치가 있다고 생각하는 것이 무엇이든 그것에 대한 헌신과 충성의 문제이다. 최선을 다함으로써 인간은 우주의 가장 깊숙한 실재에 의해서 도움을 받는다고 믿는다. 신에 대한 믿음은 인간의 삶을 바꾼다. 신을 믿는 사람은 자신이 어떤 구원의 경험이 흘러 들어오는 보다 넓은 자아와 계속적이라고 생각한다.(W2: VRE 770) 이것은 휴머니즘의 약화가 아니고 지속이라고 할 수 있다. 전지전능한 신이라면 인간의 자유의지에 영속적인 위협이 되고 인간적 기준에 의해서 세계에 있는 모든 악에 대하여 개인적으로 책임을 질 것이다. 마지막 분석에서 신에 대한 믿음을 위하여 제임스가 제시하는 이유들은 인간성의 사실로부터 펼쳐진다.

「실용주의의 의미」, 「실용주의의 진리관」은 제임스의 저술 중 가장 널리 알려져 있는 『실용주의』의 핵심을 보여준다. 위에서 간단하게 기술한 것처럼 제임스는 철학적 신념들은 인간성의 사실들과 부합하여야 한다는 입장에 관한 총체적 옹호를 시도한다. 제임스는 후에 「철학적 개념들과 실질적 결과들(Philosophical Conceptions and Practical Results)」이라는 글을 통하여 그의 주장을 정교화하였다. 그의 주장은 철학적 개념들의 유지가능성은 그 실질적 결과에 의거하여 결정되어야 한다는 것이다. 이것은 합리성의 감상에 관한 그의 초기 글이 보여주는 휴머니즘의 정신을 보존하는 것이다.

제임스의 『실용주의』는 진리가 무엇인가라는 물음을 다루고 있으며 인간 중심적인 선을 따라서 답을 제공한다. 물음은 어떤 신념이 참인가가 아니고 신념이 참이라고 말할 때 우리는 신념에 관하여 무엇을 말하는가이다. 제임스는 인간성에 의하여 그 물음에 대답하고자 한다. 통상적인 답은 신념과 그 대상 간의 일치의 관념에 의해서 이루어진다. 그러나 진리를 모사에 의해서 설명하는 것은 의식이 일종의 흐름이라는 관점에서는 수용할 수 없다. 즉 실재의 모사는 정지되어 있는 실재가 있다는 것을 가정해야 하는데, 의식이 흐름이라면 그런 것이 불가능하기 때문이다. 우리의 정신이 보고 느끼는 것은 하나의 계속적인 과정일 따름이다.

전통적 대응설에 의하면 "실재와의 일치"는 사실과의 대응을 의미한다. "사실들"은 일반적으로 실제적인 것 또는 가정적 사건 또는 사태로 생각된다. "대응"은 신념자의 관념이 그것이 지시하는 사실을 모사하고 복사하는 것을 의미한다. 이 이론이 시사하는 바는 사실들은 그것들에 관하여 만들어지는 어떤 판단과도 독립적으로, 객관적으로 획득된다는 것이다. 정합설은 명제의 진리는 독립적으로 존재하는 사실들과의 관계에 의해서가 아니라 다른 명제들과의 관계에 의해서 판단된다고 주장한다. 제임스는 둘 다 부정한다. 그 이유는 두 이론 모두 진리가 사물들에 앞서 존재한다고 가정하기 때문이다.

제임스는 자신의 실용주의 또는 철학을 명시적으로 휴머니즘이라고 하지는 않지만 그의 철학하는 정신의 기반은 휴머니즘이다. 「실용주의와 휴머니즘」은 제임스의 인간 중심적 사유를 요약해서 보여준다. 제임스는 자신의 철학을 휴머니스트적인 용어로 구축하지만 그런 세계관이 주관주의 또는 상대주의적 난점들을 포함할 수 있다는 것을 잘 알고 있다. 물론 객관적 관점, 세계관을 지향하지 않는 철학은 없을 것이다. 또한 제임스는 실재, 진리, 또는 가치와 같은 관념에 대한 이해를 궁극적으로 욕망이나 목적에 의존하면 객관적 관점을 위한 여지가 남지 않는다는 것을 알고 있다. 그런데도 그가 인간 중심적 사유를 고집하는 이유는 자아를 떠나서 경험이나 사유에 관하여 말하는 것은 의미가 없다고 생각하기 때문이다. 인간과 관련된 모든 것에서 인간적 요소를 제거하는 것이 불가능하다는 입장을 휴머니즘이라고 한다면, 제임스의 실용주의 철학은 그 인식론의 경계와 상관없이 휴머니즘의 철학이다. 그는 진리는 인간의 산물, 즉 인간이 만든 어떤 것이라는 견해를 반복해서 천명한다. 인간에 관한 이론과 경험의 본성에 관한 그의 이해는 그의 휴머니즘의 기반이라고 할 수 있다.

마지막으로 수록되어 있는 「두 영국인 비판자」는 제임스가 실용주의를 가장 신랄하게 비판한 러셀과 무어에게 어떻게 응답하는가를 보여주는 글이다.

3

1870년대 보스턴에서 다양한 학문적 배경을 가진 젊은 지식인들이 "형이상학 클럽"이라는 반어적인 이름을 걸고 정기적으로 모임을 가졌는데 그 결과로 탄생하게 된 교의가 실용주의이다. 이 모임에서 주고받은 여러 가지 의견이 실용주의를 탄생시키는 밑거름이 된 것이다. 이 모임에 참여한 사람들은 당시 미국 뉴잉글랜드 지역의 지식사회에 풍미하고 있던 불가지론과 같은 회의주의에 냉소적이었다. 퍼스는 여기에서 논의된 것들을 정리하여 『실용주의』라는 제목으로 발표하였고, 그것이 바로 실용주의의 출발이 되었다. 자생적 철학을 갖지 못하고 있던 미국의 지식인들에게 실용주의는 신선한 충격으로 다가왔고, 많은 철학자들이 실용주의라는 이름 아래 각각 자신들의 생각을 발표하였다. 실용주의가 태동하던 시기에 10여 개의 서로 다른 실용주의들이 발표되었고, 제임스는 이런 혼란스러움을 정리한 철학자라고 할 수 있다. 그런데 실용주의의 원조인 퍼스가 당초에 의도한 바는 제임스의 생각과 다소 차이가 있었다. 퍼스는 실용주의를 의미론에 국한하였는데 제임스는 이를 진리론으로 확장하였고 당시 실용주의자들은 대부분 이를 수용하였다. 퍼스는 자신의 실용주의에 프래그머티시즘(pragmaticism)이라는 "추한" 이름을 붙여서 차별화하려고 하였다. 그가 이런 이상한 용어를 사용한 까닭은 이름이 너무 추해서 아무도 더 이상 유괴하지 않으리라는 냉소를 표명하기 위해서였다. 물론 퍼스가 제도권(대학) 내에 있었다면 실용주의의 역사는 달라졌을지도 모른다. 그러나 오늘날 실용주의는 제임스의 의도대로 대개 의미와 진리에 관한 교의로 이해된다. 퍼스와 제임스의 갈등이 어떤 것이건 간에 반관념론으로서 실용주의는 새로움을 갈구하던 당시의 지적 정서와 경험주의적 사유의 극치라고 할 수 있는 진화론의 등장에 힘입어 미국의 지성계가 크게 주목하는 교의가 되었다. 그 이후 실용주의는 20세기 중반까지 마치 미국의 공식 철학 같은 위치를 누렸다.[05]

고전 실용주의의 창시자들은 모두 자신들의 교의가 철학사에서 획기적인 사건이 되리라고 확신하였다. 제임스는 『실용주의』에 "오래된 사유 방식을 위한 새로운 이름"이라는 부제를 붙여서 실용주의가 어떤 특별한 교의가 아니고 전통적으로 철학에 이미 있어왔던 경

05 Richard Rorty, *Objectivity, Relativism, and Truth*, Cambridge, Cambridge U., 1993.

향들을 상기시키는 것이라고 겸손하게 말하고 있다. 그에 따르면, 실용주의는 소크라테스를 위시하여 많은 철학자들이 이미 사용한 방법이다. 그러나 이들은 그 방법을 단지 단편적으로만 사용하였기 때문에 이제 자신이 이전의 사유 방식을 일반화하는 특별한 사명을 지고 있다고 말한다. 그는 이 작업이 종교개혁과 유사한 어떤 것이 되리라고 믿었다. 즉 그는 실용주의가 철학에서 하나의 혁명이기 때문에 철학의 중력 중심이 그 위치를 바꿀 것이라고 믿었다.(W2: P 540)

퍼스가 예외적이긴 하지만 제임스, 듀이와 같은 고전 실용주의자들은 전통적 철학의 방식, 즉 개념 정의를 중심으로 철학적 체계를 구축하는 방식을 원용하지 않는다. 그 이유는 제임스가 철학이나 실용주의를 정의하는 것보다 실용주의를 하는 것에 관심이 있었기 때문이다. 제임스는 실용주의뿐 아니라 철학을 비롯한 다른 주요 개념들에 대해서도 명확한 정의를 내리지 않았다. 당연히 그의 주장들은 체계가 없고 난삽하게 보인다. 수필의 형식을 빌려 자신의 철학적 입장을 피력하였다는 점에서 제임스는 니체나 듀이와 유사하다. 제임스에게 철학은 체계화와 추상이 아니라 대화와 체계화의 행위, 즉 이야기이다. 그래서 비논리성, 비체계성과 같은 취약한 부분이 쉽게 드러나지만, 그는 오히려 논리를 극복해야 할 걸림돌 정도로 생각하였다.

심리학도로서 학문적 여정을 시작한 제임스가 추상적 논의가 아니라 구체적인 예들을 가지고 자신의 주장을 펴는 것은 일견 자연스러워 보인다. 그러나 그의 원고들은 문학적이라고 해도 될 만큼 자유분방하다. 그의 학문적 이력이 말해주듯이 심리학, 생물학, 신학, 종교학, 철학 등이 구별 없이 뒤섞여 있어서, 신학이 어디에서 끝나고 언제 철학적 논의가 시작되는지, 심리학과 철학이 도대체 경계가 어디인지 분간하기 쉽지 않다. 그렇다고 해도 그의 글들은 두서없이 다루어온 주제들에 대한 이런저런 주장들이 아니라 분명히 하나의 일관된 입장을 견지하고 있다. 그는 이 다양한 영역들을 경험이라는 개념으로 느슨하게 연결시켜서 삶의 일상적인 사실들이 무미건조하게 흘러가지 않고 의미 있게 수용될 수 있는 전망을 구축하려고 한다.

제임스가 주장하는 것처럼 실용주의는 방법론이고 진리론이다. 양자가 어떻게 함께 갈 수 있는가는 물론 논란의 대상이다. 그러나 제임스가 전통적 철학이 묵시적으로 수용해온 입장과 근본적으로 다른 점은 진리를 정지되어 있는 것이 아니고 인간이 자신의 실제 삶 속에서 스스로 만드는 것으로 본다는 것이다. 전통적으로 철학자들은 진리를 무시간적인 양상 속에서 고려하는 경향을 보여왔는데 이것은 진리의 테스트를 실천(practice)에서 확인하는 실용주의자들에게는 너무나 비현실적인 것이다. 실용주의자들에게 철학이 관념들의 집합이 아니고 실천적이라면, 실천은 비환원적으로 목적지향적일 수밖에 없다. 실용주의자들이 줄기차게 전달하고자 한 메시지는 현실적으로 있지도 않은 가상적 인간을 설정해놓고 거기에 매달리지 말라는 것이다. 인간은 끊임없이 목적을 추구하고 관심을 만족시키려고 노력하는 동물이다. 반성적 사유가 생기는 까닭은 바로 이런 인간의 성향 때문이다. 즉 인간이 노력 없이 목적을 성취할 수 있다면, 반성적 사유는 필요 없을 것이다. 우리는 다양한 이해관계들을 충족시키기 위하여 사유해야 하므로 사유는 실질적 또는 도구적 가치를 가진다. 한마디로 철학을 실용주의적으로 한다는 것은 목적을 진지하게 다룬다는 것을 의미한다. 물론 목적을 달성하기 위하여 원용되는 사유 방식은 다양하고 필연적으로 충돌할 수밖에 없지만, 그런 사유의 충돌이 철학의 땅을 비옥하게 만들어온 것이다.

실용주의는 이런 지적 충돌에 대한 중재 또는 해결책을 제시한다. 제임스에 의하면 실용주의는 현실 세계에 있는 다양한 사실감을 훼손하지 않고 합리주의의 종교적 가치를 구제할 수 있는 교의이다. 즉 실용주의는 "합리주의처럼 종교적으로 남을 수 있지만, 동시에 경험주의처럼 사실과의 가장 풍요로운 밀접함을 유지할 수 있다."(W2: P 500-501) 제임스는 실용주의가 어떻게 고집불통의 경험주의자와 구름 잡는 합리주의자를 중재할 수 있는가를 보여주고자 한다. 방법으로서 실용주의는 경쟁적인 주장들이 어떤 실질적 결과를 초래하는가를 고려함으로써 형이상학적 다툼을 해결한다. 진리론으로서 실용주의는 관념들은 만족스러운 한 참이라고 주장한다. 만족스럽기 위하여 관념들은 다른 관념들과 일관성이 있고, 사실들과 비교될 수 있고, 경험적으로 테스트될 수 있어야 한다. 또한 그 기능은 철학적 추상으로부터의 회복이고, 인간의 삶에 관한 구체적 사실들을 해결하는 방법을 제시하는 것이다. 이때 개개인의 지성은 구체적 목적을 달성하기 위한 도구이다. 제임스는 자신의 철학의 모든 국면을 통해서 이 교의들을 일관되게 유지한다.

이런 점에서 본다면, 실용주의는 오래된 사유가 아니라 오히려 철학사에서 하나의 커다란 전환점이라고 할 수 있을 것이다. 즉 관념론이 19세기 후반 그 힘을 소진하여 더 이상 돌파구를 찾지 못했을 때, 그 대안으로서 등장한 것이다. 추상적이고 선천적 논증이 더 이상 철학적 사유를 운반하지 못하고 있는 상황에서 경험주의적 사유가 과학을 대동하여 그 빈 공간에 들어선 것이다. 그리고 그런 움직임의 선두에 러셀, 무어, 실용주의자들이 있었고 나중에 논리실증주의자들이 합류하였다. 물론 이들의 철학적 입장은 달랐지만 관념론에 대한 거부라는 관점에서 같은 배에 타고 있었던 셈이다.

당시 유럽의 철학자들은 대체로 실용주의를 무시하거나 가혹하게 비판하였다. 물론 이런 반응은 일차적으로 제임스의 입장이 어떤 것인지 정확하게 파악할 수 없다는 데서 비롯되고, 구체적으로는 실용주의의 진리 교의가 문제였다. 이들은 제임스의 진리론을 자신들의 입맛대로 재단하여 조롱하였다. 러셀은 실용주의를 미국 상업주의의 설익은 표현이라고 폄하하였고, 야스퍼스와 같은 철학자는 실용주의를 싸구려 낙관주의라고 비판하였다.[06] 한마디로 그들에게 실용주의는 진지하게 연구할 만한 가치가 있는 세계관(Weltanschauung)의 철학이 아니었다. 그렇게 된 또 다른 이유는 제임스의 글에 전문적 철학과 대중적 담화가 뒤섞여 있어서 고도의 추상적 세계에 머물러 있는 이른바 전문 철학자들에게 실용주의는 아마추어적 발상 정도로만 보였다는 데 있다.

실용주의가 세계관을 천명하는 교의가 아닌 탓도 있지만 실용주의에 대한 비판은 대체로 단편적이다. 예컨대 실용주의가 천박한 상업주의의 표명이라는 비판, 즉 "발명가, 금융가, 광고주, 성공적인 활

06 John Dewey, *Characters and Events*, NY, Henry Holt, 1929, 543쪽. Karl Jaspers, *Man in the Modern Age*, NY, Doubleday, 1957, 176쪽 참조.

동가는 일반적으로 실용주의에서 세계에 관한 그들의 본능적인 관점의 표현을 발견할 수 있다"[07]는 비판도 실용주의의 대중적 측면만을 지나치게 부풀리는 것이다. 제임스는 실용주의가 "특징적으로 미국적 운동, 본능적으로 이론을 싫어하고 현금이 즉각적으로 되돌아오기를 원하는 시정배에게 훌륭하게 어울리는 일종의 꼬리를 짧게 짜른 사유 체계로서 통상 기술된다"(W2: MT 184)는 것을 잘 알고 있었다. 이런 식의 비판에 대하여 실용주의자들은 비슷한 방식으로 격렬하게 반응하였다. 실용주의를 철학의 혁명이라고 생각하는 제임스에게 이들은 화석화된 철학에 매달려 있는 낙오자일 뿐이었다. 즉 그들은 시대가 바뀌고 새로운 사실들이 발견되어 지적 환경이 급속하게 변화하고 있는데도 옛날의 영광이 아직도 유효하다고 착각하고 있는 사람들이었다. 듀이는 이들의 실용주의 비하를 조롱으로 응답하였다. 러셀의 비판은 "영국의 신실재론이 영국인의 귀족적 속물근성의 반영이고, 프랑스인의 이원론적 사유 경향은 본처 이외에 첩을 두고 싶어 한다고 추정되는 프랑스적 성향의 표현이며, 독일 관념론은 맥주와 소시지를 베토벤과 바그너의 정신적 가치와 고차원적으로 종합하려고 하는 능력의 표명"이라고 말하는 것과 다를 바 없다는 것이다.[08] 실용주의자들이 비판을 어떻게 받아들이건 간에 실용주의가 언제나 사회적 맥락에서 고려된다는 것은 부인할 수 없고, 그 원인 제공은 제임스의 비옥한 언어 그리고 그의 진리 교의를 둘러싼 불확실

07 Bertrand Russell, *Philosophical Essays*, London, George Allen & Unwin, 1976, 108쪽.

08 John Dewey, 앞의 책, 543쪽.

성, 개인의 의지에 대한 흔들리지 않는 신념 등에 있다. 이런 요소들을 합쳐서 해석할 때, 제임스의 실용주의는 자칫 힘의 철학으로 비판받을 소지가 충분히 있다.

1978년 로티의 『철학과 자연의 거울(Philosophy and the Mirror of Nature)』이 출간되는 것을 계기로 실용주의는 "철학의 종언"을 외치는 포스트 모던적 경향을 타고 신실용주의라는 새로운 옷을 입고 전면에 등장하였다. 물론 퍼트넘(Putnam), 데이비드슨(Davidson)과 같은 미국의 주도적 철학자들이 어떤 식으로든 실용주의와 연결되어 있고 다수의 분석철학자들도 묵시적으로 실용주의 정신을 수용하는 편이었지만, 제임스는 철학의 광장에서 결코 사라진 적이 없었다. 미국 철학사에 이름을 올린 철학자들 중에서 제임스만큼 많이 인구에 회자된 사람은 없다고 해도 과언이 아니다. 제임스 이후 등장한 다양한 철학들이 자신들의 뿌리를 제임스에게서 찾으려고 하였다는 사실은 그의 철학이 가지고 있는 다산성을 말해 준다.

역설적으로 제임스 철학의 비옥함은 제임스를 자의적인 해석의 희생이 되도록 만들고 있기도 하다. 즉 자신들의 악대 차에 제임스를 태워서 철학적 주장을 강화하고 정당화하려는 추종자들의 다양한 해석이 혼란을 가중시키고 있는 것이다. 현상학자들은 제임스를 후설에서 그리 멀지 않은 자신들의 영웅 중 한 사람으로 간주하고, 화이트헤드 추종자들은 제임스가 과정철학자이지만 유감스럽게도 화이트헤드의 정교함과 체계성을 결여하고 있다고 생각한다. 실존주의자들은 그를 자신들의 철학적 동반자로 또는 미국적 풍토가 낳을 수 있는 가장 실존주의적인 철학자로 간주한다. 다수의 분석철학자들은 제임스를 전통적 철학의 마구간을 치워버리고자 한 강한 기질의 검증주의자로 평가한다. 기능주의적 기질의 유물론자들은 자신들의 접근이 제임스의 『심리학의 원리』에 그 뿌리를 두고 있다고 주장한다. 또한 제임스는 철학이라는 작업을 치워버리려고 한 해체주의자로까지 묘사된다.[09] 이런 현상을 한마디로 "제임스의 신화" 또는 "실용주의의 신화"라고 부르기도 한다.[10] 물론 『실용주의』가 지난 백 년간 이 신화의 일차적인 원천이었음은 말할 나위도 없고, 앞으로도 그의 진솔한 삶의 이야기는 이 신화를 지속시킬 것이다.

09 Richard Gale, *The Divided Self of William James*, Cambridge, Cambridge U. 1999, 20쪽.

10 James Edie, *William James and Phenomenology*, Indianapolis, Indiana U. 1987, 65쪽 이하.

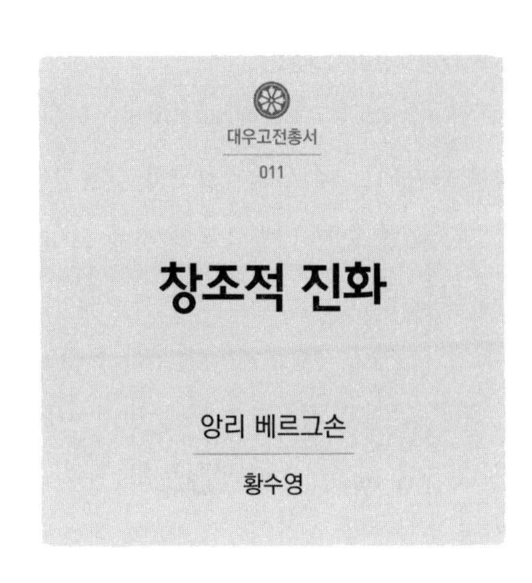

1. 베르그손의 생애 소략

앙리 베르그손(Bergson)은 1859년 10월 18일 파리에서 폴란드계 유대인 아버지와 영국인 어머니 사이에서 태어났다. 어릴 때부터 뛰어난 학생이었으며 고등학교(Lycée) 때는 고전에서부터 수학까지 각종 상을 모두 휩쓸었다고 한다. 그 당시 그가 푼 수학의 난제 하나는 그 해의 수학 연감에 실리기도 했다. 19세에 프랑스 지성의 산실인 고등사범학교에 입학하여 스펜서의 진화론 철학에 몰두했다. 그는 주로 과학과 과학철학에 몰두했다. 22세에 교수자격 시험에 합격하고 앙제와 클레르몽-페랑의 고등학교에서 각각 2년과 5년 동안 철학을 가르친 후 파리-소르본느 대학에서 철학박사학위를 받았다. '지속'이라는 용어로 대표되는 베르그손 철학의 결정적인 영감은 클레르몽-페랑에서 재직하던 중에 떠올랐고 이것은 그의 박사학위이자 첫 저서 『의식에 직접 주어진 것들에 관한 시론』(1889)에서 잘 드러나 있다. 그러나 이 책은 그 독창성에도 불구하고 출판 당시 별로 주목받지 못했다. 이후 파리에 정착하여 주로 앙리 4세 고등학교에서 약 10년 간 교사 생활을 하면서 1896년에는 『물질과 기억』이라는 그의 두 번째 저서를 출간했다. 이 책은 심리학에 대한 그의 방대한 양의 지식과 탁월한 분석능력으로 말미암아 출판되자마자 학계의 지대한 관심의 대상이 되었다. 이후 그는 모교인 고등사범학교에서 3년간 교수 생활을 했고 또한 1901년에 〈정신과학과 정치학〉 학술원 회원으로 선출되었으며, 같은 해부터 프랑스 지성인들의 최고의 명예인 콜레주 드 프랑스(Collége de France)의 교수로서 17년 간 가르쳤다. 그 사이에 출판한 『창조적 진화』(1907)는 그 때까지의 베르그손의 전 철학의 집대성이라 할 수 있으며 방대한 규모의 우주론과 형이상학을 선보인 대작이다. 1914년에는 프랑스 한림원의 회원으로 선출되었고, 제1차 세계대전 중에는 프랑스를 대표하는 외교사절로서 미국의 윌슨 대통령을 방문하여 미국의 전쟁 참여에 결정적인 역할을 했다고 한다. 1921년에는 콜레주 드 프랑스의 교수직을 그만두고 그 다음해에 국제연합의 전신인 국제연맹의 국제협력위원회(유네스코의 전신) 의장에 선출되어 1925년까지 퀴리부인, 아인슈타인과 함께 국제 평화유지를 위한 외교적 노력에 가담했다. 이 해부터 류머티즘의 발병으로 고통받으면서도 1932년까지 마지막 저서 『도덕과 종교의 두 원천』의 집필에 온 힘을 기울였다. 1928년에는 노벨문학상을 받았으며 1941년 제2차 세계대전 기간에 파리에서 사망한다.

2. 『창조적 진화』의 배경과 의의

베르그손의 철학을 대중에게 알린 저서를 꼽는다면 『창조적 진화』를 빼놓을 수 없을 것이다. 이 책은 베르그손 자신을 국제적 철학자로 만든 동시에 데카르트 이후 서양철학의 무대를 프랑스로 되돌려 놓은 책이기도 하다. 이러한 평가는 그의 철학에서 단지 학문적 관심만이 아니라 한 시대의 문화 전반에 미친 영향을 고려할 때 더욱 적절한 것이다. 실제로 1900년부터 1924년까지 파리의 콜레주 드 프랑스에서 행해진 베르그손의 강의는 전문 학자에서 일반 대중까지 온갖 분야의 사람들을 대상으로 폭발적인 인기를 얻었는데, 이는 1907년 『창조적 진화』의 출간 이후 그 정도를 더해 갔다. 베르그손의 강의를 듣기 위해 전국 각지에서뿐만 아니라 외국에서조차 어려운 걸음을 한 일화가 전해지고 있으니, 한 개인의 일생에서는 말할 것도 없고 한 시대를 고려해 보아도 사반세기라는 긴 시간 동안 하나의 일관된 사상이 대중에게 이처럼 강렬하게 그리고 지속적으로 호소력을 가진 경우는 드물다. 철학이 학문적 순수함을 훼손하지 않고도 대중과의 소통가능성을 보여준 일종의 문화적 사건이라 하지 않을 수 없다.

그러나 이러한 문화사적 배경은 본서의 학문적 깊이를 왜곡하는 것으로 작용하기도 했다. 대중적 명성을 얻은 『창조적 진화』가 특히 영미의 철학자들에게 오해와 냉소의 대상이 된 것은 잘 알려져 있다. 러셀과 같은 논리철학자가 베르그손의 철학을 비합리주의로 간주한 것이 대표적인 예일 것이다. 이것은 사실상 합리주의의 근원을 베르그손이 비판하는 수학적 지성으로 너무 비좁게 해석한 데서 기인한 부당한 평가라는 것이 오늘날 베르그손 연구가들의 일반적인 견해이다. 그러나 러셀을 비롯한 일부 철학자들은 비합리주의라는 나름대로의 정당한 근거를 가진 학문적 비판을 떠나 조소에 가까운 표현들을 사용하기도 했다. 이것은 논리적이고 합리적임을 자처하는 철학적 풍토의 이면을 보여주는 아이러니라 하지 않을 수 없다. 물론 이러한 평가는 영미학계의 전반적인 것이 아님은 말할 필요가 없다. 영국인 모친의 영향으로 영어와 영국 문화에 익숙한 베르그손은 생전에 영국에서 많은 강연을 했고 그 곳 학자들과 대중들에게도 상당한 환영을 받은 것으로 알려진다. 또한 미국의 실용주의 철학자이자 심리학자인 윌리엄 제임스와는 개인적으로 두터운 친분을 유지했고 오랜 기간 서신교환을 통해 학문적 교류를 다졌다. 『창조적 진화』가 출간되고 많은 사람들이 그 책의 새로움에 감명받았을 때도 윌리엄 제임스만큼 공개적으로 열렬한 지지와 찬사를 보낸 이는 없을 것이다.

학문 외적인 배경을 떠나 『창조적 진화』의 형성에 기여한 당대의 학문적 성과를 언급하고자 하면 우리는 우선 이 책이 인용하는 방대한 양의 과학적 자료들에 놀라지 않을 수 없다. 초반부에서는 진화론을 비롯한 당대 생물학의 주요 저서들이 상세한 인용 및 설명과 더불어 빠짐없이 등장하고, 후반부에서는 역시 동시대의 가장 문제작이

된 물리학 이론들에 대한 심층적인 해석이 등장한다. 역자는 이러한 인용들에 대한 주석을 달면서 그 범위와 깊이에 적잖이 당황할 수밖에 없었음을 고백해야겠다. 이는 17세기 이후 그야말로 새로운 과학의 시대라 불릴 수 있는 19세기 말에서 20세기 초반의 생동하는 시대를 베르그손이 치열한 학자적 문제의식으로 살아냈음을 입증해 주는 것이다. 이렇게 볼 때 본서의 장점은 그것이 단순히 사변적 기초 위에서 형성된 이론이 아니라 물리학, 생물학, 심리학 등 당대의 자연과학적 지식에 충실하면서 과학과 철학의 근본적인 결합을 모색한 데 있다고 할 것이다. 이러한 점으로 미루어 『창조적 진화』가 지닌 학문적 의의를 짐작할 수 있다. 과학주의적 입장이 위세를 떨치고 학문의 다양화, 전문화 현상에 맞추어 철학 내부에서도 세부적 구분이 증가하던 시기에 오히려 철학에 적극적인 역할을 부여하고 있다는 점, 특히 생명이론을 기초로 한 인식론과 형이상학이 과학과 철학의 매개역할을 할 것을 주장하는 점은 이 책의 근본 태도를 이루고 있다. 이 태도는 사실상 베르그손 이후 프랑스 철학의 방향을 결정하게 된다. 그것은 캉길렘 등 생물학적 인식론을 개진하는 철학자들에게 전달된 직접적 영향 이외에도 프랑스의 학문 풍토가 학문 상호 간에 철학을 매개로 한 적극적 소통을 권장하고 학제적 연구 풍토를 조성해왔다는 점에서 그러하다. 좀 지난 시기에 같은 대륙의 다른 쪽에서는 물리학을 모범으로 하는 자연과학의 총체 이외에 "말할 수 없는 것에 대해서는 침묵을 지켜야 한다"는 비트겐슈타인의 입장을 필두로 철학의 역할을 과학의 메타적인 것으로 규정하여 적극적인 발언 기회를 봉쇄하려는 움직임이 일던 것과는 대조적이라 하겠다.

이 책은 과학적 자료들의 치밀한 검토와는 달리 철학적 저서들의 인용은 그다지 눈에 띄지 않는다는 점에서 특이하다. 사실 이는 베르그손의 다른 저서들에서도 공통적으로 나타나는 특징이며 베르그손의 철학하는 스타일과 관련이 있다고 할 수 있다. 그의 철학은 기존의 논의의 틀 위에서 문제들을 해결하기보다는 새로운 문제상황에 마주하여 독창적인 방식으로 문제를 정립하는 가운데 형성된다. 이 때문에 당시의 연구가들은 베르그손의 철학에 대해 '새로운'이라는 말을 아끼지 않았다. 물론 베르그손이 이 책에서 직접 언급하지는 않고 있으나 그의 철학의 형성에 영향을 미친 프랑스 내부의 학문적 조류들이 존재한다. 프랑스에서는 18세기부터 린네(Linné)의 분류학, 뷔퐁(Buffon)의 자연사, 슈탈(Stahl), 비샤(Bichat) 등의 생리학과 같은 생물학의 전신을 이루는 다양한 분야들이 학문 영역 안에 확고히 자리를 잡으면서 철학적 사유에 영향을 주고 그로 인해 철학 내부에서 생물학적 현상들에 대한 반성이 사유의 커다란 흐름을 형성하게 된다. 18세기의 생기론 사상이나 멘 드 비랑(Maine de Biran), 라베송(Ravaisson) 등의 유심론 철학은 당대의 생물학적 연구 성과들을 이해하지 않고는 접근할 수 없다. 생물학에 대한 베르그손의 강한 신뢰는 가까이는 생물학의 혁명이라고 부를 수 있는 진화론에 대한 숙고에서 생겨난 것이지만, 좀 더 멀게는 프랑스 철학 내부의 생물학적 전통을 이어받은 것이라고 할 수 있다. 베르그손은 이러한 학문적 배경을 발판으로 그 자신의 독특한 지속의 형이상학을 세웠으며 그 독보적인 성과가 『창조적 진화』인 셈이다.

내용으로 들어가 보면 이 책은 제목에서 볼 수 있듯이 '창조'와

'진화'라는 모순적 개념을 화해시킨다. 그러나 여기서 창조라는 말은 기독교에서 말하는 무로부터의 창조가 아니라 연속적 변화 속의 질적 비약을 의미하는 것으로 종교적 전통과의 연관성이나 대립을 말하게 되면 이 책의 핵심을 빗나가는 것이다. 베르그손은 생명 진화의 역사를 추적하면서 인간의 삶과 세계의 진행에 있어서 결정론을 부정하고 자유의 존재성을 확보하려 한다. 인간 의식의 탐구를 독특한 방식으로 시도한 그의 첫 저서 『의식에 직접 주어진 것들에 관한 시론』은 지속이라는 특이한 존재방식을 발견하는데, 이것은 『물질과 기억』에서는 기억으로 그리고 『창조적 진화』에 이르러서는 창조로서 차례로 새로운 의미를 부각시킨다. 철학의 역사에서 창조의 개념을 이처럼 심화시키고 풍부하게 묘사한 경우는 드물다. 베르그손이 지적한 대로 인식론적 관심으로 팽배한 철학은 지성의 기능과 역할을 주어진 것으로 전제하기 때문에 인간과 생명의 근본에 있는 창조적 본성을 이해하기 어렵기 때문일 것이다. 지속, 기억, 창조는 연속적 변화 속의 질적 비약을 의미하는 동일한 존재방식의 다른 이름들에 지나지 않는다. 베르그손은 의식상태의 흐름, 기억의 여러 현상들 그리고 생명의 진화를 한 가지 존재론적 관심으로 일관되게 연구하고 있으며 각각의 경우에서 지속이라는 최초의 직관적 발견을 새롭게 조명하고 있다고 할 수 있다. 이런 진행방식은 장켈레비치(Janélévitch)가 지적한 바 있듯이 인위적 구성이 아니라 베르그손 자신의 철학 정신에 따라 창조적으로 진화하는 철학적 여정이다.

르네 베르틀로(Berthlot)는 『창조적 진화』에 관해 '물리학적 소설(Roman physique)'이라고 평한 바 있다. 이 말은 특히 엘랑 비탈에서 시작하는 생명적 운동의 전개를 염두에 두고 이를 이 책의 핵심으로 간주할 경우에는 그 냉소적 뉘앙스에도 불구하고 일리가 있는 표현이다. 그러나 우선 엘랑 비탈의 개념에 대해서는 논란의 여지가 많다. 그것이 단순한 메타포인지 아니면 생명을 실체화한 개념인지에 대해 확언하기 어렵기 때문이다. 일단 실체주의를 배격하는 베르그손의 입장에서 생명을 전통적 의미의 실체로 보기는 어렵다. 그러나 약동, 추진력, 노력, 잠재력 등 생명을 묘사하는 다양한 표현들과 그 작용을 볼 때 그것을 단순한 메타포로 보기도 힘들다. 그러나 더 중요한 것은 엘랑 비탈의 개념이 『창조적 진화』의 마지막 말은 아니라는 점이다. 이 책의 3장 말미에 이르러 베르그손은 궁극적으로 운동의 개념을 통해 생명과 물질의 전개과정을 통일적으로 설명하고 있다. 여기서 엘랑 비탈이라는 표현은 더 이상 등장하지 않는다. 그것은 초반부에 물질과 뚜렷이 구분되는 생명의 특성을 제시하기 위해 등장한 일종의 가설이다. 마치 『물질과 기억』이 정신과 신체의 이원론에서 출발함을 명확히 표명하면서도 말미에 가서는 운동의 개념으로 이들을 통일하고 있는 것과 같다. 즉 이원론을 이루는 두 요소들은 언제나 일원론으로 통일되기 위해서 잠정적으로만 첨예하게 구분되고 있는 것이다. 이런 상황을 지시하기 위해 다시 한 번 장켈레비치를 인용하면 그의 유명한 용어, 즉 '이원론적 일원론'이라는 말로 베르그손의 입장을 요약할 수 있을 것이다. 요컨대 생명의 철학으로 알려진 『창조적 진화』의 입장은 더 정확히 표현하면 운동 혹은 흐름, 그의 용어로는 '지속'의 일원론으로 보는 것이 가장 적절하다. 게다가 지속의 일원론은 첫 저서에서는 약간의 망설임이 있기는 했지만 이후에는 그의 전체 저서에서 나타나는 공통된 입장이기도 하다. 이런 점에서 자신의 베르그손 해석에서 엘랑 비탈의 개념을 거의 부각시키지 않은 들뢰즈의 입장이 설득력을 얻는다.

이 책의 스타일을 언급하자면 노벨문학상을 받은 베르그손의 유려한 문체가 유감없이 드러난 것을 장점으로 꼽을 수 있다. 『창조적 진화』는 앞서도 지적했듯이 방대한 양의 과학적 자료들을 소화하고 이루어진 저작인 동시에 자신의 철학적 입장을 확고하게 의식하고 이를 자유자재로 전개시키는 성숙한 철학자의 모습을 보여준다. 『의식에 직접 주어진 것들에 관한 시론』이 젊은 천재의 영감으로 쓰였다면, 『물질과 기억』은 많은 독서와 기나긴 과학적, 형이상학적 탐구의 여정을 거쳐 독창적인 결론에 도달한 어려운 책이다. 『창조적 진화』는 이러한 기본적인 연구들을 토대로 훨씬 풍부하고 성숙한 형태의 철학으로 재창조된 저작이다. 따라서 우리는 이 책이 여전히 방대한 독서를 바탕으로 근본적인 사유의 모험을 시도하고 있음에도 불구하고 거기서 모든 시행착오와 기교를 넘어서 있는 성숙한 작가의 모습을 확인하게 된다. 위에서 보았듯이 '물리학적 소설'이라는 르네 베르틀로의 지적이 타당하다면 오직 이런 점에서일 것이다.

마지막으로 우리는 오늘날의 학문적 상황과 비교해서 『창조적 진화』의 의의를 되새겨 볼 수 있다. 생물학과 생명공학의 비약적 발달 그리고 생태학적 사상의 전개 등으로 생명과 관련된 다양한 주제들이 홍수를 이루고 있는 현실에서 생명의 의미를 우리의 삶과 관련하여 철학적으로 숙고해 보는 일은 필수불가결한 일이 아닐 수 없다. 베르그손 이후에 생물학의 괄목할 만한 발달이 있었으나 이를 인간의 삶과 관련하여 총체적으로 파악할 것을 시도한 철학은 찾아보기 어렵다. 생명과학의 발달이 허무주의적 유물론이나 무분별한 낙관주의 혹은 근거없는 비관론을 유도할 수 있다는 것은 과학 이외의 영역에서는 얼마든지 가능한 일이다. 그것은 과학의 발달에도 불구하고 철학적 난제들이 계속해서 인간의 삶 속에 남아 있기 때문이다. 『창조적 진화』는 이러한 철학적 문제들에 대해 진지하게 숙고할 기회를 우리에게 제공해 준다. 우리는 이 책과 더불어 인간과 생명, 그리고 우주를 연결하는 방대한 사색의 공간에 참여하게 될 것이다.

이 책은 프랑스에서는 이미 고전의 목록에 올라 있어 해마다 그 판매 부수가 기록적으로 증가하고 있다. 이 책의 내용이 고등학교 철학 교과에서 필수로 다루어질 뿐만 아니라 대학입시와 교수 자격시험에까지 거의 빠지지 않는 목록으로 등장하는 것을 보면 프랑스 철학계에 그것이 차지하는 위상을 가늠할 수 있다. 최근에도 베르그손에 관한 심화된 연구는 계속 등장하고 있다. 물론 베르그손의 철학이 '언제나' 현재성(actualité)을 가졌던 것은 아니다. 한 시대를 사로잡는 문제들은 계속 변화한다. 그것은 베르그손 자신이 지적하고 있는 것이다. 그러나 그러한 변화의 핵심을 파악하고 문제를 해결하는 방식에는 또한 전통이 자리잡고 있다. '새로운'이라는 수식어를 꼬리표처럼 달고 있던 베르그손의 철학은 이제 현대철학의 기반을 이루는 전통이자 고전으로 평가되고 있다. 오늘날에도 진행 중인 현대 프랑스 철학의 지적 모험의 배경에는 그것을 이끄는 추진력으로서 베르그손의 철학이 있다는 사실에 아무도 이의를 제기하지 않을 것이다

3. 『창조적 진화』의 내용

이 책의 독창성은 생명 진화의 과정을 고찰하면서 일종의 진화 형이상학을 구성하는 데 있다. 인식론적 관점에서는 지성의 기원과 발생을 추적하는 일의 중요성을 부각시키고 많은 철학적 난제들이 지성을 절대적인 것으로 상정하는 데서 기인함을 보여준다. 1장은 당대 생물학이 가져온 핵심적 성과들을 분석하고 과학주의적 입장, 즉 기계론적 입장으로는 설명이 불충분한 진화론의 문제들을 지적하면서 자신의 철학적 가설을 세운다. 2장에서는 새롭게 제시된 자신의 가설 위에서 진화론을 재해석하고 지성과 본능 그리고 진화의 의미를 드러낸다. 3장에서는 지성과 물질의 상호 발생이라는 진화형이상학적 문제를 지속의 일원론 또는 대립되는 두 가지 운동으로 설명한다. 4장에서는 지성의 근본적 습관과 환상을 밝혀 내고 철학사에서 나타난 난제들을 재검토한다. 이는 베르그손이 다른 논문집에서 발표한 내용들을 재정리한 것이다. 우리는 베르그손의 독창적 사상이 체계화된 1, 2, 3장을 중심으로 이 책의 내용을 소개하기로 한다.

1장 생명 진화에 관하여, 기계론과 목적성

1) 의식 상태의 지속

『창조적 진화』의 1장은 『의식에 직접 주어진 것들에 관한 시론』의 연장선상에서 시작하고 있다. 이 첫 저서에서 베르그손은 의식 사실의 관찰에서 출발한다. 이는 멀리 보면 데카르트의 작업과도 무관하지 않으나 좀 더 가까이는 의식의 구체적 관찰을 중시하는 멘 드비랑, 라베송의 전통을 이어받고 있다. 이들 철학자들은 모두 의식 사실은 내적으로 알려지며 거기서 주관과 객관이 일치한다는 의미에서 특권적 인식이라는 것에 주목한 바 있다. 그런데 베르그손에 있어서 의식 사실의 특이성은 무엇보다도 거기서 존재가 지속, 생성과 동의어라는 데 있다. 의식은 고정된 어떤 것이 아니라 어떤 상태에서 다른 상태들로 끊임없이 옮겨간다. 그런데 이 각각의 상태들 역시 고정된 것이 아니고 변화하는 것이어서 변화는 생각보다 뿌리가 깊다. 이 연속적 변화 속에서 내 의식의 상태는 마치 눈덩이를 굴리는 것처럼 지속의 순간들을 끌어모은다. 이 때문에 한 상태와 그 이후의 상태는 단순 비교될 수가 없으며 뒤따르는 상태는 언제나 앞선 상태를 포함하고 있다.

『물질과 기억』은 의식 상태의 지속이 잇따라 대치되는 순간들이 아니라 기억으로 보존된다는 것을 보여주었다. 현재들의 연속, 즉 동일한 순간들의 연결로서의 의식은 기억 없는 의식이다. 기억 없는 의식은 끊임없이 죽고 다시 태어나는 의식이다. 반대로 살아 있는 의식은 과거가 현재로 연장되며 미래를 향해 부단히 나아가는 연속적 전진이다. 이제 베르그손은 『창조적 진화』에 이르러 의식이 생명진화의 전 역사를 포함한다고 주장한다. “실제로 우리는 무엇이며, 우리의 성격이란 무엇인가? 그것은 우리가 출생 이래로 살아 온 역사를 응축한 것이고, 심지어 출생 이전의 역사를 응축한 것이기도 하다. 왜냐하면 우리는 출생 이전의 성향(disposition)들도 더불어 간직하고 있기 때문이다.” 이 말은 개체적 생명의 기억만이 아니라 생명 전체의 근본적 욕구와 종적 특성까지도 우리의 삶에 반영되어 있다는 것이다. 이처럼 의식 상태 속에서 지속은 부단한 변화, 과거 기억의 보존, 그리고 새로운 질의 창조로 나타난다.

2) 물질과 생명의 지속

물질의 지속에 관해 『시론』에서는 소극적으로 언급되었을 뿐이지만 여기서는 적극적으로 다루어진다. 물질(matière)은 우리에게 그 전체로서 나타나지 않는다. 그것은 우리의 지각과 지성에 의해 공간 속에서 서로 구분되는 물체(corps)들로 인식될 뿐이다. 지성의 공간 표상에 의지할 때 물질의 변화와 운동은 부분들의 위치이동에 불과하다. 이러한 방식으로 운동을 연구하는 물질과학의 역사는 절대공간과 절대시간 속에서 엄격한 인과론적 결정론에 지배되는 우주론을 선보였다. 여기서는 모든 것이 단번에 주어지고 미래는 현재함수로 계산과 예측이 가능하다. 시간은 아무런 작용도 하지 않는다. 그러나 지성적 이해는 물질의 본래적 모습과 거리가 있다. 물질은 시간에 의해 변화하며 과거 상태로 되돌아갈 수 없는 흐름이다. 화학적 변화의 예가 그러하다. 베르그손의 유명한 예를 인용하면 "설탕물을 만들기 위해서는 설탕이 녹기를 기다려야 한다". 이와 같이 물질의 흐름도 심리적 지속과 마찬가지로 시간의 작용을 받는다. 고전역학의 체계는 물질의 기하학적 특성을 극단화한 것이다. 과학적 조작은 물질의 기하학적 특성 위에서 이루어지지만 연구의 편의를 위한 물질계의 특정한 고립화는 인공적이고 불완전하다. 그것은 다른 체계들과 상호 영향 속에 있고 이 영향은 전 우주에까지 확장된다. 즉 "우주는 지속한다". 이 내용은 3장의 말미에 다시 연결된다.

그렇다면 생명체는 어떠한가? 생명체는 물질 법칙의 지배를 받기도 하지만 생명성 자체는 물질을 초월한다. 물체의 자기 동일성은 생명체의 지각에 의존하지만, 생명체는 스스로 자기 동일성을 유지하는 개체(individu)이다. 생명체의 다양한 이질적 부분들이 유기적으로 관계를 맺으며 통일된 전체를 이루고 있는 모습은 논리적 자기 동일성과는 다르다. 물론 생명계에서도 개체와 개체 아닌 것을 구분할 때 어려움이 있다. 특히 생식 현상은 개체성과 모순된다. 생식은 시간적 영속을 향하고 개체성은 공간 속에서의 완벽함을 추구하기 때문이다. 생명은 시간적 존재이므로 공간 속에서는 불완전하며 모든 가능성을 다 실현하기는 불가능하다. 이 점에서 베르그손의 입장을 아리스토텔레스와 비교해 보는 것은 흥미로울 것이다. 베르그손에서 현실화된 것은 언제나 진행 중의 '경향'에 불과하고 완벽한 의미의 현실태는 존재하지 않는다. 의식 상태의 지속과 마찬가지로 생명은 다양한 요소들이 상호 침투하는 연속적 진행 과정이며, 각 개체는 자신의 유전적 성향들을 실현하고 환경과 상호 작용하면서 자연적으로 폐쇄된 체계를 구축하는 경향이 있다. 생명 그 자체는 성체를 수단으로 하여 끝없이 진행하는 연속적 흐름이다.

3) 기계론과 목적론

이제 베르그손은 생명 진화를 설명하는 두 대표적인 입장, 즉 기계론과 목적론을 고찰한다.

기계론은 본래 모든 물질을 수동적으로 보고 운동을 외부의 힘에 의한 충돌 '법칙'으로 설명하는 입장이다. 그런데 기하학적 속성들로 모든 운동을 설명하는 데카르트의 운동학(cinématique)적 기계론이건 물체들 안에 힘(중력)을 설정하고 이를 토대로 물체들 간의 관계를 수학적으로 표시한 뉴턴의 역학적(dynamique) 기계론이건 간에, 기계론은 현상들의 진행, 즉 운동을 수학적 방식으로 이해하려는 체계이다. 여기에 인과론이 필연적으로 결합하는데, 그것은 "같은 것이 같은 것을 낳는다"는 생각에 토대를 둔다. 이것은 모든 것을 이미 알려진 요소로 환원하여 반복가능한 것만을 학적 대상으로 삼는 태도이다. 따라서 지성은 유사한 것을 인식하는 체계, 『물질과 기억』에서 고찰된 바 있는 습관-기억(souvenir-habitude) 체계에 뿌리를 두고 있으며 이를 통해 미래를 예견한다. 지성의 작용은 '형상'들의 동일성이 아니라 유사한 현상들의 항구적 관계를 대상으로 하며, 결국 사건들에 대한 법칙적 설명을 지향한다. 자연과학은 생명 현상에 대해서 역시 이와 같은 태도 위에서 설명한다. 이와 같이 물리화학을 표본으로 하는 생물학에 대하여 베르그손은 핵심적인 문제점을 지적한다. 즉 생물학이 과학으로 성립하기 위해 물리화학적 태도를 받아들이는 것은 불가피한 일이지만 그로부터 생명과 물질의 본성이 같다는 결론은 나오지 않는다는 것이다. 여기에는 과학보다는 철학적 문제의식이 개입되어 있으며, 이런 차원에서 이 문제는 오늘날도 여전히 논란거리로 남아 있는 것이다.

목적론도 역시 전형적인 지성적 사고의 하나이다. 라이프니츠의 '극단적 목적론'(또는 외적인 목적론)에서는 세계의 운행이 하나의 엄밀한 계획을 실현하는 것으로 간주되는데, 이 경우 미래는 목적에 따라 자동으로 실현되는 것이므로 여기에서도 진정한 시간의 작용은 없다. 따라서 베르그손은 목적론을 전도된 기계론이라 부른다. 이는 원인의 자리에 목적을 놓은 것에 불과하기 때문이다. 그러나 이와 같은 극단적 형태의 목적론은 현실적으로 나타나는 부조화와 갈등을 설명하지 못함으로써 난관에 봉착하여 내적 목적론으로 축소된다. 이는 생기론의 입장이고 칸트도 이와 유사한 입장에 있다. 생기론은 개체의 삶을 '생명 원리'라는 독자적 원리에 의해 설명하나 개체의 한계가 명확치 않고 부분들의 자율성이 전체에 종속된다는 점을 생각할 때 외적 목적론에서 자유로울 수 없다. 따라서 베르그손은 목적론에는 본래 외적인 형태 한 가지밖에 존재하지 않으며, 그것은 엄밀한 계획을 실현하는 것이 아니라 생명계 전체가 하나로 연결되어 있음을 의미할 뿐이다. 오직 이러한 의미에서만 베르그손은 목적론을 받아들인다.

베르그손은 극단적인 의미에서 목적론과 기계론은 둘 다 행동의 유형을 반영한 지성의 사고방식이라고 지적한다. 즉 우리 행동은 언제나 목표를 설정하고 이를 실현하기 위해 자극에 안정적으로 대응할 필요가 있다. 유사한 자극에 유사하게 반응하는 행위 체계가 수학적 엄밀성을 띠게 되면 기계론적 태도에 가까워진다. 베르그손에 따르면 우리는 날 때부터 플라톤주의자, 즉 기하학자이다. 그러나 또한 우리가 기하학자인 것은 단지 우리가 장인(artisan)이기 때문이다. 즉 행동의 필요성이 우리를 목적론적으로 그리고 동시에 기계론적으로 사고하게 만든다는 것이다.

4) 진화론의 다양한 입장들과 베르그손의 입장

기계론적 설명에 의하면 진화는 일련의 '적응' 과정으로 이해된다. 다윈주의는 우연적 미소변이들이 축적되어 선택이나 도태의 과정을 거쳐 점진적으로 종을 형성한다고 설명한다. 여기서 적응은 생존에 유리한 변이들을 선택하고 그렇지 않은 것은 제거하는 소극적 의미를 띠고 있다. 반대로 정향진화설에서는 외적 조건들이 유기체 내에 일정한 방향으로 직접 변화를 야기하여 변이들을 초래한다. 여기서 적응은 적극적 의미를 띠고 있다. 이처럼 진화론의 핵심 개념인 적응은 양쪽에서 모호한 의미로 사용된다. 그러나 어떤 입장에서든 적응은 물질의 기계적 과정과 유사한 것으로서만 과학적 가치를 얻는다. 또한 매우 한정된 영역에서만 설명력이 있는 정향진화설을 제외하면 진화의 설명에는 우연변이들이 기계적 과정에 의해 차례로 겹쳐지는 일방적 과정에 지나지 않는다는 다윈주의가 지배적이다. 베르그손은 다윈이 유전될 수 있는 미소변이들을 주장하는 것은 올바른 생각이라고 평가하지만, 그것들의 우연적 발생을 문제시한다. 또한 그것들이 아무리 축적되고 선택의 과정을 거친다고 해도 전체의 구조에 커다란 영향을 주지 않는 미소변이들은 종을 형성하는 특이성을 만들어 낼 수 없음을 지적한다.

베르그손은 한 가지 예를 들어 기계론적 진화론의 부당함을 논증한다. 가령 생물학자들은 조개의 눈과 척추동물의 눈의 구조를 비교하여 그 놀라운 유사성을 지적한 바 있는데, 이는 두 생물이 진화 노선상에서 볼 때 엄청난 거리가 있는 만큼 더욱더 놀라운 현상이다. 베르그손은 이러한 유사성이 나타나는 것은 생명 종들이 동일한 근원을 가지며 이 근원이 하나의 폭발적 힘, 즉 엘랑 비탈(élan vital)인데서 기인한다고 본다. 진화가 진행되면서 상이한 노선에서 유사한 기관들이 출현하는 것은 진화를 이끄는 약동이 근원적으로 동일하기 때문이다. 따라서 진화는 우연적 요소들의 연합과 첨가가 아니라 폭발적 힘의 '분해'와 '분열'에 의한다. 물론 여기에는 무수한 우연들 및 물질적 환경의 작용이 개입한다. 생명계가 보여주는 전체적 조화와 상보성은 생명적 근원의 동일성에 기인하지만 진화에는 어떤 목적도 없으며 그것은 예측이 불가능한 과정이다.

베르그손은 라마르크의 입장을 비판하면서 자신의 진화론을 좀 더 명확히 한다. 라마르크에 의하면 진화는 개체들의 노력에 의해 획득된 형질이 유전됨으로써 일어나는데, 이는 많은 실험에 의해 오류로 드러났다. 그러나 개체적이 아니고 종적인 무의식적 노력을 생각할 수 있다면 이것이 유전적 경향 속에서 실현된다고 할 수도 있을 것이다. 또한 바이스만의 '생식질연계설'에 의하면 생명은 생식세포(배 germe)를 통해 중단없이 전달되는 흐름이다. 바이스만의 이론은 그것이 유전물질을 예고하고 있다는 점에서 탁월한 것으로 평가된다. 베르그손은 이러한 검토를 통해 생명의 단일한 흐름이라는 생각을 발전시켜 그것이 물질 속에 삽입되면서 새로운 유기조직을 만들어 내고 세대를 관통하면서 다양한 경향들로 '분산'된다고 가정한다. 생명적 약동의 진행과정은 이와 같다.

2장 마비, 본능, 지성

1) 엘랑 비탈의 가설

베르그손은 생명 탄생과 진화 과정을 물질적 과정으로만 보는 것을 거부하고 물질과 생명의 차이를 인정하는 데서 시작한다. 생명의 추동력을 상징하는 생명적 도약의 가설은 둘 간의 차이를 극단적으로 밀고 나갈 때 도달할 수 있는 정제된 가설이다. 이 점은 과학과 철학의 차이를 인정하는 그의 입장과도 일관되게 이해할 필요가 있다. 즉 실용주의와 환원주의에 입각한 과학과 최종적인 문제에 대한 해명을 요구하는 철학적 입장의 차이라고 할 수 있다.

실제로 과학은 물질의 분자구조의 복잡성의 증가로 유기조직의 탄생을 설명하고, 복잡한 유기체로의 진화에 대해서는 다윈의 점진적 진화론과 다양한 보조가설들 및 오늘날에는 유전학의 발달로 보완을 시도한다. 반면에 베르그손의 철학은 진화를 사실로 인정하나 광범위한 우연성을 의심하고, '어떻게'보다는 '왜'를 설명하고자 한다. 그에 따르면 생명은 우주 속에서 물질적 운동과 대립하는 운동으로 존재하며 적절한 조건이 갖추어지면 물질의 운동 속에 삽입된다. 베르그손은 생명적 힘의 분출과 물질적 필연성의 대립을 화약의 폭발력과 저항하는 금속으로 이루어진 유탄에 비유한다. 이것은 상호 모순적인 관계로 인해 폭발하고, 그 과정에서 질적 변화를 겪는다. 진화는 이 폭발과 변화가 계속되어 종과 개체들로 분산되는 과정이다.

생물학자들의 가정에 따르면 초보적 유기체의 성장과 분열이 오래 계속되고 분열 과정에서 상호간의 통일성과 연속성을 보존되어 다세포 생물이 생겨난다. 세포들이 독립성과 연속성을 동시에 나타내는 것은 이러한 사실에 기인한다는 것이다. 따라서 생명체는 이질성을 통합하는 힘으로 나타난다. 이는 물질성에 적응하기 위해 생명의 힘을 분산한 결과인 동시에 본래 생명에 내재하는 다양한 잠재태의 현실화 작용이기도 하다. 생명적 힘은 물질에 불확정성을 삽입하는 것이어서 종과 개체들은 비록 안정된 형태를 띤다고 해도 언제나 변화 가능성을 내포한다. 진화는 이러한 변화 가능성이 예측 불가능한 방식으로 전개되는 과정이다. 베르그손은 이를 질적 변화, 창조적 진화라고 부른다. 이 점에서 볼 때 기계론적 해석은 차후적 설명에 불과하다. 『시론』에서 고찰한 자유행위에 대한 결정론적 해석이 이와 유사하다. 따라서 기계론적 해석은 생명계의 역사가 다 쓰인 후에나 가능하겠지만 이는 불합리한 가정이다.

초보적 유기체에서 벗어난 생명은 물질적 저항을 극복하는 정도만큼 고등 생명체로 도약한다. 그러나 종과 개체에 따라 생명의 본래적 특성을 다소간 소유하고 있는데 그것은 이질적 경향들과 이를 종합하는 통일성이다. 세포들의 역할분담 및 사회성의 경향이 이에 해당한다. 생명계 전체의 조화도 여기서 유래한다. 겉보기의 무질서와 불규칙성 및 갈등과 투쟁은 물질성에 직면한 생명적 힘의 불균등한 분배 때문이다. 생명계의 조화는 권리적으로(en droit) 존재하며 사실적으로(en fait) 존재하는 것이 아니다. 이 말은 생명의 기원이 동일하므로 어떤 방식으로든 조화는 있다고 해야 하지만 현실적으로는 다양한 종들 간의 상보성 이외에 전체 생명계의 완벽한 조화는 존재하지 않는다는 것이다.

2) 진화의 다양한 방향들

베르그손은 거시 세계의 의미 해석을 위해 생명계를 식물계와 동물계로 나눈다. 물론 여기서도 두 계를 엄밀히 가르는 수학적인 기준은 없고 두드러진 경향들에 의해 구분할 수 있을 뿐이다. 식물은 자연계에서 직접 광물 원소를 흡수하고 여기서 유기물을 만들어 냄으로써 고착적 삶의 방식을 택하게 된다. 그 결과 식물은 무감각, 무의식으로 특징지어진다. 동물은 다른 생명체를 이용하는 삶의 방식을 택한 결과 감각, 의식의 발달로 특징지어진다. 에너지를 축적하는 기능과 소비하는 기능으로 비교하면 식물보다는 동물이 생명적 폭발의 의미를 더 잘 실현하고 있다. 동물에서 에너지 소비의 촉발 장치는 감각-운동 기능이 조직화된 신경계이다. 신경계의 진보는 비결정성의 증가, 즉 자유도를 나타낸다. 동물 진화의 방향을 보면 크게 네 가지를 구분할 수 있다. 우선 연체동물, 극피동물은 반수면 상태에 빠져 의식의 퇴화와 식물에서 볼 수 있는 것과 같은 마비에 이른다. 반면 절지동물과 척추동물은 본능과 지성의 형태로 만개한다.

3) 본능과 지성

본능과 지성은 둘 다 물질로부터 무언가를 획득하려는 생명적 기능이다. 생명이 식물성과 동물성으로 분기된 것처럼 본능과 지성은 대립적 방향으로 분기되었으나 상보적 특성을 갖는다. 지성은 추리 기능인 동시에 과거 경험을 현재에 이용하는 창의력을 나타낸다. 발명, 제작의 기능은 호모 파베르로서의 인간 본성에 기원을 둔다. 지성적 능력의 핵심은 인위적인 대상들을 제작하고 이를 무한히 변형하는 능력이다. 반면 본능은 유기화 작업의 연장선상에 있다. 유기화는 생명체의 조직을 구성하는 자연의 기본적인 작용이며 본능은 신체의 유기적 도구를 사용하거나 구성하는 능력이다.

작용 방식 면에서 볼 때 본능은 사정거리 안에서 문제를 해결하는 유기적 도구를 소유하므로 필요한 순간에 이를 사용하여 완벽한 결과를 획득한다. 그러나 그것은 고정된 구조 때문에 한정된 대상에만 사용된다. 반면 지성은 자신이 인위적으로 제작한 도구를 임의적 용도에 사용하므로 결과는 불완전하지만 일반적인 용도로 확장할 수 있다. 지성은 부단히 새로운 기능을 창출하고, 이에 따라 활동의 무한한 장이 열린다.

지성의 발달은 의식의 각성을 동반하므로 베르그손은 여기서 의식의 본성을 고찰한다. 표상적 의식은 "가능적 또는 잠재적 행동의 지대에 내재하는 빛"이다. 자동운동에서처럼 실제적 행동이 지배하는 경우 표상적 의식은 나타나지 않지만 가능한 여러 행동들이 실행되지는 않고 표상되기만 하는 경우 의식은 강렬해진다. 즉 의식은 주저나 선택으로 구성된다. 따라서 본능은 무의식에 가깝고 지성은 의식에 가까워진다. 본능적 인식은 행동으로 직접 '작동되고', 지성적 인식은 행동 이전에 '사유되는' 것이다. 즉, 지성과 의식은 행동의 결핍에서 생겨난다. 결핍이라는 문제를 해결하는 과정에서 주저와 선택이 있고 충족된 욕구는 다른 욕구를 무한히 불러일으키며 이 과정에서 인간의 의식은 다른 동물과는 다른 각성의 단계로 올라선다.

인식의 관점에서 볼 때 본능은 행동으로 외재화된 인식이며, 학습되지 않고 특정한 대상에 작용하는 선천적 능력이다. 그것은 정언

명제의 형식으로 나타난다. 반면 지성적 인식은 대상들의 관계, 즉 원인과 결과, 주어와 술어 등의 관계를 세우고 가언명제 속에서 형식화된다. 관계 자체에 대한 인식은 선천적이지만 이것은 고정된 관념으로 주어지는 것이 아니라 진화 과정에서 인간에게 나타난 자연적 경향에 불과하다. 베르그손은 선천주의와 경험주의의 논쟁을 진화적 관점으로 해소한다. 이처럼 지성적 인식은 행동에 상대적이며 순수한 것도 절대적인 것도 아니다.

베르그손은 『시론』의 연장선상에서 지성의 본성을 고찰한다. 지성의 기능은 제작을 목표로 하는데, 제작은 재료들을 부동의 고체로 다룬다. 고체에는 연장 실체가 그러하듯이 상호 외재성, 불연속성, 가분성, 불가침투성이라는 특징들이 있다. 이 특징들은 물질에 대한 우리의 행동 도식을 반영하는 것이다. 제작적 지성은 물질을 조작가능성에 따라 거대한 재료로 생각하고 그 본래적 유동성을 외면한다. 이런 사고방식은 공간이라는 틀 위에서 가능하다. 지성의 본성은 물질을 조작하는 것이므로 물질에 관한 인식에는 커다란 문제에 봉착하지 않으나 생명에 관해서는 문제가 된다. 지성은 생명을 이해할 때도 물질로 환원해서 이해하기 때문이다. 이는 생명을 죽은 것으로 취급하는 경우에만 가능하다. 따라서 지성은 본성적으로 생명을 이해할 수 없다.

본능은 생명을 내부로부터 인식한다. 그러나 그것은 행동으로 고갈되기 때문에 반성적 의식으로 내재화되지 않는다. 본능은 생명과의 공감이지만 특정한 대상에서만 가능하고 일반적으로 확대가 불가능하다. 만약 그것을 생명 일반에 확대할 수 있다면 본능은 생명을 이해하는 열쇠가 될 것이다. 인간에 와서 의식은 고도의 각성에 도달함으로써 이해관심에서 벗어나 본능을 일깨우고 의식화할 수 있다. 이렇게 깨어난 본능이 직관이다. 직관은 무사심하며 자기 의식적이고 대상을 무한히 확장시킬 수 있게 된 본능이다. 지성은 생명을 외부에서 분석하지만 직관은 내부로 침투한다. 베르그손은 예술가의 창조적 직관을 예로 든다. 직관은 지성을 초월하며 지성의 완고함을 보완, 인도하는 역할을 한다.

이제 베르그손은 진화에서 인간의 위치에 관해 말한다. 베르그손은 여기서 일종의 비유를 사용한다. 즉 성공적 진화가 생명의 자유를 표현하는 것이라면 진화의 존재 이유는 인류에서 실현된다고 말할 수 있다. 그것은 자유가 의식의 각성에서 가장 잘 실현되기 때문이다.

3장 자연의 질서와 지성의 형식

1) 지성과 물질

1장에서는 무기물과 유기물의 경계를 확정하고 출발했다. 그러나 동시에 물질을 구분된 물체로 보는 것은 지성과 감관에 상대적이고 불가분적 전체로서의 물질은 하나의 흐름(flux)이라는 것도 지적된 바 있다. 이로써 물질과 생명의 접근 가능성이 시사되었다. 2장에서는 지성과 본능이 대립하면서도 보편적 생명에서 분리된 것임을 지적한 바 있는데 여기서 지성의 발생을 추적할 가능성이 열린다. 3장의 주제는 지성성과 물질성의 관계를 밝히고 그것들의 상호 발생을 추적하는 것이다. 이러한 문제는 형이상학의 고유한 영역에 속한다. 물질과 지성의 동시적 발생을 추적하는 작업은 지성의 능력을 넘어서는 것이지만, 진화의 질적 비약을 인정한다면 원칙적으로 불가능한 것은 아니다. 새로운 습관은 기존의 범주를 넘어서는 것이다. 행동은 이론의 악순환을 깨뜨릴 수 있다.

물론 지성을 절대적인 사변적 본성을 갖는 것으로 간주하면 기원이나 발생을 밝히는 것은 불가능하다. 지성은 플라톤의 동굴의 비유에서 나오는 것처럼 감각들의 종합도 아니고 지적 직관도 아니다. 지성은 행동과 삶의 필요성에서 나온 기능이다. 지성은 '생명의 대양' 속에서 국부적인 '응고(solidification)'로 형성된 것, 즉 유동적 실재 속에서 나온 일종의 고체화된 기능이다. 물질 역시 궁극적으로는 생명과 하나인 연속적 흐름이다. 물질은 생명체들에 의해 고체화된 것으로 인식되고 지성에 의해 수학화된다. 물론 물질 자체에 고체적인 것으로 파악하게 하는 경향이 있다. 지성과 물질은 시간 속에서 상호 적응하며 전개되어 왔다.

2) 철학과 과학의 관계

칸트나 꽁트 이후 사실의 영역은 실증과학에 맡기고 철학은 인식 비판적 입장에 머무르는 경향이 있다. 베르그손은 이러한 학문적 분업이 사실 모든 것을 뒤섞는다고 지적한다. 철학은 과학에서 사실의 연구를 받아들일 때 그것의 무의식적 전제까지 받아들이게 된다. 따라서 인식의 원리들을 검토함으로써 과학적 인식에 대해 판결을 내리는 최고법정을 자부하면서 사실상 그것을 정당화해 주는 서기국으로 전락하고 만다. 즉 과학의 본성과 원리를 연구한다면서 그것의 무의식적 전제를 명확하게 정식화해 줄 뿐이다. 그 이유는 물리학을 학문의 모범으로 삼은 데 있다. 이는 지성의 본성상 불가피한 일이지만 생명의 영역에서는 무리이다. 여기서는 철학의 적극적 개입이 요구된다. 베르그손에 의하면 과학적 인식은 필요하며 유용하다. 그것은 칸트에서와 같이 지성에 상대적인 인식이 아니다. 지성은 언제나 부분적 인식일 수밖에 없으나 그런 경우에는 절대적 인식에 도달할 수 있다. 지성은 물질을 대상으로 하는 한 언제나 성공하며 또한 이 작업은 상당한 개연성으로 정당화될 수 있다. 그러나 물리학적 태도는 생명도 조작 가능한 대상으로 파악하는데 그것은 유용한 인식일 수는 있어도 투명한 인식은 아니다. 생명의 고유한 특성은 물질과는 다른 것이기 때문이다. 따라서 베르그손은 생물학의 독자성을 주장하고 철학은 생명을 이해하는 태도에서 출발해야 한다고 주장한다.

3) 지속과 공간

베르그손은 물질과 지성의 관계를 구명하기 위해 다시금 내적 관찰에서 출발한다. 의식의 가장 깊은 곳으로 들어가 순수 지속 속에 위치해 보자. 여기서 우리 의지와 인격은 과거와 현재를 종합하면서 최첨단에 집중되어 격렬히 수축된다. 반대로 긴장을 풀고 이완되면 기억도 의지도 사라지고 수동적으로 된다. 수동성의 극한에서는 끝없이 다시 태어나는 순간들의 반복을 엿볼 수 있다. 이 지점은 물질성의 방향이지만 물질성 자체가 아니라 지성의 순수공간이다. 여기서는 긴장(tension)과 확장(extension)이 아니라 긴장과 이완(la détente)의 용어쌍이 새롭게 제시되는데, 이것들은 서로 간에 정도차를 허용하는 개념들이다. 즉 베르그손은 공간성에 등급이 있다고 한다. 정신성은 의식의 초긴장 상태이고 물질성은 공간성을 향하는 운동이며 그 사이에는 무수한 단계가 있다. 현상들은 결정된 실체가 아니라 흐름 속의 일시적 응결 상태들이다. 그런데 물질은 정신에게 충동을 주어 방향을 역전시킨다. 정신은 물질보다 멀리 나가 그것 없이도 공간을 표상할 수 있게 된다. 이것이 지성의 기하학적 작업이다. 지성의 시선과 관심 아래 물질은 더욱더 공간성을 띠게 되는데 이것이 전통적으로 연장 실체라고 부른 것이다. 그러나 그것은 물질의 본성이 아니라 지성에 의해 개념화된 물질이다.

4) 지성성과 물질성

칸트의 '초월적(transzendental)' 감성론'은 연장이 물질의 경험적 속성이 아니라 정신의 형식이라는 것, 경험은 정신의 규칙을 따른다는 것 그리고 시간, 공간은 감관지각의 형식이라는 것을 확립하였다. 베르그손에 의하면 공간은 지각만이 아니라 지성의 형식 자체이며 시간은 공간과는 다른 본성에 속한다. 이는 『시론』에서 이미 전개된 내용이다. 즉 감성 범주와 지성 범주 간에 연속성이 있으므로 물질은 수학적 관점에 들어맞는다. 베르그손은 칸트가 공간의 완성된 형태만 고려하고 공간성의 정도를 인정하지 않은 것이 문제라고 지적한다. 즉 공간은 절대적으로 주어진 것이어서 이에 따라 인식된 물질은 기하학적 본성을 갖는다. 여기서 감각적 다양성의 종합 또는 이율배반의 문제가 생겨난다. 그러나 물질의 공간적 성격은 그렇게 완벽하지 않다.

베르그손은 전통적 철학에서 지성과 물질의 관계를 세 가지로 정리한다. 그것은, 1) 정신이 사물을 따르거나(실재론) 2) 사물이 정신을 따르거나(관념론) 3) 둘 사이에 신비스런 예정조화(신학, 라이프니츠)가 있다는 것이다. 그러나 제4의 해결이 있다. 그것은 공간과 물질, 지성과 정신의 동질성을 부정할 때 가능하다. 순수공간은 개인에게는 선천적이지만 진화 단계에서 생겨난 형식이며, 지각적 공간에서 지성적 공간까지 무수한 단계가 있다. 물자체는 공간과 무관한 것이 아니고 공간성을 향하는 이완 운동을 한다는 점에서 일정한 규정을 가진다. 지성은 이 규정을 극한으로 밀고 간다.

물론 자연 상태에서도 우리는 기하학을 아는 것처럼 행동한다. 즉 자연기하학이라고 부를 만한 것이 이미 존재한다. 그것은 지각과 지성이 물질계에 적응하는 방식이다. 물질이 공간적 경향을 가진 만큼 지성적 인식은 상대적이 아니다. 그러나 지성적 지식은 완결된 것이 아니라 시간 속에서 여러 가지 우연적 요소들과 더불어 점차적으로 알려지는 부분적 지식이다. 과학의 협약적 성격은 거기서 유래하며 바로 그 때문에 과학은 끊임없이 진보할 수 있다. 그렇다면 인식론은 무한히 어려운 임무를 갖는다. 즉 사고 범주를 결정하는 것만이 아니라 새로운 범주를 만들어 내기도 해야 한다. 그것에는 지성뿐만 아니라 직관이 필요하며 경험과 형이상학의 도움을 받아야 한다. 이때 형이상학의 역할은 '되돌려진 심리학'으로서의 우주론을 세우는 것이다.

5) 기하학의 질서와 생명의 질서

수학적 질서가 적극적 성격을 갖는가 하는 것은 논쟁거리이다. 베르그손은 수학이 적극적이 아닌 소극적 또는 부정적 질서를 기술할 뿐이라고 한다. 자연에 이러한 적극적 질서가 내재한다면 그것을 아는 것은 기적이 될 것이다. 그러나 반대로 물질적 질서가 지성에 의해 구성된다면 과학의 실제적 성공은 불가해한 것이 될 것이다. 이 이율배반은 공간성과 물질성을 일치시킨 데서 유래한다. 더 근본적으로는 '질서'의 관념과 관련된다. 실재론적 입장은 자연의 가능적 무질서(질료, 카오스)에 객관 법칙이나 형상이 부과되어 질서가 생겨난다고 본다. 반대로 관념론은 감각적 다양성에 지성의 구성적 능력이 부과되어 질서가 생겨난다고 한다. 어느 경우든 질서는 '무'를 극복하고 존재하는 적극적인 것이라는 생각을 표현하고 있다. 이것이 수학에 대한 경이감의 기원이다. 따라서 인식론은 근본적으로 무질서 관념에 대한 조명에서 시작해야 한다는 것이 베르그손의 지적이다.

베르그손에 의하면 경험에서 무질서 자체는 존재하지 않는다. 마치 책을 꺼내들고 산문을 접하게 되면 이것은 시가 아니라고 말하는 것처럼 우리는 어떤 것의 부재를 인식하는 것이 아니라 원치 않는 질서를 외면하면서 무질서라고 한다. 이것이 철학에 도입되어 A도 B도 아니고 그것들의 공통적인 기체(基體)로 상상된다. 질서는 '실재가 사유를 만족시켜 주는 정도'에 비례한다. 즉 정신과 무관하지 않다. 의식의 긴장과 이완에서 나타나는 두 질서는 각각 생명의 질서와 기하학적 질서이다. 예술이 자유와 의지, 창조 등 생명적 질서를 표현한다면 수학은 수동성, 타성, 자동주의의 극한의 질서이다. 이 두 질서는 서로 갈등하고, 대립하는 것처럼 보이지만, 우리 정신 속에 나타나는 두 종류의 질서임에 틀림없다. 고대인들은 생명적 질서에 바탕을 둔 유적 형상을, 근대인들은 수학적 법칙을 각각 근본적인 것으로 놓았다.

6) 물질의 운동과 생명의 운동

정신의 본래적 운동은 생명적 운동의 방향을 따르며 '이미 만들어진 것'이 아니라 '스스로 만들어 가고 있는 것'이다. 개별적 의식의 자유는 바로 거기에 존재한다. 개인적 의식의 한계는 물질성의 한계이다. 육체의 생리적 작용의 한계로 정신력이 고갈되었다고 느낄 때 우리는 정신성과 반대로 작용하는 물질적 힘을 느낀다. 철학사에 나타난 다양한 체계들은 생명적 직관에서 활력을 얻는다. 이후 변증법적 개념구성을 통해 체계가 수립된다. 이것은 직관의 이완이자 시험(épreuve)이다. 따라서 동일한 직관에 다양한 체계가 공존할 수 있다. 직관과 변증법은 정신이 두 대립된 방향에서 행하는 상보적 노력이다. 각 체계에서 직관이 항존한다면 그것이야말로 철학체계의 진정성의 기준이 될 것이다.

생명적 운동과 물질적 운동의 관계는 어떠한가? 긴장과 이완이 정신과 물질의 운동을 설명하는 용어이지만 우주적 운동에서 생명은 '생성하는se fait 운동'과 물질은 '해체되는se défait 운동'으로 표현된다. 전자는 생명적 흐름의 자기 창조이며 후자는 자동성을 향해 가는 운동이다. 이것은 1장에서 각각 상승운동과 하강운동으로 표현된 것이다. 생명은 "물질이라는 사면을 거슬러 올라가는 노력"처럼 나타나며 물질은 이러한 노력이 점차 소진되어 가는 모습을 보여준다.

물질을 해체하는 운동은 '열역학 제2법칙' 또는 '카르노의 법칙'을 토대로 한다. 베르그손은 『시론』에서 보존법칙의 본성을 분석한 바 있는데, 그에 의하면 보존법칙은 지성의 논리적 본성을 반영한 것이다. 이제 여기서는 열역학 제2법칙을 물리 법칙 중 가장 사실적인 법칙이라 한다. 그것에는 기호가 필요하지 않으며 그런 면에서 가장 일상적인 동시에 형이상학적인 법칙이다. 엔트로피 법칙이 보여주는 것은 우주가 일정한 방향 속에서 끝없는 변화 과정 속에 있다는 것이다. 에너지의 집중과 하락의 연속적 교체 이론은 볼츠만에 의해 부정되었다. 그렇다면 에너지의 최초 기원의 문제가 제기된다. 만약 다른 우주에서 왔다면 무한우주를 가정해야 한다. 물리학적 입장에서는 다른 가정은 불가능하다. 그러나 베르그손은 무한우주를 받아들이지 않으므로 결국 초공간적(extra-spatial) 기원을 조심스럽게 제시한다. "사물은 존재하지 않는다. 존재하는 것은 오직 작용뿐이다." 사물이나 상태는 우리 정신의 관점에서 취해진 외관들에 불과하다.

우주 안에서 엔트로피 법칙을 거스르는 운동을 하는 존재는 생명체뿐이다. 생명체는 물질에서 에너지를 취해 축적하고 필요할 때 소비하는 유기조직이다. 적절한 조건에서 물질적 흐름을 거스르는 에너지가 충만하다면 우주 어디에서든지 생명이 탄생할 수 있을 것이다. 이제 베르그손은 유명한 수증기통의 비유를 제시한다. 고압의 수증기통이 있다고 하자. 도처에 균열이 있고 이 틈으로 새어 나오는 수증기는 물방울이 된다. 수증기가 올라가려는 힘은 생명적 힘이고 물방울이 되어 추락하는 것은 각 생명 종들의 탄생을 비유한다. 생명

종의 진화는 최초의 충력이 물질적 힘에 직면하여 다양한 방향으로 퍼져 나가는 것을 보여준다. 개별적 생명체는 생명적 운동과 물질적 운동의 '타협안(modus vivendi)'으로 나타난다.

이런 이유로 개별 생명체는 창조적 긴장과 주의 이외에도 끝없이 이완되는 힘을 느낀다. 개체의 삶은 해체되려는 힘에 대한 저항의 노력으로 이루어진다. 이완과 해체의 힘은 물질성에서 나오며 망각과 죽음을 야기하는 힘이다. 『물질과 기억』에서 베르그손이 인용한 라베송의 말에 의하면, "우리에게 망각을 놓는 것은 물질성이다". 그러나 개체의 유한성은 종의 영속성에 의해 생명계 전체와 연결된다. 종과 생명계의 유한성은 우주적 생명의 흐름의 무한성에 연결된다. 각 생명체는 자신의 유한성을 뛰어넘어 우주의 근본적 존재를 구성하는 생명성 자체와 일치할 가능성 속에서 무한성에 접근한다. 물론 여기서 생명성은 상승하는 운동, 생성하는 운동의 다른 이름에 지나지 않는다. 『창조적 진화』는 이렇게 낙관적인 뉘앙스와 함께 지속의 일원론으로 돌아감으로써 물질과 생명을 하나로 결합하고 있다.

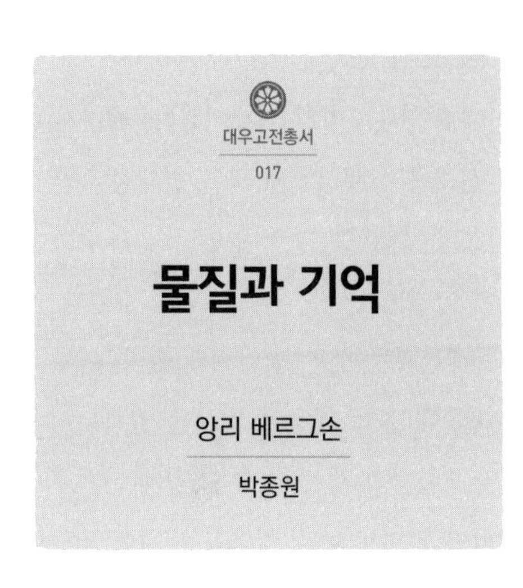

1. 『물질과 기억』의 철학사적 의미

이 책은 베르그손의 두 번째 주저이며, 그의 심리학 또는 심신이론이 지속의 형이상학적 바탕 위에서 체계적으로 선보인 작품이다. 또한 앙리 4세 고등학교의 이름 없는 철학교사를 단번에 유명한 철학자로 만든 작품이기도 하다. 물론 그의 지속의 형이상학이 최초로 드러난 작품 『의식에 직접 주어진 것들에 관한 시론』[01]이 출판 후에도

01 해제에서는 이 첫 저서를 『시론』으로 줄여 표기한다.

학계에 올바로 인지되지 않았던 만큼 이를 바탕으로 하는 심신이론이 정확하게 이해되었다고 말하기는 어렵다. 따라서 이 책의 유명세가 무엇보다도 심리학과 생리학에 관한 방대한 양의 지식을 포괄적으로 분석하는 그의 철학적 통찰력에 있던 것은 당연한 일이었다. 실제로 베르그손이 이 책을 쓰기 위해 심리학, 병리학, 생리학 등의 분야를 5-6년간 독해했다는 것은 잘 알려져 있다. 아무튼 이 책은 외양적으로는 심신이론에 관한 내용이 전체를 일관되게 구성하고 있는 것으로 보이지만, 제1장과 제4장을 주의 깊게 본 독자는 지속에 관한 베르그손의 개념이 거기서 한층 깊이를 더하여 기능하고 있다는 것을 알 수 있을 것이다.

『시론』이 현존재자의 의식상태의 관찰을 토대로 순수 지속이라는 정신적 실재의 모습을 발견했다면, 『물질과 기억』은 자연 속에서 우리 신체의 본래적 기능에서부터 정신과 신체가 관계하는 방식을 보이려고 시도한다. 〈신체와 정신의 관계에 관한 시론〉이라는 부제가 붙은 이 책에서 베르그손은 실험심리학이라는 새로운 토대 위에서 영혼과 신체의 통일이라는 전통적인 철학적 문제를 조망한다. 이러한 태도는 당대에 만연하던 실증심리학의 문제의식으로 인해 이미 데카르트의 이원론에서처럼 두 분리된 실체의 신비스러운 통일은 더 이상 고려의 대상이 될 수 없는 상황에 기인한다. 그럼에도 불구하고 이 책은 실증심리학의 토대 위에서 그것과의 한 판 대결을 시도한다. 이와 같이 정신의 실재성을 주장하면서도 과학의 성과에 근거하여 자신의 주장을 정당화하려는 태도는 이 책이 멘 드 비랑에서 시작하는 프랑스 유심론(spiritualisme français) 철학의 전통에 위치하고 있음을 보여준다. 실제로 멘 드 비랑이 활동하던 시기에 그와 이데올로그들(idéologues) 및 생리학자들의 관계는 베르그손과 당대의 실증심리학자들의 관계와 유사하다는 것을 연구가들은 지적하고 있다. 또한 가장 핵심적인 내용에서도 유사성을 지목할 수 있다. 멘 드 비랑과 베르그손에 있어서 신체의 본래적인 의미는 지각적 인식의 기초가 되는 '운동성(la motilité)'과 '감각-운동 체계(le système sensori-moteur)'에 의해 규정되고, 그 실재성은 현대 심리학에 의해서 입증되고 있다. 비록 이 관점을 멘 드 비랑은 반성적, 인간학적 방식으로 전개시킨 반면, 베르그손은 발생론적이고 생명적인 차원으로 심화시켰다 하더라도 근본적인 방향과 태도의 공통성을 간과해서는 안 될 것이다.

게다가 두 사상가를 연결하는 연결고리를 생각한다면, 계몽주의 철학자로도 불리는 콩디야크(Condillac)의 관점을 상기하지 않을 수 없다. 콩디야크는 데카르트의 실체이원론을 거부하면서 영혼과 신체를 상관적으로 고려하는 관점을 취한다. 게다가 그는 제1성질과 제2성질의 등가성을 주장하는 버클리가 사유의 한 단계 진보를 이루었다는 것을 인정하면서도 그의 관념론을 배격한다. 이 성질들은 둘 다 고유하게 주관적인 것이 아니라 어떤 방식으로든 객관적 세계에 속한다는 것이다. 지각은 우리 의식이 가진 성질들이 아니라 의식이 감관을 통해 세계와 관계하여 형성한 것이고, 이 지각 넘어 어떤 실체를 가정할 필요가 없다는 것이 바로 콩디야크의 태도이다. 바로 이 태도를 우리는 베르그손에서 다시 발견한다. 베르그손이 〈서론〉에서 버클리와 함께 "물질의 제2성질은 적어도 제1성질만큼의 실재성을 가진다"는 것을 인정하면서, 다음과 같이 말한 것을 볼 때 그러하다. "그의 오류는 그런 사실로부터 물질을 정신 내부로 이전하고, 그것을 순수 관념으로 만들어야 한다고 믿은 데 있다"(3/163)[02]. 물론 베르그손이 감각들의 객관성을 말하는 것은 외부세계에 대한 콩디야크의 소박한 믿음과는 달리 감각들이 비연장적 성질들이 아니라 연장되어 있음으로써 외부세계에 연결되어 있다는 사실에 기인한다. 이 연결은 물질적 지속의 동질적 운동과 심리적 지속의 이질적 운동이라는 차이에도 불구하고 그것들이 지속하는 실재라는 사실에서 가능해진다. 다른 한편 베르그손은 물리학에 그 기초를 제공하고자 한 칸트의 비판철학이 우리 정신의 능력을 제한함으로써만 성공을 거두었다고 평하고 있다. 그는 계속해서, "만일 데카르트가 밀고 간 지점과 버클리가 그것을 이끌고 간 지점 사이의 중간에 물질을 위치시키는 입장을 취했다면" 칸트의 비판은 필요하지 않았을지 모른다고 말한다. 실재론과 관념론의 '중간 길'로 취해진 이 입장이 커다란 틀에서 볼 때 바로 콩디야크에서 멘 드 비랑으로 이어져 내려온 철학적 전통의 입장이다.

콩디야크는 감관의 작용을 분석하여 후각, 미각 등 순수한 감각들과 대비되는 '능동적으로 운동하는 촉각'의 역할을 발견한다. 이것은 대상의 크기나 모양, 운동 등과 관련된 외적 세계의 인식이 촉각을 능동적으로 움직임으로써 가능하다는 것이고, 다른 감관들은 촉

02 여기서 아무런 지시없이 표기한 숫자는 『물질과 기억』의 원본의 쪽수이다. 왼쪽은 카드리지판(collection Quadrige, 1985), 오른쪽은 『전집(*Oeuvres*)』(1959)의 쪽수를 지시한다.

각과 연합하여 작용함으로써 비로소 외적 인식에 참여할 수 있다는 것이다. 여기에는 촉각이 단순히 감각이 아니라 운동성과 결합하여 지각 기능의 기초가 된다는 통찰이 있다. 바로 이 길을 따르면서 멘 드 비랑 역시 정념적(affectives) 감각들 이외에 지각을 형성하는 내적 원리인 '의지적 운동성'을 주장한다. 그는 이처럼 정념적 감각들과 의지적이고 운동적인 의식을 나눔으로써 사유의 올바른 분해 방법을 완성한다. 이와 더불어 그는 운동성을 우리 신체의 본래적인 의미로 파악하고, 이러한 '주관적 신체'를 내면적으로 심화시킴으로써 신체의 존재론을 세우게 된다. 베르그손 역시 동물 계열을 따라 발전한 인간의 신체성의 의미를 '감각-운동 체계'로 설명한다. 감각-운동 체계는 생명체의 삶과 직접적 관련이 있을 뿐만 아니라, 자극에 반응하는 기작 즉 습관 체계의 발달에서 인식의 형성과 심신의 상호작용을 탐구하는 베르그손 특유의 생물학적 관점 또한 그 연장선상에 있다. 베르그손이 정념을 설명하는 방식은 상당히 특이하다. 그러나 지각을 분해해서 신체의 역할, 즉 감각-운동과 정신의 역할, 즉 기억을 올바르게 할당하는 그의 방식은 칸트의 '판단에 근거한 분해 작업'에 대립하는 것이며, 콩디야크에서 멘 드 비랑으로 이어지는 '사유의 실재적 분해 방법'에 위치한다. 베르그손에 따르면, 영국의 관념론, 칸트 철학, 심리물리적 평행론의 오류는 신체와 정신의 진정한 역할을 오해한 데서 기인한다.

이처럼 콩디야크의 발생론적 경험론의 관점을 비판, 보완하면서 멘 드 비랑은 인간 내면의 존재론적 구조를 파악하려는 입장으로 전환하고, 이 전환은 라베송을 거쳐 다시 베르그손에서 생명 일반의 존재론적 의미로 확장된다. 물론 베르그손이 그의 저술 속에서 우리가 지적한 두 철학자를 별로 언급하고 있지 않은 것은 사실이다. 베르그손은 자신이 대항하여 비판을 제기했던 철학적 견해들, 예를 들어 영국 관념론과 칸트 철학 이외에, 자신의 철학과 친화성을 갖는 선배 사상가들에 관해서는 비밀스럽게 침묵을 지키고 있다. 베르그손의 이런 태도는 실제로 그의 연구가 철학사적인 고찰보다는 과학적 탐구에서 비롯하는 비교할 수 없는 독창성을 가지고 있기 때문이다. 『물질과 기억』에 관해서 구이에(H. Gouhier)는 '새로운 정신주의'의 개화를 말하고 있고,[03] 장켈레비치(Jankélévitch)는 이 저술을 "베르그손의 모든 작품 중에서 가장 천재적인 작품"이라고 평가하고 있다.[04] 그럼에도 불구하고 문제를 제기하고, 사유하고, 해결하는 방식에서 『물질과 기억』은 콩디야크에 기원을 두고 있는 프랑스 유심론(le spiritualisme français)의 전통을 이어받고 있다는 데 연구가들은 동의하고 있다. 따라서 이 저작을 통해서 나타난 베르그손의 관점을 콩디야크와 멘 드 비랑의 입장들과 연속선상에 놓음으로써 그의 입장의 뿌리와 독창성이 어디에 있는지 더욱 분명하게 드러날 것이다.[05]

03 *Bergson et le Christ des evangiles*, p. 55.

04 *Bergson*, p. 80.

05 이런 관점에서의 연구로 마디니에(Madinier)의 『의식과 운동(*Conscience et mouvement*)』이 있다. 콩디야크의 경우는 일반적으로 감각론적 유물론이라는 오해가 퍼져 있지만, 마디니에에 의하면 지각에서 운동성을 중요하게 드러내고 의지의 발생을 탐구함으로써 경험론을 넘어서는 관점을 보여준다.

2. 『물질과 기억』의 내용

제1장 신체의 존재 방식과 순수 지각

『물질과 기억』에서도 가장 어려운 부분이 순수 지각에 관한 첫번째 장이다. 이 장은 철학의 핵심적 분야인 인식론이나 존재론의 문제들을 규명하는 새로운 시각을 제시한다. 여기서 순수지각은 물질과 정신을 매개하는 것으로 고려되는데, 그것은 우리 신체의 의미와 함께 다루어진다. 철학사에 나타난 각 철학적 입장의 차이는 주로 물질과 현상의 관계, 그리고 현상과 지각의 관계를 이해하는 방식에 의존하고 있다. 주관적 관념론과 유물론적 실재론의 대립은 이 이중적 관계를 물질과 지각이라는 단순 관계로 인식하고, 이 두 실재성 중 어느 하나를 다른 하나로 환원하려는 태도에서 비롯한다. 주관적 관념론은 물질을 지각으로 환원하려 하고, 유물론적 실재론은 물질로부터 지각을 연역하려 한다. 칸트는 이러한 문제점을 알고 있었으나 물질과 현상의 관계에서는 물질(물 자체)을 포착할 수 없는 것으로 만들고, 현상과 지각의 관계에서는 정신을 지성적 인식에 한정함으로써 인식을 상대적인 것으로 만들었다.

베르그손은 감각적 소여의 배후에 로크가 말하는 '내가 알지 못하는 어떤 것'이나 칸트의 '물 자체'를 가정하지 않는다. 그는 우주 속에서 우리 신체의 현존의 의미와 존재 방식을 해명하면서 자신의 관점을 심화한다. 그는 우리의 신체를 세계 안에서 독립된 한 실체로서가 아니라, 다른 물체들과 상호작용하는 고유한 '기능'으로써 이해한다. 우리 신체는 세계 속에 단번에 삽입되어 있고, 정신은 신체를 통해 세계 속에 삽입되어 있다. 따라서 여기서는 더 이상 생명적 존재와 비생명적 존재라는 외연적인 구분이 문제되는 것이 아니라, 세계 속에 존재하는 우리 신체에게 직접적으로 주어진 것과 이 세계 속에서 신체가 자신의 고유한 기능에 의해서 갖게 되는 내적인 의미가 문제된다.

물질과 정신에 관한 어떤 이론으로도 환원되지 않으면서 의식 존재에게 나타나는 대로의 세계를 표상하기 위해서 베르그손은 우리가 가장 직접적인 세계 표상인 이미지들 앞에 있다고 하는 일종의 환원을 제안한다. 생명적 존재를 포함하여, 세계(우주) 전체는 이미지들의 체계로 그려진다. 이 이미지들은 자연 법칙에 따라 서로 작용하거나 반작용한다. 그런데 이 이미지들 중에 모든 다른 이미지로부터 구별되는 한 이미지가 있는데, 그것은 나의 신체의 이미지다. 나의 신체가 행사한 운동들은 물질세계의 운동들처럼 앞선 현상들로부터 엄밀하게 연역될 수 없다. 베르그손은 내 신체가 물질적 세계의 전체 속에서 운동을 받고 되돌려 보내는 다른 이미지들처럼 작용하면서도 그것이 받은 것을 되돌려 보내는 방식을 어느 정도는 선택하는 것처럼 보인다는 점에서 '특권적인' 이미지라고 한다. 나의 신체의 이 존재 방식으로부터 의식적 지각들과 정념들(affections)이 생겨난다. 이것들은 밖으로부터 인식되는 것이 아니라, 내부로부터 인식되는 의식 존재의 특성을 잘 보여준다. 이런 이유로 지각들과 감정들의 의미를 규정하기 위해서는 우리 신체의 구조를 살펴보아야 한다.

우선 생리학적으로 고찰할 때 신경계는 주변의 진동들을 신경중추에 전달하는 유입 신경들과 중추로부터 출발하여 운동들을 주변에 전달하고 거기서 행동으로 변형되는 유출 신경들로 구성된다. 심리생리학자들은 이 순환 속에서 '외적 세계의 표상'이 생겨난다고 한다. 그런데 베르그손은 이 견해를 문제시한다. 왜냐하면 그에 따르면 신경계란 인식을 향해 있는 것이 아니라, 감각-운동 능력(le pouvoir sensori-moteur) 즉 행위를 향해 열려 있는 것이기 때문이다. 사실상 베르그손이 취하고 있는 발생론적이고 진화론적 관점에 따르면 감각-운동 능력은 생명의 가장 원초적인 형태에서부터 나타나는 본질적 기능이다. 생명체를 형성하는 나머지 기능들, 즉 소화 기능, 호흡 기능, 순환 기능 등은 감각-운동 기능(la fonction sensori-motrice)을 유지하기 위한 목적으로 존재하는 기능들이다(66/211). 베르그손의 독창성은 오늘날의 용어로는 '비표상주의'라 불리게 될, 신경계에 관한 새로운 견해 위에서 지각과 정념의 현상들을 조망한 데 있다.

지각과 정념은 모두 신경계와 관련된 현상이지만 그것들이 생산되는 방식과 실제적 의미는 서로 다르다. 정념은 신경적 요소가 우리 신체 자체에 관련될 때 생겨나고, 반면에 지각은 신경적 요소가 우리 신체 밖의 세계와 관계할 때 생겨난다. 고통이라는 정념적 감각의 의미에 관해서 베르그손은 발생론적 관점에서 몇 가지 중요한 언급을 하고 있다. 생명의 원초적 형태로 간주되는 아메바의 지각과 운동은 단지 수축성(la contractilité)—즉 위족에 의해 접촉하고 수축하는—으로 표현된다. 그러나 더욱 복잡한 유기체로 진화함에 따라 "작업은 분할되고, 기능들은 나누어지게 된다"(55-56/203). 신경계의 형성은 바로 이 작업분담의 표시이다. 신경계가 감각 섬유와 운동 섬유라는 이중적 구조를 갖고 있는 이유가 바로 여기에 있다. 감각 섬유들은 신경중추에 자극들을 전달하고 운동 섬유들은 신경중추로부터 받은 진동을 운동으로 행사한다. 따라서 유기체의 감각 세포들은 유기체 전체의 기능에 협조하기 위해서 본래적으로 소유하고 있던 운동 기능을 포기하고 신경계를 통해 유기체 전체에 운동의 필요성만을 알리는 감각 기능만을 소유하게 된다. 그러므로 정념적 감각이란 신체의 일부가 직면한 위험을 중추에 알리는 '행동에 대한 권유'이며, 또 다른 의미로는 운동 기능을 상실한 신체의 부분들에 아직도 남아 있는, 운동을 향한 '무익한 노력'이다(12/169).

정념의 의미가 이렇게 규정되기 때문에, 정념과 지각 사이에는 단순히 정도의 차이가 아니라 본성의 차이가 있다는 것을 알 수 있다. 정념은 객관적인 이미지가 아니라 외적 혹은 내적 원인에 의해 우리 신체 안에서 생겨난 혼합물이다. 따라서 그것은 지각이미지를 순수하게 드러내기 위해서 지각으로부터 배제해야 하는 것이다. 베르그손에 의하면 통속적 심리학이 주장한 바와 같이 지각이란 감각들의 집합이 결코 아니다. "정념은 지각이 만들어지는 최초의 질료가 아니다. 그것은 오히려 거기에 섞여진 불순물이다"(59-60/207).

이처럼 지각을 올바로 파악하기 위해서는 그것으로부터 정념을 분리해야 한다. 우선 지각적 인식의 문제에서 신체가 가지는 의미를 살펴보도록 하자. 베르그손에 따르면 인식의 문제에 관해서 철학자들의 오류는 인식을 형성하는 데 신체가 하는 역할을 올바로 파악하지 못한 데 있다. 우주를 구성하는 이미지들과 나의 지각이미지들은 어떻게 공존할 수 있는가? 실재론과 관념론은 위 두 가지 중에서 각각 한 쪽에 치중하여 다른 것을 설명한다. 그런데 베르그손에 따르면, 이 두 종류 교설들의 공통의 지반은 지각의 의미를 순수 사변적인 관심에서만 취한다는 것이다. 그러나 이 가정은 동물 계열의 신경계의 구조를 고찰하면 받아들일 수 없는 가정이다. 더욱이 그것은 '물질과 의식 그리고 그것들의 관계라는 3중의 문제'를 해결하기 어렵게 만든다. 베르그손이 『물질과 기억』에서, 심지어는 그의 전 철학을 통하여 해결하려고 시도한 본질적인 문제는 바로 이 문제라고 할 수 있다. 문제들의 각 수준에서 그는 이원론적 입장에서 출발하여, 두 실재성을 통합하려고 시도한다. 『의식에 직접 주어진 것들에 관한 시론』에서 그는 지속과 공간을 본성적으로 분리한 후 그들의 관계를 규명하는 데 전념한다. 『물질과 기억』에서도 그는 물질과 의식에 관해서 분명하게 이원론적 태도를 취한다. 이 이원론은 무엇보다도 심리적 상태들을 뇌수의 운동으로 환원하는 심리생리학적 가설을 논파하기 위해 극명한 형태로 제시된다. 그러나 그것은 지각에 있어서 신경계의 역할을 정확히 규정하고 의식(기억)과 물질이 어떻게 신체를 통해 상호작용하는지를 보여줌으로써 완화된다.

우리의 신체 특히 신경계는 우주 속에서 그 전체와 상호작용하는 가운데서만 존재할 수 있는 존재양태이다. 이처럼 베르그손은 생명체를 기능 또는 행동의 관점에서 이해하는데, 이것은 우주를 지속하는 전체로 파악하는 철학에서 우주의 모든 존재양태들을 분류하는 핵심적인 원리가 된다. 이 관점은 사물을 정지된 것으로 보고 그것들을 외형적으로 분류하는 지성적인 관점과는 전적으로 다른 것이다. 기능의 관점을 취하는 베르그손에 있어서 신체성을 대변하는 신경계는 행동을 위해 조직된 것이다. 즉 그것은 행동 중추이다. 따라서 그것은 표상을 산출할 수 없다. 이 사실은 뇌수와 척수의 구조를 비교할 때 분명하게 드러난다. 베르그손은 "뇌수의 기능과 척수의 반사작용 사이에는 단지 복잡성의 차이만 있지 본성의 차이는 없다"고 주장한다(25/180). 이 주장은 진화론적 관점에서 그 정당성이 입증된 것이지만, 그가 이 주장을 생물학적 소여로부터 어떻게 도출하였는지 보도록 하자.

신경계가 없는 단순한 원형질 상태의 생명체에서 자극은 거의 곧바로 기계적 반응으로 이어진다. 그러나 유기체가 복잡해짐에 따라 생리적 작용은 분할되고, 신경세포들이 따로 조직화된다. 고등 척추동물에 있어서 신경계의 복잡화는 외적 자극에 매우 다양한 반응들을 허용하는 무한한 길을 여는 것이다. 특히 뇌수는 자극이 완성된 운동으로 연장될 때 반응을 늦추는 효과를 갖는다. 척수의 자동적 운동과 뇌에서 일어나는 의지적 활동 사이에 극단적인 차이가 있는 것처럼 보이는 것은 단지 피상적인 관찰에 불과하다. 뇌수는 표상을 산출하는 것이 아니라 감각 세포들을 통한 진동으로부터 척수의 운동기제들을 자발적으로 취하여 반응을 선택하는 작용을 할 뿐이다(26/180). 이처럼 뇌란 "받아들인 운동에 관해서는 분석 기관이고, 행사된 운동에 관해서는 선택 기관"이다. 따라서 그는 뇌수를 일종의 중앙 전화국에 비유한다(26-27/180). 결국 뇌수의 신경 요소들은 인식을 위해서 작용하는 것이 아니라 단지 무수한 가능한 행위들을 단번에 묘사하거나, 그것들 중의 하나를 선택하게 할 뿐이다.

이제 순수 지각 이론을 고찰하기 위해 우주를 이미지들의 총체로 보는 최초의 가정으로 되돌아가 보자. 서로 작용, 반작용하는 이미지들 사이에서 우리의 신체는 특권적 위치를 차지한다. 신체는 다른 이미지들의 영향 아래 수동적으로 머물지 않고 주변 지역을 탐사하고 여러 가능한 작용들을 미리 그려본다. 따라서 나의 신체를 둘러싸고 있는 대상들은 그것들에 대한 나의 신체의 가능한 작용을 반영하고, 지각은 이미지들의 전체 속에서 나의 신체의 '가능적 또는 잠재적 작용들(les actions virtuelles ou possibles)'을 그린다. 베르그손이 신체의 의미, 특히 신경계의 의미를 깊이 논구한 것은 바로 지각에 관한 이러한 견해를 주장하기 위한 것이다. 우리가 보았듯이 신경계의 기능은 표상을 창조하는 것이 아니라, 외부에서 오는 자극에 그것이 영향을 행사할 수 있는 '가능한 행동의 체계'를 세우는 것이다. 이 신체는 근본적으로 볼 때 결정성 속에 있는 '비결정성의 중심'이다. 그리고 "지각은 물질로부터 받은 진동이 필연적인 반응으로 연장되지 않는 바로 그 순간에 나타난다"(28/182). 만일 신경계가 동물계열에서 점점 덜 필연적인 행동을 위해 형성되었다면, 거기서부터 자연적으로 "지각은 전적으로 행동을 향한 것이지, 순수 인식을 향한 것이 아니라는 사실"이 도출된다(27/181). 그리고 지각의 증가하는 풍부성이란 "사물들에 대한 생명체의 행동 속에서 생명체의 선택에 남겨진 비결정성의 몫의 증가"를 상징한다(27/182).

물질과 지각의 관계의 문제는 베르그손에게는 칸트처럼 해결할 수 없는 문제가 아니다. 이 문제는 바로 세계 속에서의 신체의 존재방식에 의해서 규명된다. 그에 따르면 물질과 순수 지각 사이에는 단지 정도의 차이만 있다. 그것들을 구별짓는 것은 우리 신체의 존재방식이다. 비결정성의 중심으로서의 우리 신체는 세계 속에 그것의 존립 자체에 의해서 그것의 작용과 무관한 대상들의 부분을 제거하고 배경으로 만들어버린다. 신체는 자신과 무관한 외적 작용들을 통과하게 하고, 이렇게 해서 분리된 것들은 이 분리 자체에 의해서 지각이 된다(33/186). 우리의 신체는 '반작용하는 어떤 자발성'이기 때문에 외적 이미지들의 작용은 이 자발성의 중추에 부딪힐 때 그만큼 줄어든다. 베르그손은 빛의 반사현상에 비유하여 순수 지각을 신체의 활동에 의해 '굴절이 방해된 반사현상'이라고 정의한다(35/187). 그것은 빛이 반사될 때 생겨나는 '잠재적 이미지'이자 일종의 '신기루 효과'이다. 이런 종류의 반사에는 적극적인 어떤 것도, 새로운 어떤 것도 없고, "대상들은 그것들의 가능한 작용을 그리기 위해서 실제적 작용 중의 어떤 것을 포기하기만 하면 된다". 그러나 그것은 신체의 운동과 대상에서 오는 진동의 마주침에 의해 형성되는 것이므로 지각표상은 대상과 실제로 접하고 있다.

이렇게 이해된 순수 지각이 사물에 관한 우리의 인식의 기초이다. 그러나 구체적인 지각은, 마치 지각 전체가 내적이고 주관적인 표상처럼 간주될 정도로, 기억의 층에 덮여 그것과 혼합되어 있다. 따라서 순수 지각은 '사실적이기보다는 권리적으로' 존재한다(31/185). 우리 지각의 주관성은 직접적 지각의 기초를 무수한 기억들로 덮을 뿐만 아니라, 무수한 외적 영상들을 하나의 단순한 직관 속에 포착하기 위해서 그것들을 응축시키는 기억의 역할에 기인한다(31/184, 72/216). 이처럼 순수 지각은 현실적 지각을 이상적으로 분해하여 획득된 객관성의 조건을 조명할 뿐이다. 실제적인 지각은 기억들과 융합되어 있다. 따라서 순수 지각에 기억의 몫을 회복할 필요성, 다시 말해서 인식의 문제를 조망하는 데 있어서 기억의 역할을 밝히는 작업의 중요성이 생겨난다. 그렇다면 실재적인 지각에서 기억의 역할을 포괄적으로 다루기에 앞서 기억의 본성과 기억과 지각의 관계를 간단히 살펴보아야 할 것이다.

베르그손에 의하면 지각은 순수한 상태에서는 진실로 물질들의 일부를 구성한다. 그러나 순수 지각은 현실적으로 지각의 주관적인 측면을 구성하는 의식 또는 정신이 없다면 행동에서 아무런 의미를 갖지 못한다. 따라서 이제 정신의 실재성의 문제가 제기된다. 사실상 베르그손에게 비결정성의 중심으로서의 생명체의 출현은 의식의 출현을 의미한다. 베르그손은 '의식은 생명과 동연적(coextensive)'이라고 말한다(ES, 13/824)[06]. 그렇다면 의식이란 무엇인가? "의식은 우선 기억을 의미한다"(ES, 5/818). 생명체가 외부의 자극에 비결정적인 반응을 준비하는 것이라고 할 때, 반응은 우연적인 것이어서는 안 되고 자발적 선택이어야 한다. 그런데 이를 위한 선택지들은 과거의 경험, 즉 기억에 조회할 때만 가능하다.

의식의 존재는 과거를 보존할 필요성과 과거를 현재 속에 이용할 필요성을 동시에 함축한다. 즉 "매순간 획득된 경험으로 현재적 경험을 풍부하게 하면서 그것을 보충할" 필요성이 의식의 존재이유이다(68/213). 그런데 과거 지각이 현재 속에 반영되는 것은 그것이

06 ES는 『정신적 에너지(*Energie spirituelle*)』를 말한다.

삽입될 신체를 빌려서만 가능하다. 이렇게 해서 지각과 기억은, 또는 신체와 정신은 항상 서로 침투하고 "일종의 삼투압 현상으로 그것들의 실질의 어떤 것을 항상 교환한다." 정신과 신체의 상호관계의 가능성이 거기서 생겨난다. 우리 신체는 현재의 측면에서 보면 '감각-운동 체계'이다. 그러나 지속의 관점에서 보면 그것은 '관념-운동적(ideo-moteur)'이다. 즉 과거의 기억들이 현재적 지각 속에 현실화되는 활동성이다. 지각의 진보에 관여하는 기억은 습관-기억과 이미지-기억이라는 두 가지 형태로 구분된다. 전자는 신체적 기억이고, 후자는 정신적 기억이다. 이것은 제2장의 주제를 이룬다.

제2장 두 종류의 기억과 식별 현상

두 종류의 기억 습관-기억*souvenir-habitude)과 이미지-기억(souvenir-image)이라는 두 종류의 기억을 조명하기 위해, 베르그손은 학습에 대한 기억과 독서에 대한 기억을 예로 든다. 우리가 시를 읽는 경우, 두 가지 현상을 관찰할 수 있다. 우선 그것을 암기할 때는 그 시를 마음 속으로 여러 번 반복하면서 매번 조금씩 진보를 이루며 마침내 나의 기억 속에 그 전체가 완전히 조직화되었을 때 학습이 완성된다고 할 수 있다. 그러나 내가 시를 읽을 때마다 나타나는 각 독서의 뉘앙스는 반복의 순간마다 고유한 개별성을 띠며 의식 속에 기억된다.

이 두 종류의 기억은 전적으로 다른 기반 위에 세워진 것이다.

학습에 대한 기억은 운동습관의 성격을 갖는다. 그것은 하나의 운동을 배울 때처럼, 전체 행위를 자기 방식으로 습관화될 때까지 재구성하는 노력의 반복으로 획득된다. 그것은 단순한 충동으로도 곧바로 작용할 수 있는 자동 기제로 축적된다. 습관-기억은 신체 즉 신경계에 각인된 기억이며 본래 행동을 위해 만들어진 체계이고, 생명체에 있어서 행동이란 자연 속에서 살며 적응하는 과정이다.

반면에 독서의 기억은 각각 고유한 개별성을 띠는 이미지-기억이며 결코 반복될 수 없는 '내 삶의 한 사건'과 같은 것이다. 그것은 뇌 속에 보존되지 않으며, 단지 현실적 상황의 호출에 의해 습관-기억 체계에 삽입된다. 베르그손에 따르면, 기억표상들이 뇌 속에 축적된다는 가설은 기억(souvenir)의 진정한 본성을 오해한 데서 비롯된 가설이다. 심리학자들은 기억과 운동의 두 요소를 분리해 내지 않고, 그것들이 혼합되어 있는 현상을 단순한 현상으로 간주함으로써 습관의 기초로 사용되는 뇌의 운동기제를 동시에 의식적 표상의 기반으로 생각한다. 이 책의 많은 부분은 기억이 뇌 속에 축적되어 있다는 유물론적 가설을 논박하는 데 바쳐진다.

두 종류의 기억이 이처럼 순수한 상태로 분리되었다면 이제 문제는 본성상 다른 이 두 종류의 기억이 지각작용에서 어떻게 상호 협조하는가를 밝히는 일이다. 이 문제는 바로 신체와 정신이 어떻게 결합하는가를 밝히는 문제이기도 하다. 베르그손은 이 문제를 식별(reconnaissance)이라는 현상을 고찰함으로써 해명하려고 시도한다.

식별현상 식별의 문제는 대상을 보았을 때 '이미 본 것'이라는 느낌을 설명하는 문제이다. 베르그손은 이 문제를 식별이란 현상의 기초에는 자동운동의 기제가 존재한다는 사실을 밝힘으로서 해명한다. 관념연합론자들은 원자들처럼 부유하는 관념들을 가정하고 이를 유사성과 인접성의 규칙에 의해 설명하거나 상호인력이라는 물리적 원인처럼 작용하는 생리학적 가설을 제시한다. 그러나 이런 주장은 베르그손에 의하면 부당하다. 그것의 부당성은 실증적으로 드러낼 수 있다고 베르그손은 생각한다. 그는 이를 입증하기 위해 방대한 자료를 인용하는데, 그 핵심적인 논거는 다음과 같다. 만일 관념연합론자들이나 생리학적 가설의 주장이 옳다면 식별은 과거의 표상들이 사라졌을 때에는 일어나지 않고, 과거의 표상들이 보존되어 있을 때에는 항상 일어나야만 한다. 그렇다면 시각기관에는 이상이 없음에도 불구하고 대상지각이 불가능한 정신맹(la cécité psychique)의 경우, 문제는 시각적 기억의 억제와 관련된다고 해야 할 것이다. 그러나 정신병리학적 실험들은 이 가설이 부당하다는 것을 드러낸다. 즉 전체적 기억은 보존되어 있는데도 지각적 대상을 식별하지 못하는 사례와, 지각된 대상은 식별하지만 그에 관련된 시각적 기억을 떠올릴 수 없는 환자의 사례가 있다.

베르그손에 의하면 어떤 분명한 기억의 개입 없이 신체만이 할 수 있는 식별은 행동(action)으로 이루어지는 것이지, 표상으로 이루어지는 것은 아니다. 이 식별은 정신의 주의집중된 노력이 필요 없이 거의 기계적 반응처럼 일어난다. 베르그손은 이런 종류의 식별을 '자동적 식별(la reconnaissance automatique)'이라 부른다. 자동적 식별을 기초하는 운동기제는 사물들에 대한 반응체계이다. 예를 들어 연필이란 한 대상을 식별한다는 것은 무엇을 의미하는가? 베르그손에 따르면, 그것은 이 대상에 대한 더욱 분명한 지각표상을 갖는 것이 아니라 그것을 사용할 줄 아는 것이다. 일반적으로 우리는 한 대상에 대해 적합한 행동을 할 수 있을 때 그 대상을 식별했다고 말할 수 있다.

모든 감각과 지각들은 운동으로 연결된다. 감관의 교육이란 감각적 인상과 그것에 잇따라 일어나는 운동 사이에 세워진 연결들을 견고하게 하는 것이다. '창조적 진화'에 따르면 생명의 가장 근본적인 기능은 감각-운동 기능이고, 동물과 달리 인간에서 그것은 무한한 방식으로 형성된다. 그리고 신경계는 감각적 자극들을 중추의 매개로 운동기제들에 연결하는 역할을 위해 준비된 것이다. 그리고 신경 요소들의 무수한 말단들은 다양하게 접근될 수 있도록 만들어져 인상들과 상응하는 운동들 사이에 가능한 연결의 수를 무한하게 만든다. 게다가 우리의 신경계의 본질적인 특성은 그것이 결정된 기작이 아니라, 새로운 운동들의 질서를 형성하는 과정 중에 있는 기작이란 점이다. 이처럼 우리의 신경계는 개방된 체계이다. 반면에 동물들의 신경계는 일단 형성된 운동기작 속에서 가능한 운동들을 수행하는 효과만을 갖는다(EC, 184/651)[07].

신경계의 목적이 인상과 운동 사이에 무한한 연결(connexion)을 세우는 것이라면 우리 지각의 본성은 사변적인 것이 아니라는 결론을 이끌어낼 수 있다. 사실상 어떤 대상이 우리에게 친숙함의 느낌을 주는 것은 이 대상의 지각이 그것에 동반된 운동들을 체계적인 방식

07 EC는 『창조적 진화(*L'Evolution créatrice*)』의 약어이다.

으로 조직화하고 있기 때문이다(102/240). 앞서 시각적 기억이 실제로 폐지되지 않았는데도 식별이 일어나지 않는 정신맹의 경우는 바로 지각을 운동으로 연결하는 습관체계에 상해를 입은 것이다. 반대로 시각적 기억이 폐지되었는데도 일반적 식별이 가능한 기억상실증의 경우는 기억은 사라졌으나 운동습관 체계에는 이상이 없는 것이다. 이처럼 자동적 식별 현상의 기초에 있는 운동체계가 바로 신체의 실질적인 의미를 규정한다. 그것은 신체가 "지각과 행동 사이에 팽팽하게 이어진 신경계의 감각-운동적 평형"을 이룬다는 것이다(103/241).

지각과 운동을 연결하는 습관체계의 연구는 '운동적 도식(le schème moteur)'의 발견에서 절정에 달한다. 베르그손은 청각기능은 정상이나 심리생리학적 이유로 소리를 분간하지 못하는 청각적 식별 이상(異常)에 관해 상당히 길게 논하고 있다. 청각적 식별 이상 환자는 우리가 모르는 외국어를 들을 때와 같은 상황에 있다. 외국어는 처음에는 혼란스런 소음으로 들린다. 그러나 소리들은 반복적으로 청취가 이루어지면서 점차 단어들로 분절된다. 이 과정은 소리의 자극에 의해 우리 성대기관 속에서 자극을 따라 반응하는 혹은 그것을 반복하는 '시발적 운동'을 조직화하는 과정이다. 이러한 자동운동이 없이 소리는 단어들로 지각되지 않는다. 청각기능과 성대기관의 긴밀한 연합은 생리학적으로 알려진 사실이다. '운동적 도식'이란 바로 이러한 소리의 연속성을 분해하여 청각 인상들에 성대 근육들의 운동들을 조직화하는 기작이다. 베르그손의 '운동적 도식'은 이후의 심리학에서, 특히 피아제의 발달심리학에서 중요한 역할을 하게 된다.

주의적 식별 그러나 우리는 신체뿐만 아니라 정신으로 이루어진 존재이다. 지각이 운동으로 이어지는 감각-운동체계 뒤에는 우리의 과거의 심리적 삶이 시간 속에서 일어난 사건들의 모든 세부사항과 함께 존속한다. 그렇다면 이 정신이 신체와 어떻게 관계를 맺을 수 있는가? 신체, 즉 감각-운동체계는 표상적 기억들(이미지-기억들)이 현재적 지각에 나타나는 것을 억제한다. 그러나 다른 한편, 운동은 현재적 지각과 유사하거나 유용한 표상들을 현재적 지각에 삽입되게 한다. 따라서 신체는 현재지각과 유사한 표상들을 선택하고, 다른 표상들을 억제하는 이중적 작업을 동시에 진행한다. 이러한 신체의 기능에 협조하는 정신의 기능이 주의집중의 기능이다.

인간의식의 주의집중 기능으로부터 주의적 식별(reconnaissance attentive)이 시작된다. 자동적 식별과 달리 주의적 식별은 유용성이 아니라, 대상의 윤곽을 상세히 조명하는 것을 목적으로 한다. 그것은 대상의 자극과 의식의 능동적인 투사가 상호 긴장 속에서 '순환적 과정'을 형성하는 가운데 이루어진다. 주의활동에서 정신은 현재 지각의 호출에 부응하여 그것에 유사하거나 동일한 기억들을 대상에 투사함으로써 현재적 지각을 새로이 창조한다. 이런 행위가 계속되어 기억표상들이 현재지각을 완전히 조명할 수 있을 때까지 기억의 심층에 계속 호출을 보낸다. 이에 따라 현재지각은 점점 더 많은 측면들로 세분되고 세밀하게 파악된다.

주의작용에 관한 베르그손의 견해는 관념연합론의 견해와 대립한다. 관념연합론은 주의적 지각을 대상이 감각을 자극하고, 감각들이 관념들을 떠오르게 하고, 각 관념은 더 심층에 있는 지적 표상을 작용하게 하는 일직선적 과정으로 본다. 그러나 정신의 실제 과정에서는 지각적 대상을 포함한 모든 심리적 요소들이 "대상으로부터 출발한 진동이 항상 대상 자체로 회귀하는 전기회로에서처럼 상호긴장의 상태에 있다"(114/249). 이와 같은 주의적 지각의 회로는 정신이 지적인 노력을 증대시킴에 따라 점점 더 심층적인 수많은 회로들 안에서 반복된다. 각각의 단계에서 정신은 언제나 전체로서 작용하며, 그것들 간에는 단지 주의적 긴장의 정도 차이가 있을 뿐이다. 주의적 지각의 회로가 현재 지각에 가까워지면 그것은 행동의 틀에 잘 적응하게 되고 거기서 멀어질수록 그 개별적 특성들을 보존하고 있다.

이와 같은 독특한 주의적 식별의 과정을 베르그손은 자동적 식별의 경우와 마찬가지로 청지각에서 입증하려 한다. 서로 대화를 나누는 경우 청자와 화자(話者)는 역동적인 상호관계 안에 있다. 화자는 자신이 말하려는 생각을 청각이미지를 경유하여 말들로 발화한다. 이 때 청자는 말의 지각을 통해 단번에 화자의 관념에 위치한다. 그리고는 그 관념으로부터 청각이미지를 전개시키고, 이 이미지들을 자신의 '운동적 도식' 안에 끼워 넣어 분절된 말들로 소리지각을 대체한다. 즉 청자는 화자와 반대의 길을 따르는 것이 아니라 그와 동일한 길을 자신의 방식으로 따르는 것이다. 타인의 말을 이해한다는 것은 이와 같이 자신 안에서 타인의 말을 재구성하는 것이다. 주의작용에서 시작하는 모든 고차적 인식들은 이와 같이 이루어진다.

이 역시 우리가 상대방의 말에서 출발하여 유사성이나 인접성에 의해 청각이미지를 떠올리고 그것을 통해 상응관념을 떠올리게 된다는 관념연합론의 입장과는 상반된 견해라 할 수 있는데 베르그손은 다음과 같은 예로써 자신의 이론을 입증하려 한다. 관념연합론은 대부분 뇌수의 특정부위에 언어적 기억들이 축적되어 있다는 생리학적 가설을 전제하고 있는데, 이 경우 문제의 부위가 상해를 입으면 그 부분의 기억 전체가 상실되고 회복될 수 없어야 한다. 그러나 사실은 이와 다르다. 베르그손은 리보의 법칙에 따라 알츠하이머병과 같은 것에서 기억의 상실이 고유명사, 일반명사, 동사의 순으로 일어난다는 것을 제시한다. 이것이 의미하는 바는 언어와 행동의 연계성이다. 즉 행동과 밀접한 동사의 기억은 가장 늦게 상실되며 상실된 후에도 신체적 노력으로 용이하게 되찾을 수 있다. 그러나 행동에서 가장 멀리 떨어진 고유명사는 가장 빨리 잊혀지며 되찾기도 쉽지 않다. 그러므로 이 경우에 상실된 것은 기억 자체가 아니라 기억을 환기하는 신체적(뇌의) 기능이다.

결론적으로 주의적 지각 또는 주의적 식별은 대립된 방향의 두 과정으로 이루어진다. 하나는 외적 대상으로부터 오는 구심적 과정이고, 다른 하나는 순수 기억으로부터 출발하는 원심적 과정이다. 첫 번째는 감각기관 안에서 요소적인 감각들이 정렬됨으로써 일어난다. 베르그손은 이 기관을 거대한 건반에 비유하는데, "그 위에서 외적 대상은 감각중추 위의 모든 관련된 점들에 상응하는 막대한 수의 요소적 감각들을 특정한 질서로 단 한순간에 야기하면서 자신의 화음을 수천의 음들로 단번에 작동시킨다"(144/273). 두 번째 과정을 베르그손은 정신적 청취(l'audition mentale)라고 부르는데 이것은 '잠재적 대상', 즉 순수 기억의 영향으로 시작한다. 이 잠재적 대상이 청각의 실제적 기관에 대칭적인 위치를 차지하는 '정신적인 귀' 또는 '내적인 건반'을 작동시킨다(145/274). 베르그손은 기억들이 축적되어 있다는 이미지 중추 이론에 이런 종류의 정신적 건반 이론을 대치시킨다. 실제 청각이 보존되어 있으면서도 말을 식별하지 못하는 어농에서 결함이 생긴 곳은 잠재적 표상들을 잠재적 감각으로 이행하게 하는 내적인 건반이다. 따라서 어농에서는 내적 과정과 외적 과정이 결합되지 않는다.

이렇게 이해되면 주의적 식별의 과정은 지각에서 기억으로 이행하는 과정 속에 있다는 관념연합론의 견해로는 포착되지 않을 뿐만 아니라, 기억들이 뇌 속에 국재화되어 있다고 주장하는 유물론적 생리학의 교설에도 포착되지 않는다. 이 두 입장은 과정(le progres)을 완성된 사물처럼 간주하는 편견에 의해 사실들의 자연적인 순서를 역전시킨다. 즉 지각과 청각이미지, 관념을 각각 자족적 실체처럼 간주하고 뇌피질의 생리적 과정에 대응하는 단선적 진행으로 설명한다. 사실 지성적 분석은 본래 '회고적(rétrospectif)'이기 때문에 정신의 삶에 관해 관념연합론적 견해에 이르기 쉽다. 이 형이상학적 편견으로부터 벗어났을 때 우리는 내적인 관찰에 의해서 주의작용의 진정한 과정을 포착할 수 있게 된다.

제3장 순수 기억과 삶에 대한 주의

순수 기억의 의미 두 종류의 기억 즉 운동기제들과 순수 기억은 각각 신체와 정신의 본성을 대변한다. 이 두 기억의 상호작용에 의해서 우리의 세계 인식은 점점 확장된다. 이렇게 보았을 때 의식 존재는 현실태(actualité)와 잠재태(virtualité)라는 이중구조를 갖는다. 순수 기억은 근본적으로 잠재적이다. 이것은 이미지-기억이라는 표상적 형태로 구체화되고, 이미지-기억은 '운동적 도식'을 통해 현재 속에 삽입되면서 지각으로 현실화된다. 제3장에서는 바로 이 잠재태로서의 '순수 기억'의 특성을 조명하는 것으로 시작한다. 순수 기억은 뇌 속에 기억들이 축적되어 있다는 유물론적 가설에 대립하는 베르그손의 입장을 지지해 주는 심적 실재이다.

순수 기억은 그 자체로서는 무력하고(impuissant) 비활동적(inactif)이다. 그것은 우리의 보존된 과거 자체를 의미한다. 그것은 활동적인 표상으로 착색된 상태로만 의식에 드러날 수 있다. "과거는 본질적으로 잠재적이어서, 그것이 어둠으로부터 빛으로 솟아나오면서 현재적 이미지로 피어나는 운동을 우리가 따르고 채택할 때만 우리에게 과거로 포착될 수 있다"(150/278). 이처럼 순수 기억은 현재적 표상과는 근본적으로 다르기 때문에 마치 "빛 아래서 어둠을 찾으러 가는 것이 불가능하듯이" 현재 속에서는 결코 포착되지 않는다. 그렇다면 이 순수 기억의 존재방식은 어떠한가? 베르그손에 따르면, 그것은 잠재적 상태, 즉 무의식 상태로 보존된다(156/283). 그렇다면 무의식(l'inconscient)이란 무엇인가? 들뢰즈(Deleuze)가 지적했듯이, 무의식이란 단어는 베르그손에게는 무엇보다도 '초-심리학적(extra-psychologique)' 존재를 의미한다. 왜냐하면 심리학적인 것은 현재이고, 반면에 순수 기억은 순수 과거이기 때문이다. 따라서 베르그손의 무의식은 단지 '존재론적' 의미만을 갖는다.[08]

사실상 무의식은 『시론』에서 고찰한 바 있는 지속에 뿌리를 둔다. 베르그손은 의식의 두 가지 의미를 구별한다. 만일 의식이 단지 현재, 즉 현실적으로 작용하는 것의 표식이라면 그것은 "실재적 작용 또는 직접적 효율성(efficacité immediate)과 동의어이다"(156-157/283). 그렇다면 무의식은 이처럼 제한된 의식 밖에 존재할 것이다. 그러나 현재적 삶의 필요성에서 벗어나 본래적 상태로 되돌려진 의식은 과거 전체와 함께 지속하는 정신과 다른 것이 아니다. 이 경우 의식은 기억과 동연적(coextensive)이다. 기억은 현재 속에서 작용하지 않을 때조차 우리 존재의 기초를 형성하면서 존재하기를 그치지 않는다. 그 때 기억은 존재론적 의미를 갖는다.[09] 이폴리트(Hyppolite)는 지속과 기억을 동일시할 때 "베르그손은… 생성의 철학과 존재의 철학을 화해시킨다"고 지적한다. 베르그손에서 의식과 무의식의 대립 그리고 현재와 과거의 극단적인 대립은 단지 우리 존재의 두 측면을 이루는 현실태와 잠재태의 대립을 표현한 것이다.

과거가 그 자체로 보존된다는 주장은 이렇게 세워진다. 기억과 동연적인 의식 속에서 과거는 항상 존재한다. 과거가 더 이상 존재하지 않는다 혹은 과거가 존재하기를 그쳤다고 말하는 것은, 마치 의식이 지속하기를 그쳤다고 말하는 것처럼 자기모순적이다. 만일 과거가 존재하지 않는 것처럼 나타난다면 그것은 과거가 무력하고, 비활동적이고, 무의식적이 되었기 때문이다. 우리 신체의 존재방식은 세

08 Deleuze, *Le bergsonisme*, pp. 50-51.

09 「Aspects divers de la méthode chez Bergson」, *Figure de la pensée philosophique*, p. 469.

계에 대해 현재적으로 작용하는 것이고 거기서 유용한 것을 취하는 것이다. 따라서 과거가 현재에 작용하지 않을 때, 우리는 과거가 존재하기를 그친 것이 아니라, "유용하게 되기를 그친 것이다"라고 해야 한다(168/291). 이처럼 과거의 즉자성과 현재의 대자성은 잠재태와 현실태라는 우리 존재의 이중구조에 의해서 이해된다.

순수 기억에 관한 이론은 베르그손의 이원론에서 중심적인 위치와 중요성을 차지한다. 왜냐하면 이에 의해서 베르그손은 기억을 물질과 절대적으로 독립적인 것으로 간주하고, 그 사실에 의해서 정신의 실재성을 확증하는 데 이르기 때문이다. 따라서 설명해야 하는 것은 기억의 보존이 아니라 망각이라는 현상이다. 베르그손은 라베송의 말을 이용하여 다음과 같이 말하고 있다. "우리에게 망각(l'oubli)을 놓는 것은 물질성이다"(198/316). 이러한 관점은 베르그손으로 하여금 과학적 탐구로부터 멀어져 그의 고유한 형이상학을 시작하게 하는 것이다.

정신적 삶의 형성 베르그손은 운동기제와 이미지-기억이라는 두 종류의 기억과 그것들의 상호작용에 의해서 신체와 정신의 관계를 고찰했는데, 이 상호작용은 또한 우리의 심리적인 삶이 어떻게 구성되는지를 알 수 있게 해 준다. 정신적 삶의 본질적인 현상을 베르그손은 거꾸로 놓은 원추도형을 모델로 설명한다. SAB라는 원추도형에서 꼭지점 S는 감각-운동체계를 표현하고, 밑면 AB는 순수 기억 전체를 나타낸다. 이 두 극단 사이에 있는 무수한 단층들에 의해서 우리 심리적 삶의 반복들이 나타난다(180-181/302). 우리의 심리적 삶은 이 양극단 사이를 왕복하며, 결코 그것들 중 하나에 고정되지 않는다. 바로 이와 같은 운동 속에서 우리의 지적 작용들이 산출된다. 베르그손은 특히 일반관념의 기원과 성격 그리고 관념연합의 작동방식을 고찰한다.

일반관념의 형성을 고찰하는 기존의 관점들은 유명론(nominalisme)과 개념론(개념실재론, conceptualisme)인데, 이것들은 서로 대립하는 지점에서 출발하여 상호순환 속에 빠진다. 유명론자들 즉 경험론자들은 일반관념이 단지 그것이 지칭하는 대상들의 외연만을 지칭하는 것으로 본다. 그런데 이 모든 대상들을 동일한 계열 속에서 분류하기 위해서는 그것들이 적어도 다른 속성들과 구분되는 유사성을 지니고 있어야 한다. 유사성을 고려하는 것은 곧 공통적 성질을 고려하는 것이다. 이렇게 해서 유명론 속에 내포에 관한 고려가 개입하게 된다. 개념론은 바로 여기서 출발한다. 그에 따르면 개체의 표면적인 단일성은 다양한 성질들로 나누어지고, 이 성질들의 각각은 그것을 제한했던 개체로부터 따로 떨어져서, 한 유(類)를 대표하게 된다(174/297). 그러나 이 경우 추상에 의해서 분리된 개별적인 성질들은 분리된 후에도 여전히 개별적인 것으로 남아 있다. 즉 이 성질들은 우리가 단지 그것들에 공통의 이름을 부여하기 위해서 유사한 것들로 고려될 때 비로소 일반성으로 된다. 그러나 이 때 개념론은 외연의 관점으로 회귀하게 된다. 이렇게 해서 이 두 입장은 순환하게 된다. "일반화하기 위해서는 우선 추상해야 한다. 그러나 올바로 추상하기 위해서는 이미 일반화할 줄 알아야 한다"(174-175/297).

이 두 대립된 이론들은 사실상 한 공통의 가정으로부터 출발하는데, 그것은 우리가 개별적인 대상들로부터 출발한다는 것이다. 따라서 이 두 입장의 논쟁은 외적 지각의 원초적 소여들에 대한 잘못된 고려에서 비롯된 것이다. 베르그손에 의하면 우리는 개체지각이나 유개념으로부터 출발하는 것이 아니라, 대상들의 두드러진 성질 또는 유사성으로부터 출발한다. 이 유사성은 대상을 지각하고 거기에 반응하는 신체의 감각운동 체계 위에서 파악된다. 이처럼 베르그손의 독창성은 유사성의 지각을 생명의 원초적인 기능으로 확장한 것이다. 주어진 상황에서 생명체가 본래 관심을 갖는 것은 욕구에 응답하는 측면, 즉 실용적인 것이다. 이런 의미에서 베르그손은 인간이 주의작용에 의해 파악하는 개별적인 대상들의 선명한 구별이, 동물들에게는 지각의 사치라고 한다. 초식동물의 주의를 끄는 것은 일반적인 풀이지 개별적인 풀이 아니다(176-177/298-299).

베르그손은 여기서 멈추지 않는다. 유사성을 파악하는 작용은 심리적 본성에 고유하게 속하는 것이 아니라 객관적으로 하나의 힘처럼 작용하며, 동일한 결과들이 동일한 원인들을 따르는 물리적 법칙에 기원을 갖는다(177/299). 광물들의 물리화학적 작용과 식물들의 영양섭취 작용, 미생물의 유기물질 동화, 그리고 동물과 인간에게 나타나는 상이한 자극들에 대한 반응의 동일성까지 본성상의 차이는 없다. 일반관념의 씨앗은 바로 이러한 반응의 동일성에 있다.

특히 고등생명체에서 일반관념들의 기원은 무엇보다도 신경계의 구조에 관계된다. 신경계 위에 세워진 운동기제들은 다양한 자극들에 관해서 다양한 반응들을 나타낸다. 그러나 만일 유기체가 다양한 자극들로부터 유용한 같은 효과를 이끌어낼 수 있다면, 어떤 항상적인 태도가 운동기제 안에 습관화되고, 공통의 반응이 가능해질 것이다. 이처럼 일반성의 기원은 감각-운동기제 속에 있으며, 그것은 정신에 의해 사유되기 전에 신체에 의해 느껴지고 체험된다.

우리는 이처럼 체험된 유사성에서 출발하여 차츰 '충분히 사유된 일반성과 선명하게 지각된 개체성'을 분리하게 되는데 이 과정에서 기억이 개입한다. 우리 정신의 "반성적 분석은 이 유사성의 감정을 일반관념으로 정제하고, 분별하는 기억은 그것을 개별적인 것의 지각으로 고정한다"(176/298-299). 따라서 일반관념의 발생은 그것의 씨앗인 유사성을 반성에 의해서 분해(dissocier)하는 것이지, 개별적인 속성들을 연합(associer)하는 것이 아니다. 따라서 일반관념은 두 흐름의 합류점에서 나타난다. 하나는 차이의 기억에 의해서 표현되는 사변적인 기억의 흐름이고, 다른 하나는 유사성의 지각의 기초인 운동적 기억의 흐름이다(173/296). 이처럼 일반관념의 발생은 정확히 신체와 정신의 상호작용에서 유래한다.

관념들의 연합과 삶에 대한 주의 관념들의 연합법칙도 위와 같은 방식으로 설명된다. 관념연합론에 따르면 우리의 정신은 수동적이며 관념들이 유사성과 인접성에 의해서 우연히 결합한다. 그러나 베르그손에 의하면 의식의 상태들은 전체로서 통일되어 있기 때문에 서로에 대해 친화성(affinités)을 가지고 있고 임의의 두 관념 사이에는 항상 유사성과 인접성이 있다고 말할 수 있다. 즉 관념들 사이에 유사성과 인접성이 있다고 주장하는 것은 관념들의 결합의 실제적 과정에 별다른 설명이 되지 않는다. 게다가 독립적인 관념들이란 사실 정신의 인위적인 분석의 산물이다.

우리는 유사한 개체들 이전에 유사성을 먼저 지각하며, 유사성으로부터 유사한 대상들로 이행하고, 인접된 부분들의 집합에서 부분들을 지각하기에 앞서 전체를 지각한다. 그리고 실재의 연속성을 실천적 삶의 편이성에 따라 분해(décomposition)함으로써 전체로부터 부분으로 이행한다(183-184). 따라서 설명해야 하는 것은 연합이 아니라 분해 또는 분리이다. 주의작용에서 본 바와 같이 의식은 언제나 불가분적인 기억들 전체와 더불어 작용한다. 그것은 지각의 요구에 맞게끔 수많은 단계들(평면들)로 팽창하거나 수축하는데, 기억의 세부적 내용들이 첨가됨에 따라 지각의 내용은 그만큼 더 풍부해진다. 관념들의 연합은 의식의 다양한 평면들에서 일어난다.

베르그손의 원추도형의 점 S에서 두 종류의 연합작용은 감각-운동기능으로 나타난다. 여기서 인접연합은 지각들에 잇따라 운동들이 산출될 때 일어나고 유사연합은 현재지각이 과거지각들과의 유사성에 의해 적절한 반응으로 연장될 때 일어난다. 그러나 그것은 우리의 심리적인 삶의 한 극단에 불과하다. 그것은 '행동의 평면'에 해당한다. 심리적 삶은 '행동의 평면'과 '기억의 평면'을 끊임없이 왕복한다. 원추도형의 밑면으로 표현되는 기억의 평면에는 무수한 기억들이 그 개별성을 간직하고 있으므로 연합작용은 기억들의 임의적인 선택으로 나타난다. 반면 행동의 평면인 점 S에서는 지각은 곧 반응으로 연장되므로 연합은 결정적인 과정으로 나타난다(187/307). 이 양 극단을 왕복하는 우리의 정신적 삶 속에서 행동의 평면인 감각-운동체계는 연합 기작의 구성에 형식을 제공한다면 기억의 평면은 그것들에 재료를 제공한다. 의식의 다양한 평면들은 과거 전체가 현재로 향해 가는 '삶에 대한 주의'의 다양한 단계들이다.

기억이 현실화되는 과정은 동시적인 두 운동에 의한다. 하나는 기억이 현재 상태 속에 삽입되기 위해서 그것 전체가 분할됨이 없이 다소간 수축된 상태로 경험 앞으로 다가가는 병진운동(translation)이다. 다른 하나는 기억이 자신의 가장 유용한 면을 드러내기 위해서 자신 위에서 행하는 회전운동이다(188/307-308). 이 다양한 수축의 단계들에서 무한히 반복되는 우리의 부분기억들은 전체기억이 확장되었을 때에는 더욱 개인적인 형태를 취하고, 그것이 수축되었을 때는 더욱 평범한 형태를 취하면서 무수한 상이한 체계들 속으로 들어간다(188/308).

요컨대 연합작용의 작동방식은 관념연합론이 제시한 기계적인 과정에 의해서는 결코 설명되지 않는다. 지각에 작용하는 기억들은 자석 옆에서처럼 서로 모이는 '심리적 원자'이기는 커녕, 기억 전체와 더불어 작용하는 우리 인격성 전체의 반영이다. 지각이 상이한 기억들을 차례로 떠올리는 것은 요소들의 기계적인 연결에 의해서가 아니라 우리 의식 전체의 팽창과 수축에 의해서이다. 따라서 지각적 식별은 수축과 팽창이라는 이중적인 운동에 의해서 드러나는 우리 정신의 주의집중의 정도에 좌우된다.

이와 같이 신체와 정신은 역동적인 방식으로 상호작용한다. 우리의 현재는 '삶에 대한 주의'에 의해 정상성의 의미를 갖는다. 이 개념은 정신과 신체의 상호작용을 균형잡는 구실을 한다. 그러나 그것은 신체의 감각과 운동들에 의해 조건지어진다. 신경계는 감각-운동적 활동의 적절한 균형을 유지하고 있으나 이 균형이 깨지면 주의는 현재적 삶으로부터 풀려난다. 이 관점에서 볼 때 꿈이나 정신착란 같은 병리적 현상은 바로 감각-운동적 균형의 상실로 인한 정신과 신체의 상호작용의 와해라 할 수 있다.

제4장 정신과 물질

이 장에서는 심신문제를 좀더 거시적인 차원에서 재규정하고 있다. 즉 이 문제를 바라보는 전통적 입장들의 근본적 가정을 문제시하고, 베르그손 자신의 지속의 형이상학 위에서 문제를 새롭게 드러낸다. 따라서 이 장은 앞의 제2, 3장과는 상당히 다른 맥락에서 논의가 전개되고 있지만, 제1장과는 연속선상에 있으면서 그 토대가 되는 내용들을 심화시키고 있다. 그뿐만 아니라 『의식에 직접 주어진 것들에 관한 시론』에서 제기된 의식과 물질의 지속에 대해 상당히 통일된 관점을 세우고 있다. 『시론』이 주로 의식 상태들에 특유한 존재 방식을 관찰함으로써 독창적인 관점을 제시한 것은 사실이지만, 여기서는 풍부한 과학적 지식들을 바탕으로 의식 내에서는 지각이나 감각 현상들에 대한 상세한 분석을 보여주고, 물질의 영역에 이르러서는 당대의 물리학이 제시하는 물질의 이미지가 어떻게 지속하는 존재에 부합하는지를 잘 보여주고 있다. 이러한 내용들은 11년 후에 출판될 『창조적 진화』(1907)에 거의 그대로 보존되고 있다. 그러나 '생명적 자발성'이라는 형이상학적 실재가 두드러지게 드러나는 이 책과는 달리 『물질과 기억』은 아직 그와 같은 주장을 명백히 하지는 않고 있으며 정신의 실재성을 정의할 때도 기억이라는 현상을 벗어나지 않으면서 과학적 방법론에 충실하고자 하는 태도를 엿볼 수 있다.

이와 같은 풍부한 내용 외에도 이 장에서는 베르그손이 자신의 특유한 철학적 방법을 규정하고 있다는 점이 중요하다. 『시론』에서도 밝힌 바와 같이 상호외재적인 구분을 바탕으로 하는 지성적 분석은 연장과 비연장 그리고 질과 양 사이에 넘을 수 없는 장벽을 세우고는 둘 사이에 인위적 결합을 시도한다. 정신과 신체의 관계에 관한 한, 실체이원론이나 부대현상설 그리고 평행론은 모두 이 같은 근본 전제 위에 서 있다. 이 전제는 베르그손이 '공간적' 구분이라 부르는 것이다. 공간적 구분은 상호외재성 위에서 행해지는 가분성의 원리, 분석의 원리이지 종합의 원리가 아니다. 이러한 관점에 설 때 심신문제는 애초에 해결할 수 없는 용어들로 제시된다. 이것은 말하자면 문제 자체에 오류를 내포하는 것이다. 베르그손이 문제삼은 것은 바로 이러한 태도이다.

이제 베르그손은 『창조적 진화』에서 그 진화적 기원을 논의하게 될 실재적 직관에 대해 말한다. "사람들이 하나의 사실이라고 부르는 것은 직접적 직관에 나타나는 대로의 실재가 아니라, 실천적 관심들과 사회적 삶의 요구들에 실재를 적응시킨 것이다. 순수 직관은 외적인 것이든 내적인 것이든, 불가분적 연속성에 대한 직관이다"(203/319). 사람들이 연장된 것과 비연장적인 것을 구분할 때 생각하는 것은 이러한 불가분적 실재가 아니라 지성의 실용적 관심에 의해 세워진 인공적 실재이다. 경험론자들이 감각으로 부르는 것이든,

독단론자들이 연장적 성질로 부르는 것이든, 그것들은 우리의 직관에 직접 주어진 것들이기보다는 변질된 경험, 탈구된 경험, 인위적으로 재구성된 경험이다. 이들이 다다른 막다른 골목에서 칸트의 비판철학은 지식을 우리의 오성에 상대화시킴으로써, 즉 오성과 이성의 능력을 한계지움으로써 문제를 해결하고자 한다. 그러나 베르그손은 반대로 "우리의 유용성의 방향으로 굴절되면서 고유하게 인간적 경험이 되는 결정적인 전환점 위로"(205/321) 진정한 경험을 찾으러 갈 것을 주장한다. 실용적 욕구에 의해 세워진 인식들을 해체하게 되면 순수한 직관에 의해 불가분적 실재의 연속성에 도달할 수 있다는 것이 베르그손의 생각이다.

이와 같은 확신에는 실재에 대한 다른 종류의 입장이 배경을 이룬다. 우리가 일반적으로 분명한 윤곽을 갖는 것으로 생각하는 물체들은 엄밀히 말하면 상식 또는 통속화된 과학주의의 관점을 따른 것이다. 그러나 실제 과학이 보여주는 것은 정반대이다. 베르그손은 톰슨과 패러데이, 맥스웰 등을 인용하면서 물질은 도처에서 상호작용하고 상호침투하는 우주적 연속성의 체계임을 주장한다. 물리적 운동에 대한 순수한 양적 취급은 단지 추상물이나 상징에 불과하다. 그것은 표면에서는 부동적으로 펼쳐져 있으나 "내적으로 진동하면서 자신의 고유한 존재를 무수한 순간들로 분절하는 질 자체"(227/338)이다. 물질의 표면적 부동성은 그것의 심층의 이질적인 순간들을 '지나치게 좁은 지속 속에서 수축시켜야 하는' 우리 지각의 한계에 기인한다. 이처럼 물질은 고유한 지속의 리듬을 가지고 있으며 우리 자신의 지속의 리듬과는 차이가 있으나 본질적으로 다른 것은 아니다. 상이한 지속의 리듬들은 "의식의 긴장(tension)이나 이완의 정도에 필적하는 것"(232/342)이다. 바로 이러한 점 때문에 우리는 순수 지각 속에서 물질에 접할 수 있는 것이다. 단지 우리는 기억의 이중적 작용으로 인해 실재의 연속적 진동을 한 순간으로 응축시키는 동시에 과거를 적극적으로 현재에 연장함으로써 지각의 주관성을 구성한다. 전자는 생명의 하급한(생물학적) 차원의 작업이지만 후자는 좀더 고차원적인 활동이라는 차이가 있을 뿐이다.

다른 한편 베르그손은 순수 공간으로 이해된 연장(l'étendue)이 아니라 구체적인 연장의 경험으로서 확장(l'extension)을 제시하면서 이것이야말로 연장과 비연장 사이에서 우리가 실제로 접할 수 있는 것이라고 한다. '확장된 것'은 직접적 지각의 대상이며 모든 감각들은 이에 의해 어느 정도 연장성을 띠고 있다. 영국 경험론은 촉각만이 연장을 직접 접촉할 수 있다고 믿었으나 최근의 심리학은 모든 감관들이 정도차는 있으나 원초적으로 연장에 참여하고 있다는 것을 밝혀주고 있다. 이러한 구체적 연장성은 순수 공간 안에 있는 것이 아니다. 순수 공간은 '고정성과 무한 분할가능성의 상징'(244/351)일 뿐으로 우리가 감각적 성질들 밑에 펼쳐 놓는 '그물망'과 같은 것이다. 칸트는 이러한 공간을 지각의 형식으로 제시함으로써 우리 지각의 연장적 특질이 순수 공간에 뿌리를 두는 것으로 간주했다. 그러나 구체적 연장 즉 확장은 그 전체로서 볼 때 공간보다는 차라리 의식의 지속에 가깝다. 단지 "그 안에서 모든 것이 평형을 이루고 상쇄되며 중화되는"(247/353) 모습에서 그것은 의식의 고차적 긴장보다는 물질의 동질적 진동에 가까와진다. 바로 이런 점에서 연장된 지각들은 물질에 접하고 있다는 것이다.

문제는 감각과 연장 사이에 동질적 공간을 개입시킴으로써 전자는 비공간적인 순수질로 보고 후자는 순수 공간적인 것으로 보는 관점이다. 앞서 말했듯이 이것은 공간 표상으로 사물을 이해하는 지성적 분석에 의거하고 있다. 이러한 관점에서는 연장은 공간으로 표상되고, 물질은 가분적인 양, 영혼의 상태는 비연장적이며 불가분적 질로 간주되어 양자간에 소통은 불가능하게 된다. 그것은 구체적 연장과 가분적 공간을 혼동하고, 연장과 비연장을 그것들 사이에 단계도 전이도 없는 절대적 실체로 취급한다. 이와 같이 공간의 관점에 위치하면 "정신과 신체는 직각으로 절단된 두 철길과 같다"(250/355). 그러나 반대로 시간의 관점에 설 때 물질과 정신은 모두 리듬을 달리하는 지속의 양태들이다. 따라서 정신은 그 가장 하급한 단계에서 물질과 접촉하고 있으며, 고차적인 단계로 나아가면서 의식적 지속의 긴장에 상응하는 무수한 단계들을 지나친다. 여기서 "철길들은 곡선을 따라 이어지고, 따라서 한 길에서 다른 길로 서서히 넘어간다"(250/355). 이처럼 정신과 신체는 구분되면서도 접촉하고 서로 간에 소통이 가능한 실재들이다.

상징형식의 철학
제1권: 언어

에른스트 카시러

박찬국

『상징형식의 철학』은 1923년에서 1929년에 걸쳐서 신칸트 학파의 거장 카시러가 저술한 대작이다. 제1권 언어(Erster Teil: Die Sprache), 제2권 신화적 사유(Zweiter Teil: das Mythische Denken), 제3권 인식의 현상학(Dritter Teil: Phänomenologie der Erkenntnis)으로 구성되어 있으며 총 1200쪽에 달하는 방대한 책이다.

카시러는 주지하다시피 마르부르크 학파와 서남학파로 대별(大別)되는 신칸트 학파 중 헤르만 코헨(Hermann Cohen)과 함께 마르부르크 학파의 대표자로 꼽히지만 신칸트 학파의 한계를 넘어서 독자적인 문화철학을 개척한 사람으로 유명하다. 세계화가 급속도로 진행되면서 문화들 간의 충돌과 대화가 중대한 문제로 떠오른 오늘날의 상황에서, 문화의 본질과 전개과정에 대한 카시러의 광범하면서도 깊이 있는 분석은 흡사 오늘날의 상황을 예견하고 쓴 것처럼 많은 것을 시사하고 있다. 이런 의미에서 오늘날에 우리가 개척해야 할 문화철학은 카시러가 이미 거둔 연구 성과와 대결하는 것을 불가결의 과제로 갖고 있다.

카시러는 수학적 자연과학의 철학적 기초를 탐구하는 것을 주요한 과제로 삼았던 마르부르크 신칸트 학파의 대표자로서 원래는 르네상스에서 칸트에 이르는 과학사와 인식론 연구에 몰두하면서 수학적·자연과학적 사고의 구조에 대한 비판적이며 체계적인 연구에 몰두해왔다. 이러한 탐구의 성과는 그의 주저 중의 하나인『실체개념과 기능개념』(1910)에 집약되어 있지만, 그는 이러한 탐구의 성과를 자연과학을 넘어서 정신과학에까지도 적용하려고 하면서 자신의 그동안의 탐구가 심각한 한계를 안고 있음을 깨닫게 된다. 즉 이 책의 서문에서 카시러 자신이 말한 것처럼 그는 수학적 자연과학을 단서로 한 일반적인 인식이론이 그것의 전통적인 한계에 머물러서는 정신과학까지 방법적으로 정초하기에는 불충분하다는 사실을 깨닫게 된 것이다.

즉 카시러는 그 이전의 딜타이(Wilhelm Dilthey)와 유사하게 자연과학의 철학적 정초뿐 아니라 정신과학의 철학적 정초가 필요하다고 보면서 이러한 과제는 자연과학의 철학적 정초와는 다른 길에 의해서 행해져야 한다고 본 것이다. 이를 위해서 카시러는 인식이론의 근본적인 확장이 필요하다고 보았으며 세계에 대한 자연과학적 인식의 일반적 전제들을 탐구하는 것 대신에, 세계를 '이해하는' 다양한 근본형식들, 즉 언어와 신화 그리고 예술 등과 같은 근본방식들을 서로 분명하게 구별하고 그것들 각각의 특유한 경향과 특유한 '정신적 형식'을 선명하게 파악해야 한다고 생각하게 되었다. 카시러는 정신의 형식들에 대한 이러한 일반이론을 확립한 후에야 비로소 개별적인 정신과학적인 분과학문들에 대한 철학적 정초가 가능하다고 보았다.

그런데 이러한 카시러의 연구는 단순히 정신과학의 정초라는 범위를 넘어서 인간과 인간의 정신에 대한 이해를 심화하는 것을 목표로 한다. 즉 그는 인간의 주관성에 대한 철학의 연구가 자연과학적 개념과 판단을 형성하는 주관성에 대한 탐구를 넘어서 인간이 자연과 세계를 형태화하는 다양한 정신적 형식들에 대한 탐구로 확장되어야 한다고 보는 것이다. 그는 이러한 주관성의 탐구를 위해서 제1권에서는 언어를, 그리고 제2권에서는 신화와 종교를 그리고 제3권에서는 과학적 사유의 형식을 다루고 있다.

이렇게 인간의 정신을 과학적인 정신을 넘어서 오히려 과학적인 정신마저도 언어나 신화나 종교 그리고 예술 등의 다양한 현상들로 나타나는 생의 활동으로부터 파악하려는 그의 시도는 위에서 언급한 딜타이의 해석학뿐 아니라 후설과 하이데거의 현상학적인 관심과도 일맥상통한다고 할 수 있다. 그러나 이러한 철학자들과 카시러의 근본적인 차이는 카시러는 방대한 경험적 자료와 경험과학자들의 탐구에 입각하여 인간의 정신과 생의 본질적 성격을 파악하려고 한다는 데에 있다고 할 수 있다.

후설이나 하이데거는 인간의 생과 생활세계를 고찰하더라도 어디까지나 우리의 의식작용이나 실존수행방식을 직접적으로 반성하는 것에 의해서 고찰하고 있으며, 서양의 역사를 고찰하더라도 하이데거는 이른바 서양의 역사를 정초하는 서양형이상학의 역사를 고찰하는 데 그치고 있다. 이에 대해서 카시러는 방대한 경험적인 자료에 입각하여 서양뿐 아니라 동양 그리고 원시시대에서 현대에 이르는 다양한 현상들을 구체적으로 고찰하면서 인간의 생과 정신적 활동을 이해하려고 한다. 신칸트 학파의 철학을 비롯하여 근대의식철학이 인간의 의식 내지 이성에 대한 내적인 반성을 통해서 인간의 인식능력을 비롯한 다양한 능력들의 특성을 탐구하는 방향을 취하고 있는 반면에, 카시러는 인간의 본질적인 특성을 상징의 형성이라고 보면서 인간의 정신적인 능력이 외적으로 표현된 언어와 신화 등과 같은 상징들을 탐구함으로써 인간의 정신적인 능력의 본질적 성격을 이해하려고 한다.

이 해제에서는 주로 카시러가 상징철학을 구상하게 된 배경과 그것의 대체적인 내용을 살펴보고 이에 입각하여 그의 언어철학이 갖는 특성을 간략하게 살펴보겠다. 그리고 그의 언어철학이 갖는 특성에 대한 고찰은 카시러가 자각적으로 계승하려고 하는 훔볼트의 언어철학에 대한 카시러의 분석을 살펴보는 것으로 대신하고자 한다. 이는 훔볼트의 언어철학에 대한 카시러의 분석에서 그의 언어분석을 규정하고 있는 철학적인 근본입장이 잘 드러나기 때문이다.

카시러는 제1권의 서론에서 자신이 상징철학을 구상하게 된 배경과 그것의 대체적인 내용 그리고 철학사적인 의의 등을 상당히 상세하게 소개하고 있다. 이러한 서론은 제1권뿐 아니라 나머지 제2권과 제3권을 규정하는 근본적인 사상을 정리하고 있는 부분이기에 사실상 제1권만을 위한 서론이 아니라 나머지 두 권에 대한 서론이라고도 할 수 있다. 즉 이 서론에서 카시러는 자신이 언어와 신화 그리고 과학적 인식을 고찰하는 일반적인 철학적 관점을 소개하는 동시에 그것의 타당성을 정초하고 있다. 이런 의미에서 카시러는 제1권에서 서론을 제외한 나머지 전체를 제1부(Erster Teil)라고 제목을 붙이고 제2권에 대해서는 제2부, 제3권에 대해서는 제3부라고 제목을 붙이고 있다.

따라서 상징형식의 철학 제1권은 내용상으로는 크게 두 부분으로 나뉘어 있다. 하나는 서론 부분이고 다른 하나는 '언어적인 형식에 관한 현상학'이라고 제목을 붙인 제1부이다.

카시러의 철학적 사색은 헤르만 뤼베(Hermann Lübbe)가 카시러의 『국가의 신화』에 대한 서평에서 말한 것처럼 전형적인 학자로서의 스타일을 띠고 있다. 그의 철학은 야스퍼스의 철학처럼 실존에 호소하는 철학도 아니고 하이데거의 철학처럼 존재의 소리에 청종(聽從)할 것을 요구하는 철학도 아니다. 언어에 대해서 연구하더라도 그는 하이데거처럼 '언어는 존재의 집'이라는 알 듯 모를 듯한 심오한 말을 던지는 것도 아니며 언어학의 수많은 연구결과들을 원용하면서 자신의 철학을 전개한다. 따라서 그의 철학은 사실상 해설이 필요하지 않을 정도로 친절하면서도 평이한 언어로 개진되고 있기에 이 책에 대해서 특별히 해제를 덧붙이는 것도 사실상 필요하지 않을 수 있다고 생각된다. 그러나 독자들이 조금이라도 더 수월하게 이 책의 내용을 이해할 수 있도록 해제를 덧붙였다.

1. 철학적 관념론의 심화와 확장으로서의 카시러의 철학

우리는 흔히 언어는 사물을 그대로 모사하는 것이라고 생각한다. 이에 반해서 카시러는 언어를 비롯하여 신화와 과학 등의 모든 상징들은 독자적인 기호체계의 개발을 통해서 세계를 이해하는 것이라고 보고 있다. 상징은 외부세계를 반영하는 것이 아니라 오히려 창출되는 것이며 이와 함께 우리에게 세계와 인간을 이해하는 틀을 마련해주는 것이다. 카시러는 근대 자연과학뿐 아니라 언어나 신화도 외계를 이해하고 파악하기 위해서는 선험적(先驗的)인 범주군을 필요로 하며 이 범주들을 가지고 경험을 조직한다고 보았다. 인간은 새로운 상징체계의 창출을 통해서 세계를 달리 보고 그동안 드러나지 않았던 세계의 새로운 측면을 드러낸다. 세계는 이미 고정된 채로 존재하고 우리가 그것을 수동적으로 드러내는 것이 아니라 여러 상징들을 통해서 다양하게 자신을 드러낸다는 것이다. 이 점에서 카시러는 우리의 인식이 세계를 수동적으로 반영하는 것으로 보는 모사설은 근거가 없는 것으로 본다.

카시러의 이러한 통찰은 우리가 인식하는 외부세계란 사실은 우리가 수동적으로 반영한 것이 아니라 구성한 것이라는 칸트의 『순수이성비판』의 통찰을 계승하는 것이지만, 카시러는 물리학자인 하인리히 헤르츠와 같은 경험과학자들도 이러한 통찰을 제시하고 있다는 것에 주목한다. 헤르츠에 의하면 자연과학의 임무는 미래를 예견하는 것인데 우리가 예견할 수 있기 위해서는 자연을 단순히 수동적으로 모사하는 입장에서는 안 되고 오히려 자연을 예견할 수 있는 상징들의 체계를 만들어야 한다는 것이다. 이는 자연은 스스로 자신의 필연적인 인과관계를 보여주지 않기 때문이다. 카시러는 헤르츠의 다음과 같은 말을 인용하고 있다.

> 요구되고 있는 성질을 갖춘 상을 이제까지의 집적된 경험에서 도출하는 것에 일단 성공한다면, 모델을 사용하는 것과 마찬가지로 이 상에 의해서 우리는 외부세계에서는 오랜 시간이 지난 후에서야 비로소 혹은 우리 자신의 개입의 결과 비로소 출현하게 될 결과를 짧은 시간에 전개할 수 있다. …… 우리가 말하는 상은 사물에 대한 우리의 표상이다. 상과 사물은 앞에서 언급된 요구를 충족시키는 본질적인 어떤 합치점을 가지고 있다. 그러나 상이 사물과 그 이상의 어떤 합치를 보여주는 것은 그것의 목적상 반드시 필요한 것은 아니다. 사실 우리는 사물에 대한 표상이, 바로 저 하나의 근본적인 관계 외에 어떤 다른 관계에서 사물과 합치하는지 어떤지를 알지 못하며 그것을 알 수 있는 어떤 수단도 갖고 있지 않다.

카시러는, 헤르츠는 여전히 인식에 대한 모사설이 사용하는 언어로 말하고 있지만 헤르츠가 사용하는 '상'이란 개념에서는 이제 자체 내에서 내적인 전환이 일어나게 되었다고 보고 있다. 왜냐하면 상과 사물 사이에 요구되었던 어떤 내용적인 유사성 대신에 이제는 극히 복잡한 논리적 관계표현이 등장하게 되었다는 것이다. 물리학적 인식은 주어진 현실을 단순히 반영하지 않고 자기 자신으로부터 비로소 현상들의 통일을 산출함으로써 그것에 입각하여 미래를 예측하는 것을 과제로 갖는바, 이를 위해서 물리학적인 인식은 자연을 힘과 질량과 같은 근본개념들과 이러한 개념들이 제시하는 근본시각을 매개로 하여 고찰한다. 따라서 물리학이 드러내는 대상은 힘과 질량과 같은 자연인식의 근본개념들과 무관하게 그 자체로서 제시될 수는 없으며, 대상은 대상이 나타나는 방식을 미리 규정하는 이러한 개념들 안에서만 나타날 수 있다. 그리고 이러한 개념들은 대상을 모사하여 생겨난 것이 아니라 자연과학적인 인식이 일차적으로 따라야 하는 명료함, 무모순성, 서술의 일의성(一義性)이라는 아 프리오리한 요구에 입각하여 창출된 것이다.

그런데 카시러는 '자연'을 객관적으로 인식하는 학문의 영역 내에서조차 물리학적 대상이 단적으로 화학적 대상과 일치하지 않으며 화학적 대상이 단적으로 생물학적 대상과 일치하지 않는다는 사실을 지적한다. 왜냐하면 물리학적, 화학적, 생물학적인 인식 각각은 문제설정을 위한 독자적인 시점(視點)과 근본개념들을 가지고 있고 이러한 시점과 근본개념들에 따라서 현상들을 특수하게 해석하기 때문이다. 인식이란 많은 현상들을 통일적인 '근거율'에 종속시키는 것을 목표하는바, 과학적 인식에서는 개별적인 것은 개별적인 것으로 그쳐서는 안 되고 어떤 인과적인 전체 연관 안에 편입되어야만 하며 그 인과적인 '구조연관'의 계기로 나타나야만 한다. 과학적인 인식이란 이렇게 특수한 것을 보편적인 법칙과 질서 형식 안에 편입시키는 것에 향해 있지만, 과학적 인식은 물리학적인 인식의 입장에 서느냐 또는 화학적인 인식의 입장에 서느냐 또는 생물학적 인식의 입장에 서느냐에 따라서 전혀 다른 인과연관을 구성해낼 수 있다.

카시러는 이러한 통찰에는 자연과학에 그치지 않고 모든 문화적인 현상에 대해서 중대한 의의를 갖는 관념론적인 귀결이 포함되어 있다고 말한다. 만약 대상에 대한 규정이 항상 어떤 독특한 논리적인 개념구조를 매체로 해서만 행해질 수 있다면, 우리는 이러한 매체가 달라짐에 따라서 대상의 구조도 달라지고 '대상' 연관들이 갖는 의미도 달라진다고 생각할 수밖에 없다는 것이다. 전체로서의 정신생활에는 과학 이외에도 개별자들을 구성하는 다른 방식들, 즉 언어와 예술 그리고 신화와 종교 등이 존재한다. 그것들 역시 개별적인 것을 어떤 하나의 전체적인 것 안에서 이해하려고 하지만, 이 경우 그것들은 과학적인 인식과는 전혀 다른 상징체계를 사용한다.

언어, 예술, 종교, 신화 등은 과학과 마찬가지로 각각 독자적인 상의 세계(Bilderwelt) 안에 살고 있지만, 이러한 세계 역시 경험적으로 주어진 것을 단순히 반영하는 것이 아니라 인간의 정신에 의해서 창출되는 것이다. 이 경우 각 영역이 이용하는 상징은 서로 본질적으로 다르기 때문에 어떤 것도 다른 것으로 해소되지 않으며 다른 것으로부터 도출될 수도 없다. 만약 인간의 정신이 외부세계를 수동적으로 반영하는 것이라면 인간이 만들어내는 상징들은 모두 동일해야 할 것이지만, 그것들은 정신이 자신을 개시하는 방식들이기에 정신이 어떤 방향을 취하느냐에 따라서 전적으로 다른 성격을 갖게 된다. 각각의 정신적 형식이 이용하는 상징들이 서로 다를 뿐 아니라 각각이 전제하는 척도들과 규준들도 전적으로 상이하다. 예를 들어서 과학의 진리개념과 현실개념은 종교와 예술의 그것과는 다르다. 무엇이 '안'이고 '밖'인지, 자아가 어떤 존재이고 세계가 어떤 것인지 양자 사이의 관계가 어떤 것인지가 각각의 정신적 형식에 의해서 드러난다기보다는 오히려 건립되는 것이다.

카시러는 칸트 역시 『순수이성비판』에서 다룬 수학적 · 물리학적 인식이 인간 정신의 모든 것이라고는 볼 수 없었기 때문에 『실천이성비판』, 『판단력비판』을 쓰게 되었다고 말한다. 『실천이성비판』에 의해서 그 근본법칙이 해명되는 자유의 예지계에서, 그리고 『판단력비판』에서 해명되는 예술의 영역과 유기체적 자연형식의 영역에서 정신의 자발적인 활동이 어떤 식으로 일어나는지를 칸트는 드러내고 있다는 것이다. 이런 의미에서 카시러는 칸트가 말하는 코페르니쿠스적 전회조차도 새롭고 보다 확장된 의미를 갖게 된다고 말하고 있다. 코페르니쿠스적 전회는 단지 객관적인 인식에 대한 해명과 관련해서만 일어나서는 안 되고 정신의 모든 형성작용에 대한 해명과 관련해서도 일어나야 한다는 것이다. 어떤 영역에서든 궁극적으로 문제가 되는 것은 우리가 보는 외부현실로부터 정신적 기능을 이해할 것인가 아니면 정신적인 기능으로부터 외부현실을 이해할 것인가 하는 것이지만, 칸트의 코페르니쿠스적 전회는 객관적인 자연영역뿐 아니라 윤리와 예술 그리고 유기체의 영역마저도 정신적인 기능으로부터 이해할 것을 요구하고 있다는 것이다.

이런 의미에서 카시러는 자신의 철학적 작업을 무엇보다도 칸트가 했던 작업을 확장하고 심화하는 것으로 본다. 카시러는 칸트의 초월론적인 방법을 과학적인 인식의 영역을 넘어서 문화의 전체 영역으로까지 확대적용하고 있는 것이다. 순수한 인식기능뿐 아니라 언어적 사유의 기능, 신화적 · 종교적 사유의 기능, 예술적 직관의 기능에 대해서도 이것들 각각에서 세계의 형성이 어떤 식으로 수행되는지를 분명히 파악해야 한다는 것이다. 이 경우 카시러는 세계의 형성이라는 말보다는 차라리 세계로의 형성이라는 말이 더 정확할 것이라고 말한다. 왜냐하면 세계의 형성이라고 할 경우에는 객관적인 세계가 미리 존재하고 우리가 그것을 새롭게 형성한다고 생각하기 쉽지만 카시러는 우리가 살고 있는 객관적인 세계 자체가 우리의 형성작업에 의해서 그렇게 나타난다고 보는 것이다.

이와 함께 카시러는 자신이 전통적인 철학적 관념론을 확장하고 심화하고 있다고 본다. 카시러는 철학적 관념론이야말로 정신현상과 외부세계와의 관계를 가장 잘 구명할 수 있는 이론이라고 말한다. 그리고 카시러는 칸트식의 이성비판을 문화의 전 영역에 대한 비판으로 확장시킬 때, 철학적 관념론의 타당성이 완전하게 입증된다고 본다. 철학적 고찰이 단지 순수한 인식형식의 분석에만 관계하고 자신의 과제를 이것에만 한정하는 한, 소박한 실재론적 세계관을 완전히 무력화하는 것은 불가능하기 때문이다. 인식의 대상이 칸트가 말하는 것처럼 인식의 근본범주들에 의해서 규정되고 형성될지라도, 이러한 대상은 일반사람들의 생각으로는 인식의 근본범주들에 대한 관계 밖에서 자립적인 어떤 것으로 존재하는 것으로 생각된다. 이에 대해서 카시러는 이른바 객관적인 세계로부터가 아니라 보편적인 문화개념으로부터 출발한다면 우리는 이러한 착각에서 온전히 벗어날 수 있게 된다고 본다. 우리가 살고 있는 세계는 적나라한 자연세계가 아니라 언어와 종교 그리고 예술 등으로 형성된 문화적이고 역사적인 세계인바, 이러한 문화적·역사적 세계가 정신의 산출활동에서 비롯된 것이라는 것을 누구도 부정할 수 없기 때문이다.

이와 함께 카시러는 19세기 후반부터 풍미하기 시작하는 심리주의나 생물학주의와 같은 자연주의적인 철학사조에 대해서 관념론의 확장과 심화를 통해서 철학적 관념론을 수호하려고 하고 있다. 심리주의나 생물학주의와 같은 자연주의가 인간의 정신활동도 자연적인 심리법칙으로 환원하거나 동물적인 차원에서의 본능이나 충동으로 환원하여 설명하려고 하는 반면에, 카시러는 정신의 자발성과 자율성 그리고 풍요로운 창조성을 강조하는 방향으로 관념론을 의연하게 고수하면서 그것을 발전시키려고 한다. 카시러의 이러한 철학적 입장에는 인간의 창조성과 책임성을 강조하려는 휴머니즘적인 관심이 이면에서 강하게 작용하고 있다고 할 수 있다.

2. 문화비판으로서의 카시러의 철학

이렇게 관념론을 심화 확장한다는 구상 아래 카시러는 칸트의 이성비판을 문화비판으로 확장해야 한다고 말하며 이러한 문화비판은 인간 정신의 다양한 활동들이 갖는 '내적 형식'을 고찰하는 식으로 이루어져야 한다고 말한다. 내적 형식이라는 용어를 카시러는 현대의 언어철학이 언어의 철학적 고찰을 위한 본래의 출발점으로 삼았던 '내적 언어형식(innere Sprachform)'이라는 개념에서 끌어내고 있다. 카시러는 언어가 어떤 내적인 형식을 갖는 것과 마찬가지로 종교와 신화, 예술과 과학적 인식도 그와 유사한 '내적 형식'을 갖는다고 본다. 이러한 형식은 이러한 영역들의 개별적 현상들의 총합이 아니라 그 어떤 현상을 그 특정한 영역에 속하는 현상으로서 규정하는 근본적인 법칙에 해당한다. 물론 이러한 법칙을 확정하기 위해서는 결국 개별적인 현상들 자체에서 그 법칙을 추출해낼 수밖에 없다. 그러나 바로 이러한 추출에 의해서 그 법칙은 동시에 개별적인 현상들의 필연적이고 구성적인 계기라는 사실이 밝혀진다.

그런데 카시러는 각각의 근본형식은 자신의 특수영역에 만족하는 것이 아니라 존재와 정신생활의 전체에 자신의 특유한 각인을 부여하려고 하는 경향이 있다고 본다. 카시러는 이러한 경향에서 문화의 갈등과 문화개념의 이율배반이 생긴다고 말한다.

예를 들어 과학은 원래 언어의 영역에서 보편개념들을 형성하는 사고형식을 소재와 기반으로 하여 출발하지만, 과학이 발달할수록 과학은 언어적 사고의 원리와는 다른 원리에 의해서 인도되며 오히려 나중에는 언어의 형성물들을 장애와 장벽으로밖에 보지 않는다. 이에 따라서 언어와 언어적 사고형식에 대한 비판이 과학적 사고의 불가결한 구성부분이 된다. 종교와 신화 그리고 예술은 처음에는 구별이 불가능할 정도로 서로에게 침투하고 있었지만 갈수록 분리되면서 서로 갈등하는 관계에 들어서게 된다. 그리스의 신들은 호머와 헤시오도스에 의해서 생겨났다고 말할 수 있을 정도로 신화적이고 미적인 성격을 띠고 있지만, 그리스인들의 종교적 사고는 시간이 가면서 이러한 신화적이고 미적인 근원에서 갈수록 벗어나게 된다. 크세노파네스 이래로 그리스인들의 종교적 사고는 신화적·신적인 신개념도 감각적·구상적 신개념도 갈수록 단호하게 거부하면서 그러한 신개념을 의인관으로 보면서 거부하게 된다.

정신의 형식들 간의 이러한 투쟁을 조정하고 최종적인 결단을 내리는 역할은 흔히 철학에 기대되지만 카시러는 그동안의 형이상학의 독단적인 체계들에서는 이러한 기대는 불완전하게밖에 충족되지 않았다고 말한다. 카시러가 보기에 그러한 체계들은 오히려 대부분의 경우 그 자신이 그러한 투쟁에 빠져서 어떤 특정한 정신형식을 변호하고 강화하는 데 앞장섰을 뿐이고 그러한 투쟁을 넘어서고 조정하지는 못했다는 것이다. 카시러는 이렇게 말하고 있다.

> 그것들 자체는 대부분의 경우 논리적이거나 미학적이거나 종교적인 특정한 원리의 형이상학적 실체화일 뿐이기 때문이다.

카시러는 철학이 이러한 환원주의에 빠지지 않기 위해서는 이러한 모든 형식들을 넘어서면서도 그것들의 완전한 피안에 서는 것은 아닌 하나의 입장을 발견해야 한다고 말한다. 이러한 입장에서 철학은 이 모든 형식들 상호간의 내재적인 관계를 파악해야 한다. 즉 그것은 각각의 정신형식에 의해서 세계와 자아를 상이하게 건립하면서도 그러한 건립방식들이 어떤 식으로 조화될 수 있는지를, 즉 그것들이 그 자체로 존재하는 하나의 동일한 '사물'을 모사하는 것이 아니면서도 서로 보완하면서 정신적 활동의 전체성과 통일적 체계를 어떤 식으로 형성하는지를 파악하려고 하는 것이다. 이를 통해서 철학은 정신에 대한 하나의 철학적 체계학을 형성하게 되며 이러한 체계학에서 철학 각각의 개별적인 형식은 이러한 전체적인 체계에서 자신이 차지하는 위치에 의해서만 자신의 의미를 갖게 된다. 아울러 그것의 내용과 의의는 그러한 형식이 다른 정신적 형식들에 대해서 갖는 관계와 연계의 풍부함과 독자성에 의해서 특징지어질 것이다. 이런 의미에서 카시러는 자신의 작업을 정신적 형식들에 대한 일반이론이라고도 부른다.

3. 형이상학의 변혁으로서의 카시러의 철학

카시러는 철학의 궁극적인 목표는 개별과학과는 달리 항상 존재의 통일적인 전체를 파악하는 것이라고 보고 있다. 그러나 그는 앞으로의 철학의 과제를 정신적 형식들에 대한 일반이론의 정립에서 찾고 있는바, 존재의 통일적인 전체를 파악한다는 과제도 전통형이상학에서와는 다른 방식으로 수행되어야 한다고 보고 있다. 즉 전통적인 형이상학은 세계를 전체로서 객관화하여 존재의 통일적인 전체를 파악하려고 한 반면에 이제 철학은 인간 정신의 다양한 표현인 상징체계들을 고찰하면서 그것들 이면의 정신적인 형식들을 파악하고 그것들 간의 상호관계를 파악하는 방식으로 행해져야 한다는 것이다. 개별적인 정신적 형식들은 다양성을 유지하면서도 서로를 조건지우며 필요로 한다. 이렇게 전체에서 각각의 정신적인 형식이 행하는 기능들의 전체적인 통일에 대한 파악이 어떤 하나의 기체나 기원으로부터 전체를 파악하려고 하는 전통형이상학의 파악방식을 대체해야 한다.

철학적 사유는 정신이 자신을 표현하는 모든 방향들을 고찰하지만 단순히 그러한 방향들의 각각을 개별적으로 추적하는 데 그치지 않고 그러한 방향들을 어떤 통일적인 중심점, 어떤 이념적인 중심에 관계 지우려고 한다. 그러나 이러한 중심은 주어져 있는 존재에 결코 있을 수 없으며 공통된 과제에만 존재할 수 있다. 따라서 정신문화의 여러 소산들, 즉 언어, 과학적 인식, 신화, 문화, 종교는 그것들 간의 내적인 차이에도 불구하고 유일한 커다란 문제연관의 일부가 된다. 그것들은, 정신이 우선은 사로잡혀 있는 것처럼 보이는 한갓 인상들의 수동적인 세계를 순수한 정신적인 표현의 세계로 변형시키는 목표에 관련된 다양한 단초(端初, Ansatz)들이 된다.

이와 함께 카시러는 인간의 생과 정신을 파악하는 방법으로서 20세기에 유행했던 생에 대한 신비주의적 직관으로는 생과 정신의 참된 본질을 파악할 수 없다고 본다. 오히려 생과 정신의 본질을 이해하기 위해서 생과 정신이 창출해낸 수많은 상징들을 매개로 해야만 한다. 오히려 철학의 목표는 이러한 상징들을 그것들을 형성하는 근본원리로부터 이해하고 의식하는 데에 있다. 카시러에 따르면 상징적 형식들이 생의 참된 모습을 가리는 것으로 간주하면서 생에 대한 직접적인 직관을 주창하는 것은 생의 내용을 포착하는 것이 아니라 오히려 상징형식의 창출에 필연적으로 결부되어 있는 것이 분명한 정신과 생의 본질을 왜곡하게 되는 것이다. 오히려 우리는 다양한 상징들을 형성하는 정신의 작용들에 공통적이고 전형적인 근본특징들을 추출함으로써만 생과 정신의 참된 본질을 이해할 수 있게 될 것이다.

이러한 카시러의 시도는 어떤 면에서 방대한 경험적인 자료를 자신의 사변적인 변증법에 의해서 정리하고 파악하려고 했던 헤겔의 시도와 일맥상통하는 면이 있다. 사실 카시러도 헤겔이 그 이전의 어떠한 사상가보다도 분명히 "정신의 전체를 구체적 전체로서 사유할 것, 따라서 단순한 개념에 머물러서는 안 되고 그것을 그것의 표현들의 전체로 전개할 것을 요구"한 사상가로 본다. 그러나 카시러에 따르면 헤겔은 이러한 요구를 충족하려고 하는 『정신현상학』이 실은 『논리학』을 위해 지반과 길을 준비하는 것에 불과하다고 보는 점에서 일정한 한계를 갖는다.

이에 따라서 『정신현상학』이 드러내는 다양한 정신적인 형식들이 아무리 풍부하더라도 결국 그것들은 획일적인 법칙, 즉 개념의 자기운동에서 항상 동일한 리듬을 보여주는 변증법적 방법이라는 법칙에 따르고 있다. 헤겔에서는 모든 정신적 형식들 중에서 논리적인 것의 형식, 즉 개념과 인식이라는 형식에만 진정한 자율성이 귀속되고 다른 것들은 그것에 도달하기 위한 계기들로 격하된다. 따라서 모든 정신적 존재와 정신적 사건은 그것들의 특수성이 어느 정도 인정되더라도 결국은 하나의 유일한 차원으로 귀착되고 환원된다.

더구나 카시러는 당시의 프러시아 문화에서 정신의 최고의 실현을 보았던 것과 같은 헤겔처럼 인간 정신의 발전이 유럽의 언어나 과학 그리고 문화에서 최고도에 달한다고 보는 단선적인 진보의 사상도 받아들이지 않는다.

카시러는 정신활동의 단일한 체계를 형성한다기보다는 정신적 형식들 각각의 고유한 특성을 인정하면서도 서로 간의 연관과 통일성을 고려하는 복합적인 체계를 형성하는 것이 필요하다고 본다. 이러한 복합적인 체계에서는 각각의 형식이 이를테면 각각 특수한 수준(Ebene)으로 할당되며 그러한 수준에서 각각이 자신의 힘을 발휘하고 각각에 특수한 개성을 전적으로 독립적으로 전개한다. 바로 이러한 이념적인 작용방식들의 전체에서 동시에 특정한 유사성과 특정한 유형적 활동양식이 출현하며 그것이 그 자체로서 추출되고 기술될 수 있다.

따라서 카시러는 헤겔과 마찬가지로 정신적 형식들의 전체적인 체계를 파악하려고 하지만 헤겔처럼 논리적인 통일을 추구하는 것이 아니라 모든 정신적 근본형식에서 발견되지만 그것들 중의 어디에서도 전적으로 동일한 형태로는 재현되지 않는 '계기'를 파악하는 방식으로 전체를 파악하려고 한다. 이러한 계기에 주목함으로써 개별 영역들의 이념적 연관, 즉 언어와 과학적인 인식, 미적인 것과 종교적인 것 등의 근본기능들 사이의 연관을 파악할 수 있지만 그 어느 것도 다른 것과 비교될 수 없는 자신만의 독자성도 잃지 않게 된다. 그러한 계기를 카시러는 상징이라는 개념에서 찾고 있다.

4. 상징개념과 감성에 대한 재해석

카시러는 우리의 정신은 자신을 표현하더라도 감성적이고 특수한 매체를 통해서 표현한다는 사실에 주목한다. 예를 들어서 산술과 대수가 제공하는 보편적 기호 없이는 물리학이 표현하고자 하는 어떠한 자연법칙도 언표될 수 없다. 이런 사실에서 카시러는 '보편은 항상 특수 안에서만 직관되고 특수는 항상 보편을 고려할 경우에만 사유될 수 있다.'는 인식 일반의 근본원리가 분명하게 나타난다고 말한다. 그러나 카시러는 특수와 보편 사이의 이러한 상호관계는 과학뿐 아니라 정신적 창조활동의 다른 모든 형식들에서도 나타난다고 말하고 있다. 각각의 정신적 형식은 자신에게 적합한 어떤 특정한 감성적 기체를 창출하는 방식으로 자신을 표현한다.

예를 들어 언어라는 정신적 형식에서 사고는 음운기호라는 감성적 매체를 통해서 자신을 표현하며 예술과 신화 그리고 종교 역시 각각 특유한 감성적 매체에 의해서 자신을 표현한다. 즉 정신의 내용은 자기 밖에 존재하는 감성적 매체를 이용하여 자신을 표현하는 것에 의해서만 자신을 개시하는 것이다. 따라서 정신의 이념적인 내용과 형식은 그것의 표현을 위해서 이용되는 감성적 기호의 전체에 의해서만 인식될 수 있다. 이런 맥락에서 카시러는 언어, 예술, 신화, 종교에서 보이는 특수한 표현과 어법을 파악하는 것과 아울러 그것들을 일반적인 형태로 규정하는 상징기능에 대한 일종의 문법을 확보하는 것이 철학의 과제라고 본다.

카시러는 자신의 이러한 철학이 전통적인 관념론을 지배해온 감성계와 예지계의 이원론을 극복하는 것으로 본다. 이러한 이원론에서는 예지계에서는 정신적인 것의 자유로운 자발성이, 감성계에서는 감성적인 것의 피구속성과 수동성이 지배한다고 보았다. 그러나 카시러는 이 양자는 서로 무매개적으로 대립하는 것이 아니라고 본다. 정신적인 것의 순수한 기능은 감성적인 것에서만 구체적으로 실현될 수 있으며 따라서 그것은 감성과 독립적으로 존재할 수 있는 것이 아니다. 아울러 감성도 정신과 독자적으로 존재하는 것이 아니라 감성적인 상상력이라는 형태로 능동성을 갖고 있다. 감성적인 것은 지각의 세계뿐 아니라 정신이 창조하는 자유로운 상의 세계(Bildwelt)를 성립시키는 참된 매체이다. 이러한 상의 세계는 그것의 직접적인 성질 면에서 보면 아직 감각적인 성격을 갖고 있지만 그것은 정신에 의해서 형성되어 있고 지배되고 있는 감성의 세계이다.

이런 맥락에서 카시러는 감성적인 차원을 무시해온 전통적인 관념론뿐 아니라 독단적인 감각론도 감성이 갖는 의의를 제대로 평가하지 못한다고 말한다. 독단적인 감각론은 인식에서 우리의 능동적인 지적 요인들이 갖는 의의를 과소평가할 뿐 아니라 그것이 감성을 정신의 참된 기본능력이라고 주장하면서도 감성 자체의 전체적인 폭과 수행 전체를 고려하고 있지 않다. 감각론은 감성을 단순히 인상을 수동적으로 받아들이는 것으로 보고 있는데 이는 사실은 감성의 역할과 의의를 왜곡하고 있는 것이다.

예를 들어 언어형성의 과정만을 살펴보아도, 우리는 직접적 인상들의 카오스에 '명칭을 부여하고' 분절하는 방식으로 우리가 살고 있는 일상적인 세계를 구성한다. 언어기호로 구성되는 이러한 새로운 세계에서는 감각적인 인상들 자체도 전적으로 새로운 '존재방식'을 갖게 된다. 언어음운에 의해서 어떤 내용적인 계기들을 구별하고 분리하고 고정함으로써 언어음운은 감각적 질들의 단순한 직접성 이상의 것으로까지 높여지고, 그것은 우리가 단순한 감각의 세계에서 직관과 표상의 세계로 나아가는 것을 가능하게 하는 정신의 근본적 도구가 된다. 아울러 신화적인 형상세계 역시 감성적인 것에 뿌리박고 있다고 하더라도 감성적인 것의 단순한 수동성을 넘어서 있다.

그렇다고 해서 언어의 세계나 신화의 세계는 우리가 자의적으로 만들어내는 세계가 아니라 그것들의 특수한 모든 표현들을 관통하면서 작용하는 고유하면서도 근본적인 형성 법칙을 갖고 있다. 예술적 직관의 영역에서도 우리는 형상을 자발적으로 산출하지만 이러한 산출 역시 예술적인 정신활동의 법칙성에 결부되어 있다. 예를 들어 정신이 일련의 물리적인 음을 결합하여 하나의 언어적인 문장을 구성하는 것과 하나의 멜로디라는 통일체로 형성하는 것과는 분명히 다르며 양자에서 물리적인 음은 전적으로 다른 의미를 가지며 전적으로 서로 다른 법칙에 종속된다.

이와 같이 정신의 가장 고도의 것이면서 가장 순수한 활동조차 감성적 활동의 일정한 방식들에 의해서 제약되고 매개되어 있다는 사실이 분명하게 드러난다. 카시러는 이렇게 감성적 상징의 여러 체계들을 창조하는 것이 우리의 개인적인 자의가 아니라 '정신의 순수한 활동'이라는 것은 이러한 상징들이 애초부터 일정한 객관성과 가치를 요구하면서 출현한다는 데서도 나타나고 있다고 말한다. 카시러에 따르면 그러한 상징들은 단순한 개인적 의식현상의 영역을 초월하는 것이며 오히려 보편타당한 것을 제시하려고 하고 있다는 것이다.

이와 함께 카시러는 끊임없이 변화하는 우리의 의식내용들은 오히려 기호, 즉 상징의 도움을 얻어서 일정한 이념적 의미를 획득하게 된다고 말한다. 기호들은 하나의 통일적인 연관을 형성함으로써 의식의 흐름에서 부분적으로는 개념적이며 부분적으로는 직관적인 성질을 가진 특정한 불변적 근본형상이 부각되어 나오는 것이다. 이렇게 기호가 형성됨으로써 우리의 의식내용들은 지속적이고 통일적인 형상을 얻게 되지만 다른 한편으로 감성적인 차원도 기호로 변형됨으로써 이념적인 의미를 획득하게 된다. 예를 들어서 물리적 음은 그것 자체로서는 고저와 강도, 음색 등에 의해서만 구별되지만 그것이 언어음운으로 형성됨으로써 극히 미묘한 사상적·감정적 차이를 표현한다. 아울러 직접적인 형태에서의 음은 그것이 간접적으로 수행하고 '의미하는' 것의 배후로 완전히 물러나고 만다.

이렇게 우리의 의식내용들과 감성적인 차원이 상징을 통해서 변용되는 과정은 객체가 새롭게 구성되는 과정이기도 하지만 다른 한편으로는 주체가 새롭게 구성되는 과정이기도 하다. 어떤 사물을 예술적인 대상으로 파악하고 구성하는 것과 아울러 우리는 그러한 대상을 예술적으로 파악하는 주관으로서 구성되는 것이며, 과학적인 인식을 하면서 우리는 과학적인 인식의 주관으로서 우리 자신을 구성하는 것이다.

전통적인 철학에서는 인간의 정신활동을 파악하는 것과 관련해서 그동안 전통적으로 객관주의와 주관주의가 대립되어왔다. 객관주의는 우리 인간의 정신활동을 전적으로 외부현실을 모방하는 것으로 보았던 반면에, 주관주의는 우리 인간의 정신활동을 자신의 주관적인 정신상태를 단순히 외부로 표현하는 것으로 보았다. 그러나 언어든 예술이든 또한 과학이든 그것들이 단순히 내적인 것을 표현한다든가 외적 현실의 형태들을 재현한다든가 하는 것으로 이해될 수는 없다. 모든 정신적 형식들에서는 '주관적인 것'과 '객관적인 것', 순수한 감정과 순수한 형태가 서로 융합되고 이러한 융합에 의해서 새로운 존립과 내용을 획득하게 된다.

즉 주관과 객관은 이미 고정되어 존재하는 것이 아니라 우리의 정신적 형식들 자체에 의해서 주관과 객관이라는 경계선이 확정되고 그것들이 새로운 내용과 의미를 갖게 된다. 모든 특수한 정신적 에너지는 각각 특유한 방식으로 이러한 확정에 기여하며 그와 함께 자아개념과 세계개념의 구성에 협력한다. 따라서 정신적 상징들이 풍부해져 가면서 우리가 대면하는 현실 세계도 풍요로운 모습을 드러내게 되며 우리의 자아도 보다 풍부하고 내실이 있는 것이 된다.

5. 카시러의 언어철학

우리는 이상에서 카시러가 상징형식의 철학을 구상하게 된 계기와 그것의 개요를 살펴보았지만 다음에서는 제1권의 주제인 언어현상에 대한 카시러의 견해를 살펴보고자 한다.

카시러는 '언어적인 형식에 관한 현상학'이라는 제목의 제1부 제1장에서는 철학사에서 언어가 어떻게 고찰되어왔는지를 역사적으로 살펴보고 있다. 그는 우선 철학적 관념론과 경험론을 비롯하여 여러 철학사조에서 언어가 어떻게 고찰되었는지를 역사적으로 살펴보았지만, 단순히 다양한 철학적 관점들을 나열하는 데 그치지 않고 각각의 통찰과 한계를 예리하게 짚어내고 있다. 아울러 그는 훔볼트의 언어철학에서 언어에 대한 철학적 파악이 정점에 달한 것으로 보면서 그러한 철학적 단초를 발전시킬 것을 요청하고 있다.

제2장에서 마지막 장인 5장까지에서는 감각적 표현 단계에서의 언어, 직관적 표현 단계에서의 언어 그리고 개념적 사고 단계에서의 언어, 마지막으로 판단영역과 관계영역에서의 언어를 순차적으로 고찰하고 있다.

카시러는 자신의 언어철학은 우리가 앞에서 살펴본 철학적 관념론의 궤도 안에서 수행된다고 보고 있다. 그러나 카시러는 그 동안의 철학적 관념론은 언어라는 정신적 형식이 갖는 독자성을 제대로 고려하지 못했다고 말한다.

카시러는 자신의 작업을 언어에서 '세계 전체의 최고의 것과 가장 심원한 것 그리고 다양한 것들을 파악하기 위한 수단'을 발견했다고 믿었던 빌헬름 폰 훔볼트의 언어철학적인 작업을 계승하는 것으로 보고 있다. 카시러는 훔볼트와 마찬가지로 언어에 대한 탐구를 통해서 인간의 정신과 생을 이해할 수 있다고 볼 뿐 아니라 언어에 대한 철학적 탐구도 언어에 대한 방대한 경험과학적인 탐구에 입각하여 전개하고 있다.

그런데 카시러는 훔볼트 이후의 언어탐구와 언어철학은 이러한 훔볼트의 작업을 계승 발전시키지 못하고 심리주의와 실증주의에 빠졌다고 본다. 물론 카시러는 인간의 정신적 현상들마저도 자연과학적인 방법으로 파악하려는 이러한 독단적인 방법에 대해서 철학적 관념론이 지속적으로 투쟁해왔다는 사실을 인정한다. 그러나 이러한 철학적 관념론도 크로체와 같은 철학자에서 보는 것처럼 언어현상을 미적 현상으로 환원시키는 등 훔볼트가 언어에 부여했던 지위를 제대로 고려하지 못했다고 보고 있다. 이런 의미에서 카시러는 자신이 탐구의 길을 스스로 개척해 나갈 수밖에 없었다고 말한다.

다음에서는 카시러가 계승하고 있는 훔볼트의 언어철학에 대한 카시러의 고찰을 간략하게 살펴볼 것이다.

카시러는 훔볼트가 실질적으로는 카시러 자신의 상징형식의 철학과 동일한 철학을 단서로 하면서 이러한 단서에 입각하여 카비(Kawi)어 연구에 대한 상당한 분량의 포괄적인 서문에서 '언어연구에서 궁극적이고 가장 빛나는 실례'를 제시했다고 보고 있다.

1) 주관성과 객관성의 종합으로서의 언어

훔볼트에게는 모든 언어형성의 소재인 음운기호가 한편으로는 우리가 산출한 것이라는 점에서 주관적인 것이지만 다른 한편으로는 우리를 둘러싸는 감성적 현실의 일부라는 점에서 객관적인 것이다. 따라서 음운은 '내적'인 것이자 동시에 내적인 것이 형상화된 '외적'인 것이기도 하다. 정신은 자신이 자유롭게 고안한 각각의 기호에 의해서 '대상'을 파악하는 것이지만 그 경우 동시에 자기 자신과 자신의 형성 작업에 고유한 법칙성도 파악한다. 이러한 과정에서 정신은 주관성과 객관성을 보다 깊게 규정해간다.

정신이 언어를 통해서 주관성과 객관성을 규정해나가는 첫 번째 단계에서는 객관성과 주관성이 아직은 단순히 분리되어 나란히 대립해 있는 것처럼 보인다. 예를 들어 언어는 그것의 최초의 형성과정에서는 단순한 주관성의 표현으로 파악될 수 있으면서도 단순한 객관성의 표현으로 파악될 수도 있다. 전자의 경우에 언어음운은 흥분음운, 감정음운일 뿐이고 후자의 경우에는 단순한 모방음운[의성어]일 뿐인 것 같다. 카시러는 '언어의 기원'에 대해서 그동안 제기되었던 여러 가지의 사변적 견해들은 사실 이 두 극단 사이에서 움직이고 있지만 그것들 중 어느 것도 언어의 핵심과 정신적 본질 자체를 파악하고 있지는 않다고 말한다. 카시러는 이렇게 말한다.

> 왜냐하면 언어에 의해서는 주관적인 것이나 객관적인 것이 일방적으로 표시되고 표현되는 것이 아니라 그 안에서 두 요인 사이의 새로운 매개와 상호규정이 행해지기 때문이다. 따라서 단순한 감정의 표출도 객관적인 음운자극의 반복도 그것만으로는 아직 언어에 특유한 의미와 형식을 표현하지는 않는다. 오히려 이 양 극이 하나로 결합되고 이것에 의해서 이때까지 없었던 새로운 '자아'와 '세계'의 종합이 창조되는 곳에서 비로소 언어가 성립되는 것이다.

카시러는 훔볼트의 이러한 견해에는 주목할 만한 정도로 칸트와 셸링의 철학이 침투하고 있다고 보고 있다. 훔볼트는 인식능력에 대한 칸트의 비판적 분석을 한편으로 기반으로 하면서, 셸링에서 보는 것처럼 주관성과 객관성, 개체성과 보편성의 대립이 비롯되는 무차별적인 통일로까지 육박하려고 한다. 그러나 훔볼트가 이러한 궁극적 통일을 제시하기 위해서 취하는 길은 셸링에서 보는 것처럼 '유한한' 분석적·논증적 개념의 모든 한계를 넘어서는 지적 직관이 아니다. 훔볼트는 언어의 고찰이 우리를 인간의 궁극적인 깊이로까지 이끌지라도 공상적 사변으로 끝나지 않으려면 구체적인 언어에 대한 무미건조하면서도 심지어 기계적인 분석에서 출발하지 않으면 안 된다고 본다.

훔볼트는 칸트에서 대상이 인식 자체의 범주에 의해서 비로소 '가능하게 되는' 것처럼 언어의 주관성도 우리가 대상적인 존재를 파악하는 것을 방해하는 단순한 장벽이 아니라 감각적 인상들에 형식을 부여하고 '객관화'하기 위한 수단으로 간주하게 된다. 언어는 주어져 있는 객관적인 것을 수동적으로 반영하는 것이 아니라 객관적인 것에 대한 우리의 모든 표상에 결정적인 계기로서 개입한다. 언어에서 활동하는 주관성은 어떤 보편적인 내적 법칙에 입각하여 감각적인 인상들을 변형한다. 따라서 외관상으로는 객관 자체로 보이는 것은 실은 주관적이지만 보편타당성을 요구할 수 있는 파악방식에 의해서 형성된 것이다.

객관성이 정신적인 형식부여(Formung)를 통해서 비로소 쟁취되는 것이라면 우리는 이러한 정신적인 형식부여가 어떻게 해서 형성되는지를 '발생론적으로'(genetisch) 고찰해야만 언어에 대해서 올바르게 이해할 수 있다. 이는 언어의 시간적인 성립과정을 추적하고 그것의 생성을 경험적·심리학적 '원인'으로 설명한다는 것을 의미하는 것이 아니라 언어를 형성하는 요인들의 종류와 방향을 규정하는 것을 의미한다. 우리가 언어의 본질이라든가 형식이라고 부르는 것은 분절된 음운을 사고의 표현으로 고양시키는 정신의 노동에서 찾을 수 있는 항상적이고 동형적인 것일 뿐이다. 따라서 언어에서는 문맥으로부터 분리된 단어조차 하나의 실체처럼 이미 산출되어 있는 어떤 것을 전달하거나 이미 완결된 개념을 전달하는 것도 아니고 이러한 개념을 독자적인 힘으로 그리고 일정한 방식으로 형성하도록 자극하는 것일 뿐이다. 이와 관련하여 카시러는 훔볼트의 다음과 같은 말을 인용하고 있다.

> 사람들이 서로를 이해하는 것은 사물들의 기호에 자신을 내맡기는 것에 의해서도 아니며 완전히 동일한 개념을 산출하도록 서로 결심하는 것에 의해서도 아니다. 그것은 사람들이 인간의 감성적 표상들과 내적인 개념생산물의 연쇄 내에서의 동일한 고리에 서로 접촉하는 것, 즉 인간의 정신적인 악기의 동일한 건반을 두드리는 것에 의해서 가능한 것이다. …… 이러한 방식으로 연쇄의 고리, 악기의 건반이 만져지게 되면 전체가 울리는 것이며, 영혼으로부터 개념으로서 출현하는 것은 가장 멀리 떨어져 있는 연쇄의 고리에 이르기까지 개개의 고리를 둘러싸는 모든 것과 조화를 이루게 된다.

따라서 언어의 객관성의 확고한 기반과 보증을 제공하는 것은 여기에서도 언어에 모사된 존재의 단일성이 아니라 언어의 단어와 개념어 하나하나를 낳는 무한히 다양한 산출활동에서 보이는 조화다. 이런 맥락에서 훔볼트는 언어는 작품(에르곤)이 아니라 활동(에네르게이아)이며 따라서 언어에 대한 참된 정의는 항상 발생론적인 것일 수밖에 없다고 말한다.

2) 개별성과 보편성의 종합으로서의 언어

그런데 카시러는 훔볼트는 칸트와 셸링의 사상적 요소 이외에 라이프니츠의 보다 깊고 포괄적인 보편적·관념론적 견해에 의해서 영향을 받고 있다고 본다. 라이프니츠에서 우주는 한편으로는 각각의 단자들의 독자적인 '관점'으로부터만 지각되면서도 다른 한편으로 이렇게 관점적인 견해의 전체와 그러한 견해들은 서로 조화를 이루고 있으며 이러한 상호간의 조화가 바로 우리들이 현상들의 객관성이라든가 현상계의 현실성이라고 부르는 것을 형성한다. 이와 마찬가지로 훔볼트에서도 모든 개별적인 언어는 현실을 독자적으로 파악하면서 독자적인 세계관을 형성하는 것이며 이러한 세계관들의 총체가 비로소 우리들이 지각할 수 있는 객관적인 세계를 구성한다. 따라서 언어는 인식할 수 있는 자에게는 주관적인 것으로 나타나면서도 다른 한편으로는 경험적·심리학적 주관으로서의 개개의 인간에 대해서는 객관적인 것으로서 나타난다. 왜냐하면 모든 언어는 인간의 보편적 본성의 반향이기 때문이다.

이런 의미에서 훔볼트에게 언어는 '개인의 정신과 객관적 정신의 분리이자 이러한 분리의 재지양(再止揚)'이다. 모든 개인은 자신의 고유한 언어를 말하지만 그러한 언어는 또한 한 민족의 보편적인 언어이기도 하다. 자신의 고유한 언어를 말하는 방식으로 우리는 자신의 개성을 발전시켜나가지만 다른 한편으로는 어떤 한 민족의 보편적인 언어를 말함으로써 보편 속에 편입되어 있다. 훔볼트는 이렇게 말한다.

개체들은 분열된다. 그러나 그것들은 바로 그러한 분리를 통해서 통일감을 환기시키는 놀라운 방식으로 분열된다. 그뿐 아니라 개체는 이러한 통일성을 적어도 이념 안에서 산출하는 수단으로서 나타난다. …… 왜냐하면 인간은 깊은 내면에서 그러한 통일성과 전체성을 획득하려고 고투하면서 개체를 분리시키는 경계를 넘어서려고 하고, 어머니인 대지에 접촉함으로써만 힘을 얻게 되는 거인처럼 저 통일성과 전체성 안에서만 힘을 갖기 때문에 인간은 통일성과 전체성을 획득하려는 보다 높은 투쟁에서 자신의 개체성을 고양시켜야만 한다. 따라서 인간은 그 자체로 불가능한 노력을 하는 가운데 갈수록 진보해간다. 여기에서 참으로 놀라운 방식으로 언어가 인간을 돕게 된다. 언어는 개별화함으로써 결합하며 가장 개인적인 표현이라는 외피 안에 보편적인 이해의 가능성을 포함하고 있다. 어디에, 언제 그리고 어떻게 살든지 간에 개인은 자신이 속하는 종족 전체에서 분리된 단편이며, 언어는 개인의 운명과 세계의 역사를 주도하는 이 영원한 연관을 증명하며 지탱한다.

3) 형식과 내용의 종합으로서의 언어

이상에서 보는 것처럼 카시러는 훔볼트의 언어철학에서 객관성과 주관성의 종합, 개별자와 보편자의 종합이라는 개념이 언어를 해석하는 중요한 단서가 되고 있다고 보면서 마지막으로 형식과 내용의 종합이라는 계기 역시 훔볼트가 언어를 해석하는 중요한 단서가 되고 있다고 본다. 형식과 내용 사이의 종합이라는 개념 역시 칸트의 사상에서 비롯된다. 완전히 형성된 모든 언어에서는 특정한 실질적 징표들에 의해서 어떤 개념을 표시하는 작용에 그것이 실체인지 속성인지를 구별하는 범주적 · 형식적 규정을 덧붙여야 하며, 그 경우에만 그것은 하나의 문장에 포함되어 우리가 무엇인가를 구체적으로 언표하는 데 사용될 수 있다. 그런데 이 경우에도 소재와 형식은 '주관적인 것'과 '객관적인 것', '개별적인 것'과 '보편적인 것'과 마찬가지로 언어를 구성하는 분리된 단편들이 아니라 바로 언어의 발생적인 과정 자체에 필연적으로 공속하는 계기들이며 우리의 분석에서만 서로 분리될 수 있다.

카시러는 이상과 같이 훔볼트의 언어철학을 파악하고 있지만 이러한 파악은 훔볼트의 언어철학의 외면적인 윤곽, 즉 지적인 틀만을 제시한 것에 지나지 않는다는 단서를 달고 있다. 카시러는 훔볼트의 언어철학이 중요하고 풍요로운 것이 될 수 있었던 것은 훔볼트가 구체적인 언어연구에 의해서 이러한 틀에 내용을 채움으로써 가능하게 되었다고 본다. 훔볼트는 끊임없이 현상으로부터 이념으로, 이념으로부터 현상으로 이행하면서 자신의 언어철학을 체계적이면서도 현실에 확고한 뿌리를 내리고 있는 풍요로운 것으로 전개할 수 있었다는 것이다.

카시러는 칸트가 수학과 수학적 물리학을 단서로 하면서 정초한 초월론적 관념론을 훔볼트가 언어라는 영역에서 다시 한 번 확증하고 심화했다고 보고 있다. 카시러는 이러한 훔볼트의 언어철학을 계승한 자신의 상징철학을 실마리로 하여 제1부 제2장부터는 인간의 언어 발전이 어떤 식으로 일어나는지를 각 민족들의 언어들에 대한 구체적인 언어학적인 탐구에 입각하여 체계적이면서도 구체적으로 분석하고 있다.

6. 맺으면서

서두에서 언급했듯이 카시러는 신칸트 학파에서 출발했다. 신칸트 학파는 20세기 초까지만 하더라도 유럽철학계를 지배했지만 1920년대부터 후설의 현상학과 야스퍼스와 하이데거를 중심으로 한 실존철학이 대두하면서 급격하게 영향력을 상실하고 철학계의 관심 영역에서 벗어나게 된다. 그럼에도 불구하고 신칸트학파의 철학 중 유독 카시러의 철학만이 영향력을 잃지 않고 지속적인 관심의 대상이 될 수 있었던 것은 그가 신칸트 학파에서 시작했으면서도 신칸트 학파의 협소한 권역을 벗어나 상징형식에 대한 철학이라는 독자적인 철학의 영역을 개척했기 때문이라고 할 수 있다. 그는 인간의 의식작용에 대한 내적인 반성으로 일관했던 신칸트 학파의 협소한 방법적인 틀을 넘어서 언어, 신화, 종교, 예술 등의 영역에서 구체적인 상징들이 어떻게 창출되고 어떻게 전개되는지를 탐구하고 있다. 역사학뿐 아니라 인류학이나 민속학 등 사회과학이나 인문과학이 무수한 경험적인 자료를 배출하고 있는 현재의 학문적인 상황에서 카시러의 상징철학은 철학이 나아가야 할 새로운 길을 보여준다고 할 수 있다.

대우고전총서

036

상징형식의 철학
제2권: 신화적 사유

에른스트 카시러

박찬국

카시러는 자신이 이 책에서 시도하고 있는 신화적 사유의 분석을 신화적 의식 비판이라고도 부르고 있다. 신화적 의식 비판이라는 말을 사용할 때 카시러는 칸트의 순수이성 비판을 염두에 두고 있다. 칸트는 순수이성 비판을 통해 우리가 경험하는 대상을 가능하게 하는 이성의 활동방식을 드러냈다. 이 경우 이성의 활동이란 우리에게 일차적으로는 무질서한 감각들로서 주어지고 있는 외부세계에 질서를 부여하는 이성의 형태화작용을 가리킨다. 이와 마찬가지로 카시러는 신화적인 의식 비판을 통해서 신화적인 형상세계를 성립시키는 의식 활동을 분석하는 것을 과제로 삼는다. 다시 말해 카시러는 무질서한 감각들로서 주어지는 외부세계를 신화적인 의식이 어떤 식으로 분절하고 조직하는지를 분석하고 있는 것이다.

이와 같이 다양한 신화들 각각의 구체적인 내용보다는 그것들의 근저에 있는 통일적 사유형식을 드러내려고 한다는 점에서 카시러는 자신의 연구를 그동안 종교학이나 종교사 혹은 민족학과 같은 개별과학에 의해 수행된 신화연구와 구별하고 있다. 신화에 대한 과학적 연구는 주로 특정한 신화들의 내용을 분석하는 데 몰두함으로써 이루어졌다. 이러한 연구에 의해 그동안 수많은 신화가 분석되고 그에 대한 풍부한 자료가 축적되었다. 그러나 이렇게 이질적이고 다양한 신화들의 통일성에 대한 연구는 그러한 과학적 연구에서는 시도되지 않았다. 민족학이든 비교신화학이든 종교사든 경험과학은 자신의 고찰 범위를 확대하면 확대할수록 어떤 특정한 신화적 내용들이 세계 도처에서 동일하게 나타나고 있다는 사실, 즉 신화 형성의 '평행성(Gleichläufigkeit)'을 드러내고 있지만, 그것은 그 내용들의 통일성이라는 문제를 제기하는 데 그치고 있을 뿐이다.

카시러는 이러한 통일성이라는 문제를 다양한 신화들의 근저에 존재하는 통일적 사유형식을 드러내는 방식으로 해결하려 한다. 특히 카시러는 이러한 통일적 형식이 갖는 특징을, 신화적 사유방식과 무엇보다 근대 과학의 사유방식을 대조하면서 드러내고 있다. 또한 카시러는 이 책에서 이러한 신화적 사유의 통일적 형식을 드러냄과 함께, 신화가 어떤 식으로 그리스도교나 불교와 같은 고등 종교로 변화하게 되는지를 분석한다. 다시 말해서 신화의 사유방식에 대한 분석과 함께 현대인들이 여전히 신봉하고 있는 종교들의 유래와 그것들의 본질적 특성을 드러내려 하는 것이다. 이 점에서 카시러의 신화 분석은 단지 태곳적의 사고방식에 대한 호기심에서 비롯된 것만은 아니며, 궁극적으로는 우리의 현재를 이해하고 우리에게 열려 있는 길이 어떠한 성격을 갖는지 이해하는 것을 목표로 한다고 할 수 있다.

이 책은 내용이 방대하고 다루는 주제가 다양하기 때문에 독자들은 자칫 카시러가 전개하는 논의의 큰 줄기를 놓쳐버릴 수 있다. 이 해제에서 역자는 첫째로 카시러의 신화 분석 방법이 갖는 특색과, 둘째로 카시러가 드러낸 신화적 사유구조의 핵심적인 내용, 셋째로 신화적 사유방식이 그리스도교나 불교와 같은 고등 종교로 나아가는 과정에 대한 카시러의 분석의 핵심 내용을 간략하게 정리하고자 한다. 해제를 먼저 읽고 난 후 책을 읽으면, 카시러의 분석을 훨씬 더 명료하게 이해할 수 있을 것이다.

1. 비판적 현상학으로서의 카시러의 신화 분석 방법

카시러는 신화적 사유형식에 대한 자신의 분석을 칸트의 비판철학 방법론을 발전적으로 계승하는 것이라고 보면서, 다른 한편으로 자신의 분석을 현상학적인 분석이라고도 부르고 있다. 그는 자신의 분석이 신화에 특유한 사유구조를 있는 그대로 드러내는 것을 목표로 할 뿐, 신화를 어떤 형이상학적인 이론에 입각해 해석하거나 모든 인간에게 공통된 심리 법칙 및 특정한 사회구조로 환원하여 설명하려는 환원주의적인 시도와는 전적으로 다르다는 점에서 현상학적이라고 표현하고 있는 것이다.

카시러는 신화의 구체적 내용을 분석하기 이전에 신화에 대한 기존의 분석 방법들을 비판하면서 신화에 대한 타당한 분석 방법으로서 비판적 현상학적 분석 방법을 제시하고 있다. 따라서 여기서도 우선 카시러가 기존의 분석 방식들을 어떻게 비판하는지 고찰하면서 그의 분석 방식 고유의 특성을 보다 분명히 드러내려고 한다. 카시러가 비판하고 있는 분석 방법으로는 심리학주의적인 분석, 사회학주의적인 분석, 우의(寓意, Allegorie)적인 분석, 셸링식의 형이상학적 분석을 들 수 있다.

1) 심리학주의적인 분석에 대한 비판

심리학주의적 신화 해석의 대표주자는 포이어바흐나 프로이트의 종교 해석이라고 할 수 있다. 이들은 신이란 관념을 비롯한 신화의 모든 관념들은, 자연을 지배하는 기술이 발달하지 못한 원시상태에서 인간이 자연에 대해 느끼는 공포를 극복하기 위해 만들어낸 허구로 본다. 인간은 전지전능한 존재로서의 신과 같은 관념들을 만들어내고 이러한 허구적 관념에 의지함으로써 자신이 삶에서 경험하는 무력감과 불안을 극복하려 한다는 것이다. 이러한 심리학주의적 신화 해석을 카시러는 다음과 같은 점에서 비판하고 있다.

첫째, 심리학주의적 신화 해석은 인간을 역사를 통틀어서 불변적인 심리적 법칙에 의해 지배되는 동일한 인간으로 간주하지만, 카시러는 인간이 불변적인 존재가 아니라 역사적으로 변화해가는 존재라고 본다. 인간이 사는 방식과 사유하는 방식도 시대에 따라 매우 다른 양상을 보인다. 이러한 변화를 규정하는 것은 심리적인 법칙이 아니라 오히려 그때마다의 시대를 규정하는 신화나 종교 혹은 철학이다. 심리학주의적 신화 해석은 인간이 자신의 불변적인 심리 법칙에 따라서 신화나 종교 그리고 철학을 만들어낸다고 보지만, 어떤 특정한 시대의 인간이 어떤 삶을 살고 어떤 식으로 사유하느냐는 오히려 이러한 신화나 종교 그리고 철학에 의해 좌우된다. 어떤 시대의 인간도 아무런 생각 없이 사는 것이 아니라 항상 자신과 세계에 대한 전체적인 이해 안에서 사는 바, 이러한 이해는 그 시대를 규정하는 신화나 종교 혹은 철학적 사유에 의해 주어지기 때문이다.

둘째, 카시러는 이러한 심리학주의적 신화 해석으로는 신화가 지닌 독특한 사유구조가 해명될 수 없다고 본다. 즉 신화가 나타나는 심리적 동기를 드러내는 것만으로는 신화를 지배하는 독특한 사유형식은 전혀 해명되지 않는다. 심리학주의적 신화 해석에 따르면 결국 신화란 주관적 환상에 불과한 것이고 인간이 제멋대로 만들어낸 상상에 불과한 것이지만, 이러한 신화이해로는 신화적인 내용들의 다양성에도 불구하고 그 근저에 존재하는 통일적인 인간이해와 세계이해가 해명될 수 없다. 신화의 세계는 순전히 '꾸며낸' 또는 '고안된' 세계가 아니라 독자적인 필연성과 실재성을 갖는 것이다.

이런 맥락에서 카시러는 신화는 언어와 마찬가지로 인간이 임의로 창조한 것이 아니라 인간에게 어떤 의미에서 주어진 것이라고 말하고 있다. 어떤 민족이 언어를 임의로 선택할 수 없는 것과 마찬가지로 그 민족은 어떤 특정한 신화를 받아들이거나 거부할 수 있는 자유로운 선택권을 갖지 않는다. 따라서 신화를 특정한 개인들에 의해 고안된 것으로 보는 것은 어떤 민족의 언어가 그 민족에 속하는 개인들의 노력을 통해 생겼다고 보는 것과 마찬가지로 터무니없는 것이다. 언어가 그 민족을 규정하는 것과 마찬가지로 신화도 그 민족을 규정한다. 따라서 신화는 그 민족의 역사 자체이며 그 민족의 운명이다. 신화를 통해서 인간을 지배하는 힘은 인간의 의식이 마음대로 할 수 없는 힘이며 오히려 인간의 의식을 장악해버린 힘이다.

신화를 믿는 인간은 신화적으로 이해된 세계를 현실세계로 생각하면서 산다. 신화적인 세계는 그 세계를 사는 사람들에게는 주관적으로 해석된 세계가 아니라 우리가 지금 눈앞에 보고 있는 세계 못지않게 현실적인 것이다. 우리는 오늘날 일상적으로는 세계가 '사물'과 '속성'으로 이루어져 있다고 보면서 그러한 세계에서 살고 있다. 그러나 신화적 의식의 단계에서는 신화적인 활력(Potenz)과 힘, 악령이나 신으로 이루어진 세계를 세계의 참모습으로 간주하면서 그러한 세계 안에서 슬퍼하고 기뻐하면서 산다.

이 점에서 신화는 인간의 공상이 만들어낸 환상과 같은 것이 아니라 인간이 그 안에서 사는 하나의 삶의 형식이다. 각 시대마다 다르게 나타나는 삶의 형식은 주관과 객관의 분리를 넘어서 있는 것이며 오히려 이러한 삶의 형식이 어떤 것이냐에 따라 주관과 객관의 관계가 그때마다 다르게 조정된다. 신화라는 삶의 방식에서는 아직 주관과 객관이 분화되어 있지 않지만, 근대 이후 사람들이 살고 있는 삶의 방식에서 세계는 자유로운 주체가 마주하고 있는 대상으로서 나타난다.

신화를 이렇게 파악할 때 이른바 신화적 세계의 '비실재성'에 입각하여 신화의 의의와 진리를 부정하려는 모든 논의는 타당성을 상실하게 된다. 물론 신화적 세계는 '단순한 표상'으로 이루어진 세계이며 이러한 세계로 남아 있다. 현대의 과학도 그것의 내용과 그것의 단순한 소재에서는 '단순한 표상'으로 이루어져 있다. 과학은 자연을 규정하는 법칙을 우리의 표상 배후에 있는 초월적 대상을 포착함으로써 드러내는 것이 아니라, 표상의 질서와 계기(繼起)를 규정하는 어떤 규칙을 표상 자체 내에서 또한 표상 자체에 입각해서 발견함으로써 드러낸다. 우리가 표상에게서 우연성을 제거하고 그로부터 어떤 보편적인 것, 어떤 객관적-필연적인 법칙을 드러냄으로써 표상은 우리에게 대상적인 성격을 갖게 된다. 신화와 관련해서도 객관성에 대한 물음은 우리가 신화에 내재하는 규칙, 즉 신화에 고유한 '필연성'을 인식할 수 있는가를 탐구하는 방식으로만 답해질 수 있다.

어떤 시대의 인류가 자신의 특수한 자기의식과 특수한 대상의식을 갖게 되는 길 중 하나를 보여주는 것인 한, 신화적 사유 전체는 고유한 내적 '진리'를 자체 내에 포함한다.

2) 사회학주의적 분석 방법에 대한 비판

뒤르켐과 같은 사람은 신화를 특정한 사회구조의 반영으로 보면서 사회구조로부터 신화가 갖는 내용을 설명하려 했다. 그러나 하나의 사회구조도 인간이 자신과 세계에 대해서 갖는 전체적 이해와 무관하게 단순히 주어지는 것이 아니라 그러한 이해에 의해 철저하게 규정되어 있다. 그런데 앞에서 이미 본 것처럼 신화는 그것이 지배하는 시대를 사는 인간의 자기이해나 세계이해를 반영하는 것이 아니라 오히려 이것들을 형성한다. 따라서 어떤 시대의 사회구조도 신화에 의해 규정된다. 신화를 통해 개인과 공동체 사이의 특정한 관계와 공동체 자체의 구조가 산출되는 것이다.

토테미즘에서 보는 것처럼 사람들이 자신의 조상을 동물이나 식물로 보고 모든 것들과의 막연한 통일성에 대한 느낌 속에서 사는 것도 특정한 신화에 의해서 규정되는 것이며, 인간이 이러한 통일성에 대한 느낌에서 벗어나 독자적인 인격성에 대한 의식을 갖게 되는 것도 신화가 새로운 내용을 획득함으로써 가능하게 된다. 따라서 신화의 정신적 구조가 사회의 특정한 구조를 단순히 반영하는 것이 아니라, 오히려 사회의 특정한 구조가 신화가 갖는 특정한 정신적 내용에 의해 규정된다.

3) 우의적 해석에 대한 비판

심리학주의적인 해석이나 사회학주의적인 신화 해석이 근대에 등장한 해석인 반면, 전통적으로 가장 자주 행해져온 신화 해석은 우의적 해석이다. 이러한 해석은 신화를 문화적으로 발전된 시대의 철학적 진리나 종교적 진리를 암시하고 준비하는 것으로 본다. 다시 말해서 신화는 하나의 합리적인 인식 내용이나 발달된 종교적 관념을 자신의 본래적인 핵심으로 갖고 있으면서, 그것을 신화적 형상을 통해 비유적으로 표현하고 있다는 것이다.

이러한 우의적 해석은 신화가 문화적으로 발전된 시대와 본질적으로 다른 사유방식이나 인간이해 및 세계이해를 가지고 있지 않다고 보면서, 신화를 문화적으로 발전된 시대에 발견된 철학적 진리나 종교적 진리 혹은 과학적인 진리나 윤리적 통찰로 환원하여 설명하려고 한다. 우의적 해석은 심리학주의나 사회학주의와 마찬가지로 신화의 독자성을 인정하지 않고 신화를 신화보다 더 근본적인 것으로 환원하여 설명하려고 한다는 점에서, 이러한 심리학주의적 해석이나 사회학주의적 해석 못지않게 환원주의적인 관점에 사로잡혀 있다고 할 수 있다.

4) 셸링식의 형이상학적 해석에 대한 비판

신화 해석에서 전통적으로 지배적인 지위를 점했던 이러한 우의적 해석을 극복하고 모든 종류의 환원주의적 설명을 극복한 인물로 카시러는 특히 비코와 셸링을 들고 있다. 이들은 신화를 인식, 윤리 그리고 예술과 마찬가지로 자립적이고 자기완결적인 '세계'로 간주하며 인간의 정신이 세계를 형성하는 독자적인 방식이라고 본다. 따라서 신화는 신화 이외의 것에서 가져온 낯선 가치척도와 현실척도에 입각해서 평가되고 해석되어서는 안 되며, 신화에 내재하는 구조 법칙성에 의해 파악되어야만 한다. 카시러는 신화적 사유에 대한 자신의 분석을 비코와 셸링의 이러한 이념을 계승하고 발전시키는 것으로 본다.

그러나 카시러는 셸링의 신화 분석이 갖는 형이상학적 전제는 받아들이지 않는다. 셸링은 인간의 의식에서 일어나는 신화적 표상에서 출발하면서도, 이러한 표상의 운동과 전개가 내적인 진리를 갖기 위해서는 그것에 객관적인 생기(Geschehen)가, 즉 절대자 자체 내에서의 필연적인 전개가 상응해야만 한다고 본다.

이런 의미에서 셸링은 신화들의 전개 과정은 신들의 발생 과정(ein theogonische Prozeß)이라고 말한다. 즉 그것은 신 자체가 생성되는 과정이며 신이 자신을 참된 신으로서 단계적으로 산출해나가는 과정이다. 이러한 과정은 애매모호한 통일자로서의 신으로부터 출발하여 다신론이라는 형태로 자신을 분화하면서 최종적으로는 자기 자신을 하나의 통일자로서 인식하게 되는 참된 하나의 신, 즉 존재할 뿐 아니라 그 자체로서 인식된 하나의 신으로 나아간다.

5) 비판적 현상학의 방법

카시러는 신화에 대한 자신의 분석 방법도 심리학주의적인 분석 방법이나 셸링의 분석 방법과 마찬가지로 신화의 수행 주체를 인간의 의식으로 보면서 이것에서 출발한다고 말하고 있다. 그러나 카시러는 이 경우 인간의 의식에 대한 경험적-심리학적인 분석이나 형이상학적인 분석을 넘어서는 제3의 분석 방식이 있다고 본다.

그는 이러한 제3의 분석 방식의 존재 가능성을 근대의 인식 비판이 보여준다고 말한다. 근대의 인식 비판, 즉 인식의 법칙과 원리에 대한 분석은 형이상학의 전제로부터도 심리학주의의 전제로부터도 점점 더 분명하게 해방되어왔다. 특히 카시러는 인식 비판과 관련하여 논리학상의 법칙을 심리적 법칙으로 환원하여 설명하려는 심리학주의는 후설의 현상학에 의해 철저하게 비판되었다고 본다. 그런데 카시러는 논리학에 대해서 타당한 것은 그에 못지않게 정신의 모든 자립적인 영역들에 대해서도 타당하다고 본다. 정신의 자립적 영역들 모두에서 그 순수한 내용을 규정하는 것은, 그것들의 경험적 생성과 심리학적 발생조건을 탐구하는 것과는 무관하며 그것은 이러한 심리학적 발생조건을 통해서는 해명될 수 없다는 것이다. 다시 말해, 정신의 자립적 영역들의 '본질'에 대한 물음은 경험적-발생적인 물음으로 전환하는 것에 의해서는 해소될 수 없다.

카시러는 신화의 본질은 신화적 의식이 감각적인 인상들을 분절하고 조직하는 특수한 방식, 즉 신화적 의식 특유의 형태화작용을 통해서만 드러난다고 본다. 또한 이렇게 신화적 의식이 작용하는 방식을 파악하는 것은 칸트의 비판철학 이념을 계승하면서 발전시키는 것으로 보고 있다. 신화에 대한 비판철학적 분석은 심리학적-귀납적 방법과 마찬가지로 항상 '주어진 것'으로부터, 즉 경험적으로 확정되고 확인된 문화의 사실들로부터 출발해야 한다. 그러나 신화에 대한 비판철학적 분석은 단순히 주어진 것으로서의 문화의 사실들에 머물 수는 없다. 그러한 분석은 사실의 현실성으로부터 '사실의 가능성의 조건들'로 소급해서 묻는다. 그러한 분석은 이러한 조건들을 드러냄으로써 다양한 신화들의 근저에 존재하는 독특한 사유구조를 드러내려 한다.

이런 의미에서 신화에 대한 비판철학적 분석은 신화적 의식의 '형식'에 대해서 묻는 것이며 신화적 의식의 심리적·역사적·사회적 원인을 탐색하는 것이 아니다. 오히려 비판적 현상학의 분석방법은 정신의 모든 특수한 형성물들을 이것들 사이의 모든 차이와 엄청난 경험적 다양성에도 불구하고 궁극적으로 지배하고 있는 정신적 원리의 통일성을 탐구한다.

카시러는 셸링식의 신화의 형이상학은 '신들의 생성 계통(Theogonie)'에 입각해 있고, 심리학은 '인간의 생성 계통(Anthropogonie)'에 입각해 있다고 말한다. 셸링은 신화적 의식의 전개 과정에는 절대자의 동일성이 근저에 깔려 있다고 본다. 민족심리학은 절대자의 이러한 동일성 대신에 인간 본성의 동일성을 확신하면서 이 인간 본성의 동일성이야말로 항상 그리고 필연적으로 신화의 동일한 '기본적 관념'을 산출한다고 본다.

그런데 민족심리학이 인간 본성의 불변성과 통일성에서 출발하면서 이것을 모든 설명 시도의 전제로 격상시킬 경우, 민족심리학은 궁극적으로는 '선결문제 요구의 오류'에 빠지게 된다. 민족심리학은 신화의 근저에 존재하는 정신의 통일성을 자신의 분석에 의해 드러내고 그것을 분석의 결과로서 확보하는 대신, 그것을 오히려 그 자체로 존립해 있고 그 자체로 확실하게 주어진 것으로서 취급하고 있기 때문이다.

그러나 신화적 의식의 통일성은 처음부터 상정되어야 하는 것이 아니라 신화적 의식에 대한 분석을 통해 비로소 드러나야만 한다. 이 때문에 현상학적 고찰방식에서는 미리 존재하는 혹은 전제된 형이상학적 기체나 심리학적 기체의 통일성으로부터 신화를 규정하는 사유 형식의 통일성을 추론할 수 없다. 이러한 통일성은 신화 자체가 제공하는 구체적인 내용에 입각하여 분석되지 않으면 안 된다. 신화의 구체적 내용들의 온갖 변화에도 불구하고 비교적 동일하게 존재하는 '내적 형식'이 발견될 경우, 이러한 형식으로부터 소급하여 정신의 실체적 통일성을 추론해내서는 안 된다. 오히려 이러한 실체적 통일성이야말로 바로 '내적인 형식'에 의해 구성되고 특징지어지는 것이다.

이와 관련하여 카시러는 신화가 신을 인간과 유사한 것으로 보는 의인관(擬人觀)에 사로잡혀 있다는 견해도 비판하고 있다. 인간은 완전하게 형성되어 있는 자신의 고유한 인격을 단순히 신에게 전이하면서 신에게 자신 고유의 자기감정과 자기의식을 빌려주는 것이 아니라, 오히려 신들의 모습에서 비로소 이러한 자기의식을 발견한다. 토테미즘식으로 신을 생각하느냐 아니면 그리스도교식으로 생각하느냐에 따라 인간의 자기이해는 달라지는 것이다. 이 점에서 신화를 신에 대한 의인관적인 설명이라고 보는 견해는 정당성을 갖기 어렵다.

카시러는 신화에 대한 자신의 분석 방법을 비판적인 현상학이라고 부르고 있다. 비판적인 현상학은 한편으로 칸트가 과학적 인식에 대한 비판에서 사용한 철학적인 방법을 계승하면서도, 과학적 인식 못지않게 언어나 신화 그리고 종교와 예술과 같은 상징형식들도 독자적인 법칙과 필연성을 갖고 있다고 보는 현상학적 통찰을 수용한다. 이러한 상징형식들에 대한 비판적인 현상학은 형이상학적인 근원적 사실로서의 신성으로부터도 그리고 경험적인 근원적 사실로서의 인간성으로부터도 출발해서는 안 된다. 비판적인 현상학은 문화과정의 주체, 즉 '정신'을 단지 그것이 있는 그대로, 즉 그것의 다양한 형태화 방식에 있어서 파악하고 이러한 형태화 방식들 각각이 따르고 있는 내재적 규범을 규정해야 한다.

언어나 신화 그리고 종교와 예술 같은 상징형식들이 수행하는 본질적 기능은 외부세계를 내부세계에 모사하거나 완성된 내부세계를 외부세계에 투사하는 데 있지 않다. 오히려 그러한 상징형식들을 통해서 그리고 그것들을 매개로 하여 '내부'와 '외부', '자아'와 '현실'의 두 계기가 비로소 규정되고 서로 경계지어진다. 따라서 그러한 상징형식들 각각이 자아와 현실의 정신적 '대결'을 자체 내에 포함하고 있을 경우, 이것은 자아와 현실 양자가 이미 주어진 양으로서, 즉 이미 완성된 형태로 독립적으로 존재하는 '절반들'로서 간주된 뒤 나중에야 비로소 하나의 전체로 결합된다는 의미로 해석되어서는 안 된다. 오히려 각 상징형식의 결정적 기능은 자아와 현실 사이의 경계를 이미 결정적으로 확정된 것으로서 전제하는 것이 아니라 이러한 경계 자체를 비로소 정립하는 데, 그리고 모든 근본 형식이 이러한 경계를 상이하게 정립한다는 데 있다.

상징형식 일반에 대한 이러한 체계적 고찰로부터 우리는 이미 신화도 자아나 영혼에 대한 어떤 완성된 개념으로부터 출발하지 않으며, 객관적 존재와 사건에 대한 어떤 완성된 상으로부터도 출발하지 않는다고 추정할 수 있다. 오히려 신화는 양자를 비로소 획득해야만 하고 자기 자신으로부터 비로소 형성해야만 하는 것이다.

2. 신화적 사유의 구조

카시러는 문화가 상당히 발전된 단계에서 인간의 정신이 알고 있는 다양한 분화를 모른다는 것을 신화적 사유구조의 특색으로 꼽는다. 신화는 인간이 만든 형상과 현실적인 사물을 구별하지 않으며, 인간과 세계 사이의 분화도 알지 못한다. 이와 관련하여 카시러는 신화의 근본을 이루고 있는 직관은 분명한 신 개념도 또한 분명한 영혼 개념도 인격 개념도 알지 못한 채, 아직 전적으로 미분화된 상태로 있는 주술적인 힘에 대한 직관에서 출발한다고 말하고 있다.

1) 꿈과 각성 상태 그리고 생과 죽음의 미분화

신화적 의식의 최초의 단계들에서는 자아의 정동(情動)에 작용을 미치는 것을 통해서만, 즉 자아 안에 희망이나 두려움, 욕망이나 공포, 만족이나 실망이라는 특정한 정동을 불러일으키는 것을 통해서만 사물들은 자아에게 '존재하는' 것이 된다.

인간 정신이 발전하는 최초의 단계에서는 세계 전체가 특정한 고정된 형태들로 분해되기 이전에 인간에게 막연한 느낌 속에서 하나로 나타난다. 전체에 대한 이러한 막연한 느낌으로부터, 인간에게 강렬한 인상을 주는 특별한 것들이 분리된다. 이러한 특별한 것들에 대응하는 것이 최초의 신화적 '형상들'이다. 이러한 신화적 형상은 특정한 대상을 객관적으로 고찰하면서 이것들의 지속적인 특징들이나 불변적인 본질특성을 확보하려는 지적 노력의 산물이 아니라, 일회적이며 아마도 동일한 형태로는 반복되지 않는 의식상태의 표현으로서 의식의 순간적 긴장과 이완으로부터 생긴다.

따라서 우리는 신화에 나오는 자연신과 자연의 정령은, 보편적인 자연력과 자연 과정을 인간과 유사한 것으로 파악하는 의인화의 산물이 아니라 오히려 강렬한 인상들의 신화적 객관화에서 생긴 것으로 보아야 한다. 이러한 강렬한 인상들이 파악하기 어려운 것일수록, 또한 그것들이 '자연적' 사건의 전체 과정에 편입되지 않는 특별한 것으로 나타날수록, 그리고 그것들이 의식을 불의에 직접적으로 엄습할수록 이러한 인상들이 의식에 행사하는 힘도 그만큼 더 커진다.

오늘날에도 민간에 퍼져 있는 신앙은 이러한 신화적 표상방식이 여전히 사람들을 강하게 지배하고 있다는 사실을 보여준다. 들과 전답, 덤불과 숲에 깃들어 있는 자연의 정령들에 대한 신앙은 바로 그러한 신화적 표상방식에 뿌리를 내리고 있다. 나뭇잎들이 살랑거리는 소리, 바람 소리, 규정될 수 없는 무수한 소리와 음향, 빛의 유희와 깜박임, 이 모든 것에서 신화적 의식은 숲의 생명을 감지한다. 즉 그것들은 숲에 거주하는 무수한 자연적 정령들, 숲의 남자들과 숲의 여자들, 요정과 요마(妖魔), 나무의 정령과 바람의 정령이 직접 나타난 것으로 느껴지는 것이다.

이 경우 사물들은 근대 과학이 드러내는 자연의 규칙과 필연적인 법칙의 도식 안에 구속되는 대신, 신화적 의식을 강렬하게 자극하고 사로잡으면서 자기 자신에게만 속하는 것, 비할 바 없이 독자적인 것으로서 나타난다. 사물들은 이를테면 개성적인 분위기 안에서 살고 있다. 사물들은 일회적인 것이며, 이러한 자신의 유일성에서만, 그의 직접적인 지금과 여기에서만 파악될 수 있다.

따라서 신화적 의식은 직접적 인상 속에 존재하고 이것에 자신을 맡길 뿐이며, 그러한 인상의 전후 연관을 헤아리면서 그것이 생겨나게 된 근거를 묻지 않는다. 인상은 신화적 의식에게는 단순히 상대적인 것이 아니라 절대적인 것이다. 인상은 다른 어떤 것을 통해서 존재하지 않고 그것의 조건이 되는 다른 것에 의존하지도 않는다. 인상은 그것의 존재가 갖는 단순한 강렬함으로 자신을 주장하면서 의식에 육박해온다.

과학적 사유가 사물들을 자신 앞에 존재하는 대상으로 간주하면서 사물들이 현상하는 방식을 곰곰이 따져 묻는 것에 반해, 신화적 의식은 사물들을 그렇게 자신이 눈앞에 객관적으로 보는 것으로서 대상화하지 않는다. 오히려 신화적 의식은 대상에 의해 압도되는 방식으로만 대상을 갖는다. 신화적 의식은 대상을 자립적인 것으로 구성해가는 방식으로 대상을 소유하는 것이 아니라, 대상에 의해 단적으로 사로잡히는 것이다. 신화적 의식에는 대상에 대한 소박한 감동만이 존재한다.

이렇게 신화적 의식은 단순히 거기에 존재하는 강렬한 인상에 사로잡혀 있기 때문에, 이 의식은 지금 여기에 주어진 것의 존재를 의심할 가능성을 갖지 못한다. 따라서 신화적 의식은 꿈도 우리에게 강렬하게 나타날 경우에는 현실로 본다. 현실의 필연적인 연관에서 벗어나 있더라도, 꿈이 강렬한 인상을 줄 때는 현실 못지않게 현실적인 것으로 간주되는 것이다.

신화적 사유와 신화적 경험에서는 꿈의 세계와 객관적 현실의 세계가 끊임없이 서로 이행한다. 특정한 꿈의 경험들은 깨어 있을 때 체험되는 것들과 동일한 정도의 힘과 의미를 가지며, 간접적으로 동일한 정도의 '진리'를 갖는다. 많은 자연민족의 생활과 활동 전체는 세부에 이르기까지 그들의 꿈에 의해 규정되고 인도된다.

꿈과 각성 상태 사이에 확고한 구별이 없는 것과 마찬가지로, 신화적 사유에서는 생의 영역과 죽음의 영역도 선명하게 구별되지 않는다. 꿈 속에서 우리가 사랑과 공포 등의 감정을 느끼면서 죽은 자와 관계하고 있다는 사실은, 순간의 강렬한 인상에 빠져 있는 신화적 의식에서는 죽은 자가 죽음 후에도 계속해서 영속하고 있다는 식으로만 설명될 수 있다. 이러한 관점에서는 신체조차도 죽는 순간에 갑자기 파괴되지 않고 단지 그 무대를 바꿀 뿐이다. 죽은 자들은 살아있는 자들과 마찬가지로 자신을 유지하기 위해서 식량과 옷과 소유물을 필요로 한다. 죽은 자는 더 이상 감성적인 육신을 갖지 않는 한낱 그림자 같은 존재로 나타날 경우에조차 '존재하는 것이다'.

삶과 죽음 사이의 관계는 존재와 비존재 사이의 관계와 같은 것이 아니라, 동일한 존재가 갖는 동질적인 부분으로 보아야 한다. 신화적 사유에서는 생이 죽음으로 죽음이 생으로 이행하는, 명확히 한정된 특정한 순간은 없다. 신화적 사유는 탄생을 귀환으로 생각하는 것과 마찬가지로, 죽음을 영속이라고 생각한다.

2) 상(像)과 현실 사이의 미분화

신화적 의식도 실로 그것을 둘러싸면서 지배하는 사물의 세계에 대해 자신의 자립적인 신화적 형상세계를 창조하면서 사물의 세계에 대립시킨다. 그러나 이러한 창조는 아직 자유로운 정신적 행위라는 성격을 띠지 않는다. 신화적 정신의 단계에서는 아직 자립적이고 자기의식적인 자아, 상징들을 자유롭게 만들어내는 자아가 존재하지 않는 것이다. 이와 함께 신화의 모든 시작, 특히 모든 주술적인 세계파악은 언어나 상 그리고 기호의 객관적 존재와 객관적인 힘에 대한 신앙에 의해 지배된다. 이 경우 인간은 언어나 상 그리고 기호를 자신에게서 비롯된 것으로 보지 않고 자립적인 주술적 힘을 갖는 것으로 생각한다.

예를 들어 어떤 사물에 대한 단어와 이름은 단순한 표시 기능만을 갖는 것이 아니라 그 사물 자체와 그것의 실재적 힘들을 자신 안에 포함하고 있다. 따라서 신화적 의식은 달과 태양 혹은 폭풍우의 이름을 부르는 것만으로도 그것들에 효과를 미칠 수 있다고 믿으며, 일식과 월식을 막기 위해 달이나 태양의 이름을 큰 소리로 외쳐 부른다.

각 개인의 고유한 이름도 인격과 분리된 것이 아니라 인격과 하나로 용해되어 있다. 이름과 마찬가지로, 어떤 인물이나 사물의 상도 그 인물이나 사물과 분리되어 있지 않다. 어떤 인간의 이름과 마찬가지로 그 상도 또한 그 사람의 또 다른 자아(alter ego)이며, 이 상에 일어나는 것은 그 사람 자신에게도 일어난다.

이렇게 상과 사물이 미분화되어 있기 때문에 주술적 표상권에서는 상을 사용하는 주술과 사물을 사용하는 주술이 명확히 구별되지 않는다. 주술이 손톱이나 머리카락과 같은 인간의 특정한 신체부분을 주술적 수단으로 이용할 수 있는 것과 마찬가지로, 주술은 상을 이용해도 동일한 효과를 거둘 수 있다. 적의 상을 바늘로 찌르고 화살로 관통한다면, 이것은 주술에 의해 적에게도 직접 영향을 미친다.

상과 동일한 역할은 특히 인간의 그림자에게도 인정된다. 어떤 사람의 그림자에 해를 끼치면 그 사람 자신에게도 해를 끼칠 수 있다. 어떤 사람의 그림자를 밟는 것이 금지되는 것은 이러한 행위가 그 사람에게 병을 초래할 수 있기 때문이다.

이와 같이 신화의 세계에서는 사물적 계기(Dingmoment)와 의미계기 양자가 미분화된 채로 용해되어 하나의 직접적인 통일을 형성한다. 신화적인 의식에서는 한갓 '표상되었을 뿐인 것'과 '현실적인' 지각 사이의, 소원과 성취 사이의, 상(像)과 사물 사이의 모든 확고한 구별이 결여되어 있는 것이다. 신화적 의식에서 자아는 자신이 만들어낸 기호나 상징을 자신에게서 비롯된 것으로 보지 않고 의식 자체에게 '객관적인' 현실로서 주어진 것으로 보게 되며, 이와 함께 신화적 의식이 정립하는 형태와 형상은 그것에 대해 구속력을 갖게 된다. 이 때문에 정신을 자연의 속박으로부터 해방시키는 듯 보였던 것이 정신을 이제 새롭게 속박하는 것이 된다. 여기서 정신이 경험하는 힘은 한낱 자연적인 것이 아니고 그 자체가 이미 어떤 정신적인 힘이기 때문에 그러한 속박은 그만큼 더 끊어버리기 어렵다.

3) 소원과 성취의 미분화

주술적 세계관은 인간의 소원이 전능하다는 믿음에 근거한다. 주술은 그것의 근본 형식으로부터 볼 때 소원을 충족시키는 원시적 '기술'이다. 자아는 주술을 통해 모든 외적 존재를 자신에게 복속시키고 그것을 자신의 권역 안으로 끌어들일 수 있다고 믿는다. 존재하는 것들은 어떠한 자립적 존재도 갖지 못하기 때문에 인간은 주술을 이용하여 심지어 신들까지 부릴 수 있으며, 자연조차도 주문을 외워 운행궤도에서 벗어나게 할 수 있다. '주문은 달을 하늘에서 끌어내릴 수도 있다'는 것이다.

근대인들은 소원을 이루기 위해서는 많은 중간 조치가 필요하다고 생각하는 반면, 주술적 세계관은 그러한 중간 조치들이 필요 없다고 보며 소원과 성취가 직접적으로 유착(癒着)해 있다고 본다. 예를 들어 우리는 대학에 합격하기 위해서는 초등학교부터 고등학교까지 정해진 과정을 다 마쳐야 한다고 생각하는 반면, 주술적 세계관에서는 주문을 외우거나 부적 하나를 소지하는 것으로 충분하다고 생각하는 것이다.

4) 전체와 부분의 미분화

신화적 의식에서는 어떤 사람의 이름이나 그림자 혹은 거울에 비친 상이나 손톱·발톱·머리카락과 같이 어떤 인간의 극히 사소한 부분이라도 자기 것으로 만든 자는 이와 함께 그 사람을 소유하게 된 것이며 그 인간을 지배하는 주술적 힘을 획득한 것이 된다. 이와 같이 신화적 의식에서는 전체와 부분들이 미분화되어 있다. 전체는 부분을 '갖지' 않고 부분들로 분할되지도 않으며 각 부분은 직접적으로 전체이며 전체로서 작용하고 기능한다. 이에 반해 현대인들의 경험적인 사유방식에서 전체는 그 전체와는 다른 부분들로 '이루어져 있다'.

5) 공동체와 개인의 미분화

전체와 부분이 미분화되어 있는 것처럼 신화적 의식에서 개인은 자신이 생각하고 느끼는 모든 것, 능동적으로 행하고 수동적으로 겪는 모든 것에서 공동체와 결합되어 있다고 생각하며, 공동체 또한 개인과 결합되어 있다고 생각한다. 어떤 공동체 내의 한 개인이 다른 사람을 살해했을 경우, 살해된 자의 영혼이 행하는 복수는 살인자에게서 끝나지 않고 그와 직·간접적으로 접촉하고 있는 집단 전체에 미치게 된다.

6) 공간의 미분화

신화적 사유에서는 모든 종류의 유사성은 근원의 공통성, 본질의 동일성을 증언하는 것으로 간주된다. 신화적인 사유에서는 세계가 4개의 방위로 이루어져 있고 인간이 사지를 갖고 있기 때문에 양자 사이에는 본질적인 동일성이 존재한다고 보며, 세계와 인간은 하나의 동일한 진리를 서로 다른 차원에서 표현하는 형식들에 지나지 않는다. 따라서 인체의 특정한 부분을 세계의 특정한 부분과 동일시하는 독특한 '주술적 해부학'이 성립하게 되며, 대지의 구조를 인간의 신체구조와 동일한 것으로 보는 신화적 지리학도 성립한다. 신화적 사유의 이러한 독특한 원리에 의해 공간적인 거리는 끊임없이 부정되며 폐기된다. 세계처럼 가장 광대한 것도 신체처럼 가장 가까운 것에서 어떠한 방식으로든 '모사될 수 있는' 한, 세계와 신체는 서로 융합하게 되는 것이다.

7) 공간과 사물의 미분화

신화적 사유에서는 어떤 사물과 그것이 존재하는 위치 사이에 근대인들이 생각하는 것처럼 '외적인' 우연적 관계만 존재하는 것이 아니다. 위치 자체가 그 사물의 존재 가운데 일부이며 따라서 그 사물은 자신의 존재를 유지하기 위해 어떤 특정한 위치에 존재해야 한다는 것이다.

예를 들어 토테미즘에서는, 각 씨족에게 특수한 공간적 방향과 특정한 지역이 속해 있다. 어떤 씨족에 소속된 사람이 죽으면 시체는 그 씨족에 속하는 공간 내의 특정한 방향에 안치되어야만 한다. 아울러 동서남북 각각에는 고유의 특수한 존재와 특수한 의의, 어떤 내적인 신화적 생명이 내재한다. 각각의 특수한 방위는 근대인들의 의식에서처럼 추상적-이념적인 관계로서가 아니라 고유한 생명이 부여되어 있는 자립적인 '형성물'로서 간주된다. 이러한 사실은 방위들 각각이 특별한 신으로 높여지고 있다는 것에서도 분명하게 드러난다. 신화적 사유의 비교적 낮은 단계들에서도 이미 고유한 방위신들, 즉 동쪽의 신과 북쪽의 신, 서쪽의 신과 남쪽의 신, 하계(下界)의 신과 상계(上界)의 신이 나타나고 있다.

8) 시간의 질적인 성격

시간에 대한 신화적 견해는 공간에 대한 신화적 견해와 마찬가지로 전적으로 질적이고 구체적으로 표현되며, 근대 과학에서처럼 양적이고 추상적으로 표현되지 않는다. 의례에서는 특정한 신성한 행위가 특정한 시간에 행해져야만 한다. 어떤 의례를 정해진 시간에 하지 않으면 그것은 신성한 힘을 잃게 된다. 아울러 '신성한 시간', 즉 축제의 시간은 사건의 동질적인 진행을 중단시키면서 이러한 진행에 일정한 분리선을 도입하게 된다. 따라서 시간의 국면들은 과학적인 인식에서처럼 결코 단일하고 동질적이며 순전히 외연적인 계열을 형성하지 않으며 그것들 각각은 내적으로 충만해 있다. 이 때문에 그것들은 서로 유사하거나 유사하지 않으며, 일치하거나 대립하며, 우호적이거나 적대적으로 존재한다.

아울러 신화적 사유에서는 기원이라는 시간의 출발점이 특별한 의미를 갖게 된다. 신화적 세계의 모든 신성함은 궁극적으로는 기원의 신성함으로부터 유래한다. 어떤 내용이 갖는 신성함은 그것에 직접 부착되어 있는 것이 아니라 그것의 유래에 존재한다. 인간 특유의 존재방식인 풍습, 관습, 사회적 규범과 제약만이 신화적인 태고와 시원의 규약으로 소급됨으로써 신성한 것으로 간주되는 것이 아니라 존재 자체, 즉 사물들의 자연적인 본성 자체도 그것들의 기원으로 소급해서 이해될 때 비로소 참으로 이해된 것이 된다.

9) 원인과 결과의 미분화와 시간의 미분화

신화에서는 일체의 동시성이 이미 그 자체로 어떤 실재적·인과적인 '연속관계'를 포함하고 있다. 모든 시간적 접촉이 그대로 원인-결과의 관계로 간주되는 것이다. 어떤 계절에 출현하는 동물이 그 계절을 가져오는 자, 그 계절의 창시자라는 생각이 신화적 사유에서는 흔히 보인다. 신화적 사유방식에서 여름을 가져오는 것은 제비다. 아울러 주술적 사유방식은 어떤 사람이 화살에 맞아서 부상을 입었을 때 이 화살을 차가운 장소에 걸어두거나 그것에 연고를 바르면 통증이 사라지거나 완화될 수 있다고 믿는다. 이런 종류의 '인과관계'는 근대인들에게는 극히 기묘하게 보일지라도, 각각 '원인'과 '결과'에 해당하는 화살과 상처가 여기서는 아직 전적으로 미분화된 하나의 사물로 여겨진다는 사실을 고려해보면, 그러한 인과관계도 쉽게 이해될 수 있다.

신화적 사유에서는 어떤 사건을 구성하는 개개의 시간적 계기가 인과적인 의의에 따라 서로 명확히 구별되지 않으며, 신화적 시간은 과거, 현재, 미래라는 선명하게 구분된 단계들로 나뉘지 않는다. 신화적 의식은 끊임없이 시간들 사이의 차이를 없애고 이러한 차이를 궁극적으로는 순수한 동일성으로 변화시킨다.

특히 주술적인 사고방식은 '부분이 바로 전체'라는 자신의 원리를 공간에 제한하지 않고 시간에까지 적용한다. 주술적 사고방식에서는 물리적·공간적 의미에서 각각의 부분이 전체를 대표할 뿐 아니라 각 부분이 그대로 전체인 것처럼, 주술적인 작용연관은 모든 시간적인 차이와 분리선도 넘어선다. 주술상의 '지금'은 결코 단순한 지금, 다른 시점들로부터 분리된 단순한 현시점이 아니다. 모든 시간계기들의 이러한 독특한 질적 '상호 포섭'을 가장 분명하게 보여주는 것은 점술이다. 점술은 미래에 일어날 일이 이미 과거에 다 포함되어 있다고 본다.

이에 반해 근대 과학은 어떤 사건의 시간적 경과를 추적하면서 이것을 명확히 구별되는 여러 '국면들'로 분해한다. 이러한 인과관계는 과학적 인식의 진보와 함께 갈수록 더 복잡하고 간접적인 것이 되어간다. 과학적 인식에서는 '그' 화살이 단적으로 '그' 상처의 원인으로 인정될 수 없다. 과학적 인식에서는, 그 화살은 어떤 일정한 순간 (t_1)에 신체에 파고 들어가 신체에 일정한 변화를 야기하며 그러고 나서 이 변화에 다시 (계속되는 순간 t_2, t_3등에서) 다른 변화계열, 즉 신체 유기조직에서의 특정한 변화들이 이어지는 것으로 사유되고, 이러한 변화계열이 전체로서 상처가 생기기 위한 필수적인 부분적 조건들로 사유되는 것이다.

신화도 주술도 이러한 부분적 조건들, 즉 인과관계의 작용연관 전체 내에서 일정한 상대적 가치밖에 갖고 있지 않은 조건들로의 구분을 결코 행하지 않기 때문에, 신화와 주술에게는 시간의 각 시점을 나누는 특정한 경계도 근본적으로 존재하지 않는다.

10) 실체화하는 사유방식

신화적 사유는 모든 변화와 작용을 실체화하는 방식으로 파악한다. 예를 들어 인간의 병은 경험적인 일반적 조건들 때문에 신체에서 일어나는 것이 아니라 그 사람을 소유하게 된 악령에 의해 일어난다. 이렇게 신화적 상상은 모든 것에 생명과 혼을 불어넣고, '정령화(Spiritualisierung)'하는 방향으로 나아간다.

이러한 정령적인 힘은 세계 도처에 퍼져 있다. 그러나 힘을 갖는 소수의 인물, 즉 주술사라든가 성직자, 우두머리와 전사의 경우에는 그 힘이 농축되어 나타난다. 이러한 힘의 저장소로부터 다시 개별 부분들이 분리되며, 이것들은 접촉하는 것만으로도 다른 사람에게 전이될 수 있다. 성직자 혹은 우두머리에 속해 있는 주술적인 마력은 개개의 주체로서의 그들에게 구속되어 있는 것이 아니라 다른 사람들에게 전달될 수 있는 것이다.

따라서 신화적 힘은 근대적인 인식에서 말하는 힘처럼 인과적인 요인과 조건이 서로 관계하고 작용을 미친 결과로서 생기는 것이 아니라 독자적인 실체적 존재로서 파악되며 이러한 것으로서 어떤 장소로부터 다른 장소로, 어떤 주체로부터 다른 주체로 이동해간다. 예를 들어 근대 의학에서는 어떤 사람이 세균에 감염되어 병이 들었을 경우, 병을 일으키는 힘은 세균 자체에 이미 존재하는 것이 아니라 그 사람의 신체적 조건과 세균이 가지고 있는 특정한 성질 사이의 인과적인 연관에서 비로소 생기는 것이라고 본다. 이에 반해 신화적 사유에서는 병을 일으키는 힘은 특정한 악령에게 존재한다고 보는 것이다.

신화와 달리 어떤 사건에 대한 과학적-인과적 분석은 주어진 것을 그것을 구성하는 세부적인 과정들로 분해한다. 이러한 과정 하나하나를 우리는 관찰할 수 있고 그것들 사이에 성립하는 규칙성을 파악할 수 있다. 과학적인 인과 분석은 '사물'로부터 '조건'으로, '실체적인' 직관에서 '함수적인' 직관으로 나아간다. 이에 반해 신화에서 어떤 사건을 구성하는 계기들은 자립적이고 구체적인 실체로서의 성격을 보유하고 있다.

과학적 사유가 잇달아 일어나는 사건들의 계열을 '원인'과 '결과'로 분해하면서 이것들 사이에 성립하는 항상성과 규칙성에 주목하는 반면, 신화적인 설명은 단지 과정의 시작과 종말을 서로 명확히 구별하는 데 만족한다. 과학적 인식이 진보할수록 그것은 생성이 일어나는 '방식', 즉 생성의 법칙적 형식을 묻지만, 신화는 오직 '무엇'이 '어디서부터' '어디로' 일어나는가를 묻는다. 신화는 '어디서부터'와 '어디로'를, 이것들이 완전한 실체적 규정성을 갖는 상태로 자신의 눈앞에서 보려고 하는 것이다.

따라서 과학적-인과적 사유가 '변화'를 하나의 보편적 법칙으로부터 이해하려고 하는 곳에서, 신화적 사유는 단순한 변신(Metamorphose)밖에 알지 못한다. 과학에서 어떤 변화는 항상 어떤 보편적인 법칙이 적용되는 예로서 나타나는 반면, 신화적 '변신'은 항상 개별적인 사건에 대한 보고이며, 어떤 개별적이고 구체적인 실체로부터 개별적이고 구체적인 실체로 이행하는 사건에 대한 보고다. 예를 들어 신화에서 대지는 거대한 동물의 신체나 물에서 떠다니는 연꽃에서 생긴다. 태양은 돌로부터 생기고, 인간은 바위 혹은 나무로부터 생긴다.

11) 우연의 부정

이렇게 실체화하는 사고방식과 우연을 부정하는 사고방식은 밀접하게 연관되어 있다. 과학적 관점에서는 '우연'으로 간주되는 것에 대해서도 신화적 의식은 어디까지나 하나의 '원인'을 요구하며, 각각의 개별적 사례에 대해 원인을 상정한다. 예를 들어 자연민족의 사유에서는 어떤 사람의 토지에 생긴 재난이나 어떤 사람에게 일어난 병과 사고와 같은 것도 결코 '우연한' 사건이 아니며, 그것들은 항상 어떤 악령이나 신에 의한 주술적 작용에서 비롯된 것으로 간주되는 것이다. 특히 죽음은 결코 '자연히' 일어나는 것이 아니라 반드시 외부로부터의 주술적 작용에 의해 일어난다고 본다.

이런 의미에서 카시러는 신화적 사유에서는 무법칙적인 자의가 지배한다고 볼 수 없고 오히려 역으로 인과관계를 감지하는 '본능'과 인과적 설명에 대한 요구가 과도하게 지배하고 있다고 보고 있다. 신화적 세계관에서는 세계에는 우연에 의해 일어나는 것은 아무것도 없고 모든 것이 어떤 의도에 의해 일어난다.

근대 과학과 신화 사이에 존재하는 차이와 대립은 신화가 인과 개념을 모른다는 것이 아니라 인과적 설명이 그것들 각각에서 다르게 나타난다는 데 근거한다. 과학은 어떤 사람에게 일어난 사건을 보편적 법칙의 특수한 예로서 파악할 수 있게 되면 만족하며, 그 사건이 왜 하필이면 이 사람에게 지금 여기서 그리고 왜 그런 방식으로 일어났는지에 대해서는 더 이상 묻지 않는다. 이에 반해 신화는 '왜'라는 물음을 바로 이 특수한 것, 개별적이고 일회적인 것에 제기한다. 그리고 신화는 이러한 개별적 사건을 악령이나 신의 특정한 의지작용에 의한 것으로 '설명한다'. 자유로운 활동으로서의 의지작용은 그 이상 설명될 수 없거나 그 이상의 설명을 필요로 하지 않기 때문이다.

과학은 모든 자유로운 행위조차 일의적인 인과질서에 의해 규정되어 있기 때문에 이미 결정되어 있는 것이라고 간주하는 경향이 있지만, 신화는 역으로 모든 사건이 자유로운 행위에서 비롯되는 것으로 본다.

12) 수의 실체화

어떤 사물들을 구성하는 부분들의 수가 '동일한 수'로서 나타날 경우, 논리적 사유는 이러한 수의 동일성을 순수하게 이념적인 관계로 보는 반면 신화는 이러한 동일성을 그 사물들이 어떤 신화적 '본성'을 공유하고 있다는 데서 찾는다. 동일한 수를 지닌 것들은 그것들의 감각적인 모습이 아무리 달라도 신화적으로 '동일한 것'이 된다. '하나의' 본질이 극히 상이한 현상형식들 안에 숨겨져 있을 뿐이라는 것이다. 신화적 사유를 지배하는 실체화 경향은 이렇게 수도 자립적인 힘을 갖는 자립적 존재로 격상시키는 데서도 나타난다. 논리적 사유에서 수는 어떤 보편적 기능과 어떤 보편타당한 의미를 갖지만, 신화적 사유에서 수는 그것 아래 포착되는 모든 것에게 자신의 본질과 힘을 나누어주는 근원적인 '실체'로 간주된다. 예를 들면 3과 같은 수는 신성한 힘을 지닌 수로 간주된다.

13) 유와 개체의 미분화

신화적 사유에서는 유(類)를 사물을 분류하는 논리적 개념으로 보지 않고 특수한 개체 안에 직접적으로 현전하며 그 안에서 살고 작용하는 것으로 본다. 예를 들어 토테미즘이 지배하는 곳에서 원시인들은 자신들이 동물을 조상으로 가질 뿐 아니라 동물종 자체, 즉 수서동물 혹은 재규어 혹은 빨간 앵무새라고 믿는다. 신화적 사유는 일반적으로 우리가 종 또는 유에 대해 하나의 '사례'가 갖는 관계, 즉 논리적 포섭관계라고 부르는 관계를 알지 못하고, 그러한 관계를 항상 실제의 작용관계로 만드는 것이다.

14) 인간과 동물 그리고 식물의 미분화

신화적 사유에서 종은 여러 생물들 사이의 감각적인 유사성이나 그것들 사이의 생식관계에 의해 정해지지 않는다. 종의 구별은 전혀 다른 유래, 즉 주술적인 유래를 갖는다. 직접적인 지각의 관점에서 보면 서로 전혀 유사하지 않은 것, 또는 '합리적인' 인식의 관점으로부터 보면 서로 전혀 동질적이지 않은 것들도 그것들이 하나의 동일한 주술적 복합체에 소속되는 것으로 간주되면 '유사한 것' 또는 '동일한 것'으로 간주된다. 이 경우 동일성은 결코 단순히 '추론되는' 것이 아니라 주술적으로 체험되고 느껴지는 것이다.

원시인들의 직관에서 동물은 다른 어떠한 존재자들보다 특별한 주술적 힘을 갖는 것으로 나타난다. 말레이인들은 코끼리, 호랑이, 무소와 같은 큰 동물들에게 초자연적인 주술적 힘이 있다고 믿는다. 또한 원시인들에게는 특정한 계절에 나타나는 동물들이 대부분의 경우 그 계절을 낳고 가져오는 자로 여겨졌다. 제비는 주술적 힘에 의해 여름을 가져오는 것으로 간주되는 것이다. 그리고 동물이 자연과 인간에게 행사하는 작용이 전적으로 이렇게 주술적 의미로 이해되는 것처럼, 또한 동물에 대한 인간의 모든 형태의 능동적-실천적 관계도 주술적으로 이해된다. 이러한 주술적 관계에 따라 토테미즘이 지배하는 곳에서 사람들은 자신을 동물과 동일한 것으로 보면서, 자신을 수서동물이나 빨간 앵무새라고 자랑하게 되는 것이다.

더 나아가 인간은 자신이 주술적인 관계를 통해 동물뿐 아니라 식물과도 결합되어 있다고 본다. 토테미즘에서 동물과 식물은 결코 선명하게 나뉘지 않는다. 개개의 부족은 토템동물에 대해서 가지고 있는 것과 동일한 외경심을 토템식물에 대해서도 갖는다. 토템동물의 살해를 금하거나 일정한 조건을 준수하고 일정한 주술적 의식을 행한 후가 아니면 허용하지 않는 금령(禁令)은 토템식물을 먹는 것에 대해서도 적용된다. 더 나아가 인간은 자신이 특정 종류의 식물에서 비롯되었으며 인간이 식물로 그리고 식물이 인간으로 변할 수 있다고 생각한다.

15) 영혼과 육신의 미분화

형이상학, 특히 '합리적 심리학'은 영혼을 통일성과 불가분성 그리고 비물질성과 영속성이라는 성격을 갖는 하나의 실체로 본다. 이에 반해 신화에 이러한 영혼 개념은 존재하지 않는다. 신화에는 신체로부터 분리된 자립적이고 통일적인 '실체'로서의 '영혼'은 없으며, 영혼이란 신체에 내재하면서 신체와 필연적으로 결합된 생명 자체일 뿐이다. 이러한 '내재성'은 공간적으로도 명확한 규정과 한계를 갖지 않는다.

생명은 미분화된 전체로서 신체의 전체 안에 살고 있는 것처럼 신체를 구성하는 부분들 각각에도 존재하고 있다. 따라서 심장, 횡격막, 신장 등의 중요한 기관들만이 아니라 손톱이나 발톱, 타액이나 머리카락과 같은 신체의 임의적인 모든 구성부분이 비록 신체 전체와 '유기적으로' 결합되어 있지는 않더라도 생명 전체의 담지자로서 사유될 수 있다. 따라서 어떤 사람의 타액, 배설물, 손톱, 잘라진 머리카락에 가해지는 모든 작용이 그것들이 속하는 생명 전체에 직접 타격을 가하면서 생명 전체를 위험에 빠뜨린다.

신화에서 모든 존재와 사건은 주술적-신화적 활동에 의해 침투되어 있다. 이러한 활동에서는 '물질적인 것'과 '정신적인 것', '물리적인 것'과 '심리적인 것'이 아직 구별되어 있지 않다. 주술적-신화적 활동의 내부에서는 우리가 '영혼의 세계'와 '물질'의 세계로 구별하는 두 영역 간의 지속적인 이행과 끊임없는 교환이 일어난다.

3. 신화적 의식에서 종교적 의식으로

카시러는 신화적 의식으로부터 고등 종교의 종교적 의식으로의 도약이 어떤 식으로 일어나는지를 종교적 의식 속에서 시간과 자아 그리고 신화적 형상에 대한 새로운 이해가 어떤 식으로 형성되는지를 고찰하면서 보여준다. 그러나 여기서는 종교적 의식에서 독립적이고 자유로운 통일적 인격으로서의 자아라는 개념이 어떤 식으로 형성되며 신화적 형상이 그것이 가리키는 신 자체와 어떤 식으로 분리되는지를 살펴보는 것에 한정한다.

1) 종교적 의식의 출현과 자아의식의 각성

주술적 세계관에서 소원과 성취는 미분화되어 있기 때문에 인간이 현실에 대해 거의 무제한적인 지배를 행사하며 모든 현실을 자기 자신 안으로 끌어들이는 듯 보인다. 그러나 주술적 세계관에서 보이는 이러한 과도한 자아감정은 사실은 인간이 아직 참된 자기가 되지 않았다는 사실을 보여준다. 인간은 주술적인 힘을 통해 사물들을 자신의 뜻대로 하려고 하지만, 바로 이러한 시도를 통해 인간은 자신이 만들어낸 신화적 형상들에 의해 완전히 지배되고 완전히 사로잡히게 된다.

여기서는 단어나 언어와 같은 관념적인 것들조차 자아에 낯선 것으로서 외부로 투사되면서 주술적 힘을 갖는 존재의 모습으로 나타난다. 이와 함께 신화적 의식은 자신이 만들어낸 형상들을 낯선 것으로서 두려워하고 그것들에 의해 지배당하는 것이다. 주술적인 세계상에서는 외관상으로는 인간이 자연적인 존재와 사건에 대한 전능한 힘을 갖는 것처럼 보이지만, 사실은 더욱더 확고하게 물리적 존재의 영역에 사로잡히고 이것의 운명 안으로 얽혀 들어가게 된다.

인간이 이러한 상태에서 벗어나자면 주관과 객관, 자아와 세계의 분화가 일어나야 한다. 인간이 진정한 주체가 되려면 자신을 세계와 대치시키고 세계에 대해 직접 자유롭게 작용을 가하는 것으로 생각해야 한다. 카시러는 신화가 고등 종교로 발전하는 과정에서 비로소 '주관'과 '객관', '자아'와 '세계'의 점진적인 분리도 일어나며 이러한 분리 과정에 의해 의식은 몽롱한 혼돈 속에 있던 상태로부터, 즉 단순한 존재와 감각인상과 정동(情動)에 사로잡혀 있던 상태로부터 벗어나게 된다고 본다.

신화적 사유의 초기에 '영혼'은 사물로서, 즉 물리적 존재처럼 극히 잘 알려져 있고 손으로 붙잡을 수 있을 정도로 가까운 것으로 나타난다. 그러한 사물적인 것에, 갈수록 더 풍부해지는 정신적 의미내용이 귀속되면서 궁극적으로 영혼은 정신성 일반의 독특한 '원리'가 된다. 정신의 진보가 계속 이루어지면 '영혼'이라는 신화적 범주로부터 자아라는 새로운 범주, 즉 '인격'과 인격성이라는 관념이 생겨나게 된다.

카시러는 이러한 과정은 신화적 의식이 단순한 자연신화에서 문화신화로 나아가는 전개 과정에서 가장 명료하게 나타난다고 보았다. 자연신화에서는 기원에 대한 물음이 세계나 개별적인 자연사물들의 기원에 대한 물음으로 나타났던 반면, 문화신화에서 기원에 대한 물음은 점점 더 인간 고유의 영역을 향하게 된다. 즉 신화는 불이나 문자와 같이 인간에 의해 만들어진 문화재의 기원을 설명하게 되는 것이다. 물론 이러한 설명조차 신화적 사유에 머무르는 한 문화재가 인간의 힘과 의지에 의해서 만들어진 것이 아니라 인간에게 주어진 것이라는 견해에 머무른다. 불의 사용, 특정한 도구의 제작, 농사 혹은 사냥의 도입, 개별 치료제에 대한 지식과 문자의 발명, 이 모든 것은 그것들을 관장하는 특수한 신들이 인간에게 준 선물로서 나타나는 것이다.

인간은 이 경우에도 자신의 행위를 자신으로부터 분리하여 외부로 투사함으로써 비로소 이해한다. 이러한 투사로부터 신은 이제 더 이상 단순한 자연력으로서 나타나지 않고 인격을 갖춘 문화적 영웅으로서, 빛과 구원을 가져다주는 자로서 나타나게 된다. 이러한 구원자의 형상이야말로 각성하고 진보해가는 문화적 자기의식에 대한 최초의 신화적-구체적 표현이다. 신화적 감정과 신화적 사유가 이러한 길에서 나아가면 갈수록, 최고 창조신의 모습이 한낱 장인(匠人)들의 신, 농경의 신, 혹은 불의 신이라는 특수신들의 권역으로부터, 또한 잡다한 다신론적 개별 신들로부터 보다 분명하게 부각되어 나오게 된다.

이러한 창조신에서 행위의 모든 다양성은 하나의 정점 안으로 결집되어 나타난다. 신의 창조작용은 창조신 자체와 마찬가지로 하나의 것으로서 파악되고 이렇게 해서 신화적-종교적 의식은 갈수록 더욱 강력하게 창조의 통일적 주체에 대한 견해가 되는 것이다. 이러한 신은 더 이상 자연적-물질적인 것에 붙들려 있지 않고 순수하게 정신적인 성격을 갖는다. 이러한 신의 모습에 비추어 인간은 자신도 행위의 모든 다양한 방향들을 서로 결합하고 응집시키는 자기동일성을 갖는 구체적 통일체로서 파악하게 된다.

신에 대한 직관이란 매개를 통해서 인간은 행위하는 주체로서의 자기 자신을 행위의 단순한 내용과 그것의 물질적 성과로부터 분리하게 된다. 따라서 순수한 일신교가 궁극적으로 도달하게 되는 '무로부터의 창조'라는 사상, 즉 창조라는 범주가 비로소 참으로 철저한 형태로 표현되는 이러한 사상은 종교적 관점에서 볼 때는 궁극적이면서 최고의 것을 의미한다. 순수한 의지의 존재와 순수한 행위의 존재에 도달하기 위해 사물의 존재를 폐기하고 파괴해야 하는 종교적 정신의 강력한 추상력이 이러한 사상에서 자신의 힘을 완전히 발휘하고 있기 때문이다.

동시에 카시러는 이러한 자기동일성을 갖는 구체적인 통일체로서의 자아는 영혼이 삶의 현상들의 단순한 담지자 내지 원인으로 사유되지 않고 윤리적 의식의 주체로 파악될 경우에도 일어난다고 말한다. 인간이 자신을 윤리적 주체로 파악함으로써 인간은 자아의 통일성을 더 이상 물질적 혹은 반쯤 물질적인 영혼의 통일성으로 보지 않게 되는 것이다. 윤리적인 길을 통한 자아의 이러한 각성도 종교를 통해서 준비된다. 이러한 사태는 무엇보다 구약성서의 예언자들의 종교에서 가장 극명한 형태로 나타난다. 구약성서의 예언자들은 신을 윤리적 존재로 생각하면서, 인간도 신의 상을 섬기는 것에 의해서가 아니라 윤리적 행위를 통해 구원을 받을 수 있다고 보는 것이다.

이렇게 윤리적인 행위가 결정적 지위를 점하게 되자마자 인간은 또한 자신이 만들어낸 신화적 형상에 사로잡힌 상태에서 벗어나게 된다. 이제야 비로소 인간은 미지의 것들에 대한 두려움에서, 즉 주술적인 힘을 갖는 여러 정령들에 대한 두려움에서 벗어나게 되었다. 왜냐하면 그는 자신의 자기, 즉 자신의 내면이 더 이상 그러한 것들에 의해 지배된다고 느끼지 않고 자신의 윤리적 행위에 의해 결정된다고 믿는 것이다.

2) 신화적 형상과 초월적 존재의 분리

신화적 세계관과 종교적 세계관 사이의 근본적 차이 중 하나를, 카시러는 신화적 의식은 신화적 상과 기호에 사로잡혀 있었지만 종교적 의식은 그것들을 사용하면서도 그것들과 자유로운 관계를 맺고 있다는 데서 찾는다. 종교적 의식은 신화적 의식처럼 상이나 기호를 신 자체로 보지 않고, 신 자체 내지 궁극적 존재가 그것들을 초월해 있다고 보는 것이다.

물론 카시러는 신화적 의식과 종교적 의식 사이의 분리는 극히 점진적으로 일어날 뿐 아니라 발전된 종교적 의식에서도 여전히 신화적 의식의 잔재가 보인다고 말한다. 특히 종교적 의식이 시작되는 시점으로 올라갈수록 그것은 신화적 의식으로부터 분리되기 어렵다. 양자는 서로 얽혀 있고 결합되어 있어서, 현실적으로 분명하게 서로 분리되기 어렵다.

신화와 종교의 내용들은 이렇게 서로 떨어질 수 없게 얽혀 있음에도 불구하고 양자의 형식은 전혀 동일하지 않다. 종교적 의식에 의해 개시된 새로운 정신적 '차원'은 '의미'와 '기호' 사이의 대립을 신화의 영역 안으로 처음으로 끌어들이게 된다. 종교는 신화 자체에게는 낯선 절단을 수행하는 것이다. 종교는 감성적 형상과 기호를 이용하면서 동시에, 이것들을 한낱 형상과 기호로서 알게 된다. 즉 종교는 형상과 기호가 어떤 특정한 의미를 개시하더라도 그것들이 사실은 이러한 의미에 못 미치는 표현수단이며, 이 의미를 '가리키기는' 하지만 이것을 결코 완전히 파악하고 길어낼 수는 없다는 것을 알게 된다.

모든 종교는 그것이 발달하는 과정에서 자신의 신화적 근거와 지반으로부터 벗어나지만, 이러한 이탈은 여러 종교들에서 동일한 방식으로 행해지지 않는다. 오히려 바로 이 점에서 각각의 종교는 특수한 역사적·정신적 고유성을 갖는다.

카시러는 몇 개의 고등 종교를 예로 들어 기호와 의미의 분리가 어떤 식으로 일어나고, 이러한 분리가 일어나는 독특한 방식에 따라 각각의 종교가 또한 어떤 식으로 독자적 특성을 갖게 되는지 살펴보고 있다.

(1) 구약성서의 예언자들의 종교적 의식

구약성서의 예언자들이 가졌던 종교적 의식에서는 신과 인간 사이에 '너'에 대한 '나'의 정신적-윤리적 관계만이 존재하며, 이러한 기초적인 관계에 속하지 않는 모든 것은 종교적인 가치를 상실하게 된다. 순수한 내면성의 세계를 발견하면서 종교적 의식이 외적인 세계, 자연적 존재의 세계로부터 벗어나는 순간, 자연적 존재는 이를테면 자신의 혼을 상실하고 죽은 '사물'로 격하되어버린다. 이와 함께 자연의 영역에서 취해졌던 모든 상은 이제까지처럼 정신적인 것과 신적인 것의 표현이 되지 않고 오히려 이것들에 대한 대립물이 되고 우상이 되어버린다.

이 점에서 구약성서의 예언자들은 철저한 우상파괴자들이라고 할 수 있다. 그러나 많은 고등 종교들에서 신화적 형상들은 그것들이 극복된 후에도 결코 모든 내용과 힘을 잃어버리지는 않는다. 그것들은 고등 종교에서는 저급의 악령적 힘으로서 존속한다. 그것들이 신적인 것에 대해 무력한 것으로 전락하고 이런 의미에서 '가상'으로서 인식된 후에도 그것들은 여전히 실체적이고 어떤 의미에서 본질적인 가상으로서 두려움의 대상으로 남아 있다. 그런데 이스라엘의 예언자들은 이러한 저급한 악령들조차 절대적인 무로서 증명하려고 한다.

그러나 이렇게 형상과 의미를 철저하면서도 선명하게 분리할 수 있는 사람들은 종교적인 천재, 위대한 개인들일 뿐이며, 종교사의 일반적 전개는 다른 길을 취하고 있다. 여기서는 신화적 상상이 만들어내는 형상들은 자신의 본래적인 생명을 상실하고 한낱 꿈과 그림자의 세계가 된 후에도 거듭 되풀이하여 몰려온다.

(2) 우파니샤드와 불교의 종교적 의식

우파니샤드는 종교적 사유와 종교적 사변이 진보해감에 따라 신화적 세계가 어떤 식으로 점차 헛된 것이 되어가는지를 보여줄 뿐 아니라, 이러한 과정이 어떤 식으로 신화의 형상으로부터 경험적-감각적 존재의 형상으로까지 확대되어가는지를 보여주는 위대한 예다. 우파니샤드는 부정의 길을 통해 자신의 궁극적이고 최고의 목표에 도달한다. 즉 우파니샤드는 브라만과 아트만이라는 참된 실재가 어떠한 경험적이고 무상하며 유한한 형상에 의해서도 파악될 수 없다고 보는 것이다. 아트만과 브라만이라는 절대자에게 최종적으로 남는 유일한 명칭은 부정 자체다.

불교는 이러한 동일한 부정의 과정을 객관으로부터 주관으로까지 확대한다. 구약성서의 예언자적-일신교적인 종교에서는 종교적 사유와 종교적 감정이 모든 한낱 사물적인 것으로부터 분명하게 벗어날수록 신과 인간 사이의 상호관계가 그만큼 더 순수하고 강력하게 드러난다. 상으로부터의 해방과 상의 대상성으로부터의 해방은 이러한 상호관계를 명료하면서도 선명하게 드러내는 것 이외의 목표를 갖지 않는다. 따라서 부정은 구약성서의 예언자적-일신교적인 종교에서는 공고한 한계에 부딪힌다. 부정은 종교적 관계의 중심인 인격과 그것의 자기의식을 그대로 남겨두기 때문이다.

그러나 불교는 이러한 마지막 한계도 넘어선다. 즉 불교에게 '자아'는 다른 사물들과 마찬가지로 우연하고 외적인 것이다. 우리가 영혼이나 인격이라고 부르는 것 자체는 실재하는 것이 아니라 가장 통찰하기 어렵고 극복할 수 없는 환상일 뿐이며, 우리가 이러한 환상에 사로잡히는 것은 '형상과 이름'에 집착하는 경험적인 표상 때문이다. 따라서 불교에서는 자아도, 즉 개인과 개인적 '영혼'도 무의 영역에 속하는 것으로 간주되어야 한다. 불교도 인간의 구원을 목표로 하지만 불교가 추구하는 구원은 개인적 자아'의' 구원이 아니라 개인적인 자아'로부터의' 구원이다.

그리고 실체적인 영혼과 동시에 이것의 종교적인 상관자이자 상대자(Gegenbild)인 실체적 신성도 사라져야 한다. 부처는 민간신앙의 신들을 부정하지는 않았지만, 이것들은 모든 자연사물과 마찬가지로 소멸의 법칙에 복속되어 있는 것으로 보았다. 생성의 원환에, 그리고 이와 함께 고통의 원환에 사로잡혀 있는 신들은 인간에게 아무런 도움도 줄 수 없으며 고통으로부터의 해방도 가져다줄 수 없다. 이 점에서 불교는 '무신론적인 종교'의 유형에 속하지만, 이는 불교가 신들의 존재를 부정한다는 의미에서가 아니라 신들의 존재가 불교의 핵심적이고 주요한 문제와 관련해서는 중요하지 않으며 무의미하다는 훨씬 더 깊고 훨씬 더 철저한 의미에서 그렇다.

(3) 그리스도교 신비사상의 종교적 의식

그리스도교도 그것의 전체적인 전개 과정에서는 불교와 유사한 투쟁을 벌이고 있다. 즉 종교적 '실재'에 적합하고 특유한 규정을 확보하기 위한 투쟁을 벌이고 있는 것이다. 그러나 그리스도교에서는 신화적 형상세계로부터 벗어나는 것은 더 어려운 것으로 나타난다. 이는 특정한 신화적 직관들이 그리스도교 고유의 근본 교설 안에, 즉 그것의 교의 내용에 깊이 뿌리를 내리고 있어서 그것들이 그리스도교로부터 제거될 경우 교의 내용 자체가 위태로워지기 때문이다.

특히 세례와 성찬식은 그리스도교에서 처음에는 전적으로 주술적인 의미에서, 즉 그것들에 고유한 직접적인 효력에 입각하여 이해되고 평가되었다. 사실 그리스도교의 이러한 한계 안에 그것이 가졌던 역사적 힘의 대부분이 포함되어 있다. 그리스도교가 만일 자신의 이러한 신화적 '토착성'을 보존하지 않았더라면 그리스도교는 고대 말기의 특징을 이루는 세계 지배를 둘러싼 동방(오리엔트) 종교들 사이의 싸움에서 아마도 패배했을 것이다.

그러나 그리스도교에서도 신비사상은 경험적-감각적 형상세계가 개입하는 것을 전적으로 배격하면서 종교 자체의 순수한 의미를 확보하려 시도한다. 인간의 영혼이 신에 대해서 갖는 관계는 경험적이거나 신화적인 직관의 형상언어에 의해 적절하게 표현될 수 없다. 자아는 이러한 형상들로부터 완전히 물러나 자신의 본질과 근거 안에 거주하고, 그곳에서 형상을 매개로 하지 않고 신의 단순한 본질에 접촉해야 한다. 따라서 신비사상은 신앙 내용에 포함된 신화적 요소들과 마찬가지로 역사적인 요소들도 배척한다.

신이 인간이 되는 것은 더 이상 신화적이거나 역사적인 사실로서 파악되어서는 안 되며, 이제 그것은 인간의 의식 속에서 항상 새롭게 수행되는 과정으로 파악된다. 여기서 일어나는 것은, 그 자체로 존재하는 대립적인 두 개의 '자연물'이 나중에 합쳐져서 하나가 되는 것이 아니다. 오히려 여기서는 신비사상에게 잘 알려져 있는 근원적 소여(所與)인 통일된 종교적 관계로부터 이 관계의 두 요소가 출현하는 것으로 여겨진다. 이와 관련하여 카시러는 마이스터 에크하르트의 말을 인용한다. "아버지는 끊임없이 자식을 낳는다. 그뿐 아니다. 그는 자신의 자식인 나를 낳을 뿐 아니라, 더 나아가 나를 자신으로서, 자신을 나로서 낳는 것이다."

이와 함께 신비사상은 그리스도교의 교의마저도 극복하려 한다. 교의는 어떠한 것이든 분리시키고 한정하는 성격을 갖기 때문에 교의는 역동적인 종교적 삶 내에서만 파악될 수 있으며 의미를 갖는 것을 규정적인 표상으로 변화시킨다. 따라서 신비사상의 입장에서 볼 때는 형상과 교의, 즉 종교의 '구체적인' 표현과 '추상적인' 표현은 동일한 차원에서 움직이고 있는 것이다.

신비사상은 이렇게 모든 유한한 형상을 배격하려 하기 때문에 '부정신학'의 방법을 받아들인다. 신적인 것을 파악하기 위해서는 '어디서', '언제' 그리고 '무엇'과 같은 유한하고 경험적인 존재의 모든 조건이 제거되어야 한다. 신은 어떤 특정한 장소에 존재하지 않는다. 이와 마찬가지로 시간의 모든 구별과 대립, 과거, 현재 그리고 미래가 신 안에서는 소멸해버렸다. 신의 영원성은 시간에 대해서는 아무것도 알지 못하는 현재의 지금이다. 신에게는 오직 '이름을 갖지 않는 무(無)'와 '형상을 갖지 않는 형상'만이 남아 있다.

그리스도교적인 신비사상은 이러한 무와 무내용성이 존재와 마찬가지로 자아조차 장악해버릴 위험에 계속해서 봉착한다. 그러나 그리스도교적 신비사상에는 불교적인 사변과는 달리 넘어서기 어려운 장벽이 남아 있다. 개체적인 자아, 개별적인 영혼의 문제가 중심이 되는 그리스도교에서는 자아'로부터의' 해방은 항상 동시에 자아'를 위한' 해방을 의미하는 식으로만 사유될 수 있기 때문이다. 따라서 에크하르트나 타울러와 같은 신비가들이 불교적 열반의 경계에까지 다가가는 듯 보이는 경우에조차, 즉 그들이 자기를 신 안에서 소멸하게 하는 경우에조차, 그들은 여전히 자신의 개인적인 형식을 보존하려고 한다. 자아가 바로 그 자신의 이러한 폐기를 알고 있는 하나의 지점, 하나의 '작은 불꽃'이 남아 있는 것이다.

4. 나가면서

『상징형식의 철학, 제1권: 언어』를 번역하면서도 그랬지만 이 책을 번역하면서 본인은 카시러의 박학다식함과 종합적인 통찰력에 감탄하지 않을 수 없었다. 이 많은 문헌들을 언제 다 읽었을까라는 의문이 들 정도로, 카시러는 신화와 종교에 대한 철학적 연구서뿐 아니라 종교사와 민족사에 관한 수많은 자료를 섭렵하고 있다. 아울러 카시러는 이러한 자료들이 제공하는 정보를 독자적으로 종합하면서 신화가 지닌 본질적인 구조를 드러내며, 또한 신화와 종교의 전개 과정에 대한 탁월한 통찰을 제시한다. 이 책은 신화와 종교를 연구를 하는 데 있어서 앞으로도 계속 연구되고 참조되어야 할 고전으로 남을 것이다.

끝으로, 오역을 피하기 위해 기다 겐(木田 元)에 의한 일본어역 『シンボル形式の哲學, 第二巻 神話的 思考』(岩派書店, 2006)과 Ralph Manheim에 의한 영역 *The Philosophy of Symbolic Forms, Volume 2: Mythical Thought*(New Haven and London: Yale University Press, 1955), 심철민 역의 『상징형식의 철학 II: 신화적 사고』(도서출판 b, 2012)를 참조했음을 밝혀둔다.

지은이 소개

이용재

전북대학교 사학과 교수. 서울대학교 서양사학과를 졸업하고 같은 학교 대학원에서 석사학위를, 프랑스 파리1대학에서 박사학위를 취득했다. 지은 책으로 『세계화 시대의 서양 현대사』(공저) 등이 있고, 옮긴 책으로 『앙시앵레짐과 프랑스혁명』, 『소유란 무엇인가』 등이 있다.

조정옥

성균관대학교 강사. 성균관대학교 철학과를 졸업하고 서울대학교 철학과에서 석사학위를, 독일 뮌헨대학에서 박사학위를 취득했다. 지은 책으로 『감정과 에로스의 철학』, 『행복하려거든 생각을 바꿔라』 등이 있고, 옮긴 책으로 『동감과 본질의 형태들』, 『색의 수수께끼』 등이 있다.

김창래

고려대학교 철학과 교수. 고려대학교 철학과를 졸업하고 같은 학교 대학원에서 석사학위를, 독일 본대학에서 박사학위를 취득했다. 해석학과 존재론에 학문적 관심을 두고 저술과 강의를 해왔다. 옮긴 책으로 『정신과학에서 역사적 세계의 건립』 등이 있다.

진교훈

서울대학교 윤리교육과 명예교수. 서울대학교 철학과를 졸업하고 오스트리아 빈대학에서 박사학위를 취득했다. 지은 책으로 『인격』, 『현대 사회 윤리 연구』 등이 있고, 옮긴 책으로 『우주에서 인간의 지위』가 있다.

정해창

한국학중앙연구원 명예교수. 미국 오클라호마대학에서 석사학위를, 뉴멕시코대학에서 박사학위를 취득했다. 지은 책으로 『현대 영미철학의 문제들』, 『듀이의 미완성 경험』, 『제임스의 미완성 경험』 등이 있고, 옮긴 책으로 『실용주의』 등이 있다.

황수영

세종대학교 교양학부 초빙교수. 서울대학교 철학과에서 석사학위를, 프랑스 파리4대학에서 박사학위를 취득했다. 베르그손과 그를 잇는 캉길렘, 시몽동, 들뢰즈의 생명철학 연구를 수행 중이다. 지은 책으로 『베르그손, 생성으로 생명을 사유하기』, 『물질과 기억, 시간의 지층을 탐험하는 이미지와 기억의 미학』 등이 있고, 옮긴 책으로 『창조적 진화』 등이 있다.

박종원

건국대학교 인문학부 연구교수. 성균관대학교 철학과를 졸업하고 같은 학교 대학원에서 석사학위를, 프랑스 파리1대학에서 박사학위를 취득했다. 지은 책으로 『서양철학의 이해』 등이 있고, 옮긴 책으로 『물질과 기억』, 『도덕과 종교의 두 원천』(근간) 등이 있다.

박찬국

서울대학교 철학과 교수. 서울대학교 철학과를 졸업하고 같은 학교 대학원에서 석사학위를, 독일 뷔르츠부르크대학에서 박사학위를 취득했다. 지은 책으로 『니체와 불교』, 『하이데거의 「존재와 시간」 강독』 등이 있고, 옮긴 책으로 『니체 1·2』, 『비극의 탄생』, 『상징형식의 철학 제1권: 언어』, 『상징형식의 철학 제2권: 신화적 사유』, 『안티크리스트』 등이 있다.

고전의 유혹 3

1판 1쇄 찍음 | 2015년 5월 18일
1판 1쇄 펴냄 | 2015년 5월 22일

지은이 | 박찬국 외
펴낸이 | 김정호
펴낸곳 | 아카넷

출판등록 2000년 1월 24일(제406-2000-000012호)
413-120 경기도 파주시 회동길 445-3
전화 | 031-955-9510(편집) · 031-955-9514(주문) · 031-955-9506(마케팅)
팩스 | 031-955-9519
책임편집 | 아카넷 편집부
www.acanet.co.kr

Printed in Seoul, Korea.

ISBN 978-89-5733-429-4 04160
ISBN 978-89-5733-426-3 (세트)

이 도서의 국립중앙도서관 출판예정도서목록(CIP)은
서지정보유통지원시스템 홈페이지(http://seoji.nl.go.kr)와
국가자료공동목록시스템(http://www.nl.go.kr/kolisnet)에서 이용하실 수 있습니다.
(CIP제어번호: CIP2015013536)